FATE
A SAGA WINX

O Caminho das Fadas

FATE
A SAGA WINX

O Caminho das Fadas

Por Ava Corrigan

Tradução
Fábio Meneses Santos

Principis

Esta é uma publicação Principis, selo exclusivo da Ciranda Cultural

Texto
Ava Corrigan

Título original
Fate: The Winx Saga
The Faries' Path

Tradução
Fábio Meneses Santos

Preparação
Jéthero Cardoso

Revisão
Agnaldo Alves
Eliel Cunha

Diagramação
Linea Editora

Imagens
Sparks/Shutterstock.com;
Drunaa/Trevillion Images

Design de capa
Katie Fitch

Dados Internacionais de Catalogação na Publicação (CIP) de acordo com ISBD

C825f Corrigan, Ava

Fate: a saga Winx: o caminho das fadas / Ava Corrigan. - Jandira : Principis, 2021.
288 p. ; 15,5cm x 22,6cm.

Tradução de: Fate: the winx saga - the fairies' path
ISBN: 978-65-5552-408-6

1. Literatura juvenil. 2. Contos de fadas. I. Título.

2021-985 CDD 028.5
CDU 82-93

Elaborado por Vagner Rodolfo da Silva - CRB-8/9410

Índice para catálogo sistemático:
1. Literatura juvenil 028.5
2. Literatura juvenil 82-93

1ª edição em 2021
www.cirandacultural.com.br

Sumário

O início do conto de fadas

Bloom Peters puxou seu saco de dormir sujo até o queixo, estremeceu no colchão de ar esvaziado colocado no chão frio e desejou voltar para casa. Nenhuma fada madrinha gentil veio realizar seu desejo. O armazém onde ela passava as noites era um espaço que poderia causar pesadelos, e Bloom não precisava de nenhum tipo de ajuda no departamento de pesadelos. Havia detritos amontoados nos cantos daquele espaço cavernoso, e às vezes Bloom ouvia um ruído estranho vindo daquela direção – ruído que ela decidiu firmemente não investigar. O luar enviava raios de luz fria para baixo através das aberturas no telhado, como espaçonaves alienígenas procurando por uma abduzida. Felizmente para Bloom, seus pesadelos eram sobre queimar casas e não armazéns enregelantes. E ela não poderia ter pesadelos se nunca mais dormisse. Sentada em sua cama improvisada, pegou seu caderno, usando o celular para iluminar a página inicial. A lista de ideias de Bloom era intitulada "Que diabos está acontecendo comigo?".

Pirocinese? Mutações? Superpoderes? À prova de fogo?

Abaixo de sua lista de ideias, ela descrevia o resultado de suas experiências.

6 de julho – velas – sem queimaduras.
8 de julho – fogão de acampamento – sem queimaduras.
10 de julho – maçarico – sem queimaduras.

Experimentar em si mesma foi assustador, mas não tão assustador como a lembrança de sua casa queimando. Todas as noites, Bloom revivia a briga que tivera com sua mãe, e então o momento em que ela acordara para ver sua casa em chamas. Ela sabia que, de algum modo, ela mesma fizera aquilo. Correu através de sua casa em chamas até o quarto dos pais e encontrou a cama, as cortinas, todo o quarto em um inferno flamejante. Até o teto era um mar de chamas. Bloom se lembrava de seu pai tossindo desesperadamente no chão, sua mãe enrolada em um cobertor e coberta de queimaduras. Como se o fogo tivesse se lançado para engolir sua mãe, quando Bloom nunca... Bloom nunca faria aquilo. Só que ela tinha feito. Todas as noites, ela saía de seu quarto normal, em sua agradável casa-em-reconstrução-dos-danos-do-fogo normal. Ela viera até ali e se aninhara no chão, tentando não pensar em como sair daquela situação. Bloom se considerava uma lutadora, mas fora ela quem havia machucado sua mãe. E ela não sabia como lutar contra si mesma.

Ouviu outro ruído, esse ainda muito mais alto. Sentiu a cabeça estremecer. Não era possível ver muito bem através das janelas encardidas pela sujeira. Se alguém tivesse visto uma adolescente entrar furtivamente no armazém abandonado, poderia ter imaginado várias razões por que ela havia entrado lá. Bloom largou o telefone e o caderno. Deixem os invasores tentar vir até ela. Ela tinha ferido sua própria mãe e não iria hesitar em cair no estilo terra arrasada sobre um canalha. Literalmente.

Houve outro som, um eco de passos. As mãos de Bloom se fecharam. Ela sentiu uma forte coceira no centro de cada palma, como um calor que vai aumentando.

O som dos passos não veio da direção da porta. Bloom se virou para ver uma mulher. Ela não era uma intrusa comum. Era uma mulher claramente extraordinária. Não havia dúvida sobre isso. Ela era alta, branca, de meia-idade, com roupas conservadoras e com uma juba loira-acinzentada totalmente presa à cabeça, sobrancelhas escuras, delineadas, e um ar de imensa dignidade. Sua presença parecia transformar o armazém sujo em um camarote. Além disso, a parede atrás da mulher se abriu em um portal brilhante de luz. Apenas mais uma pista de que algo incomum estava acontecendo ali.

– Bloom Peters? – perguntou a estranha. – Sou Farah Dowling. Por favor, veja se esquece meu primeiro nome imediatamente. Se você vier para minha escola, você não precisará mais usá-lo. Diretoras não têm primeiros nomes.

O primeiro choque de Bloom estava passando.

– Se eu for... para a sua escola – disse Bloom.

Uma risada rasgada irrompeu daquela garganta.

– Ah, uma estranha misteriosa veio me contar sobre sua escola para bruxos?

– Não bruxos – disse a mulher.

Bloom acenou àquela resposta:

– É esta a parte em que você me diz que sou uma mágica agora?

– Você sempre foi, Bloom – disse a diretora Dowling. – Você apenas não sabia ainda.

Isso foi o suficiente. Ela poderia ter poderes misteriosos que estavam fora de controle, o mundo poderia estar enlouquecendo, mas seus pais não a criaram para ouvir adultos estranhos que se aproximam na calada da noite com o que parecia ser um discurso de recrutamento para um culto secreto. Bloom bufou, abandonou seu saco de dormir e foi para a porta. A voz da mulher a deteve na saída do armazém.

– Eu sei sobre o incêndio, Bloom.

Bloom tremeu como a chama de uma vela acesa em uma rajada de vento.

Lentamente, ela se virou. A mulher estava olhando para ela com um olhar firme, perspicaz, mas não cruel.

– Aonde você vai? Você não pode ir para casa. Você está muito apavorada de poder ferir seus pais de novo.

A diretora Dowling estava certa. Bloom estremeceu. Mesmo na Califórnia, as noites podem ficar bem frias.

Dowling moveu-se em direção a Bloom, que se manteve imóvel, paralisada por uma mistura de medo e esperança.

– Você está procurando respostas. Sou uma professora. O que significa que tenho todas as respostas. Ou, pelo menos, vou te dizer que sim.

Bloom queria ir para casa ainda mais do que queria respostas, mas ela não conseguia encontrar um caminho seguro. Não sozinha. Então, quando a mulher falou, Bloom ouviu.

Conto de fadas n.º 1

Venha, criança humana!
Para as águas e a vida selvagem.

– W. B. Yeats

Fogo

Eu tinha acabado de chegar ao castelo e, honestamente, estava em choque. "Calma, Bloom", eu ficava repetindo em minha mente, mas era difícil estar tranquila no país das fadas. Não esperava que minha nova escola de fadas poderia se parecer com o castelo em uma ilustração do livro de contos de fadas que costumava guardar com carinho. *Era uma vez*, era meu bem favorito, o livro mais chique que possuía, com espirais douradas na capa. Mas cresci e embalei o livro em meu velho baú de brinquedos junto com meus ursinhos de pelúcia. Pensei que já houvesse passado há tempo dos contos de fadas.

Isso foi antes de usar magia para incendiar minha casa. Meu baú de brinquedos e meu livro de contos de fadas também haviam queimado.

Mesmo quando criança, nunca esperei realmente entrar em um conto de fadas. Toda a paisagem era assim. Verdejante, rolando Colinas verdejantes que pareciam macias como um veludo verde, florestas escuras e agora um castelo cercado por portões e jardins. Havia torres com cúpulas em cada lado do castelo, e o telhado estava salpicado de torres. As paredes pareciam ser granito, mas de alguma forma mais liso, como granito que virou vidro ou recebeu um brilho mágico. Talvez fadas pudessem fazer aquilo. Eu não tinha ideia do que as fadas podiam fazer. No entanto, aparentemente, eu era uma delas.

Meu livro de contos de fadas não incluía um enxame de crianças da mesma idade que a minha. Uma afro-americana de pernas longas e aparência muito capaz passou por mim, vestindo uma jaqueta jeans e carregando uma sacola cheia de equipamentos esportivos. Espere, ela não era afro-americana. As fadas não tinham África ou América. Eu não sabia o nome do reino das fadas em que estava. Também não tinha imaginado fadas praticando esportes radicais. Outra garota, pálida, com uma nuvem de cabelo castanho, estava segurando várias plantas no colo enquanto corria através do pátio. Uma terceira passeou por ali, lembrando vagamente um punk rock de pele morena e usando fones de ouvido enormes que zumbiam fracamente em suas orelhas. Eu não tinha imaginado fadas curtindo rock, também. Havia um cara esguio com jeans skinny, de sobrancelhas sardônicas e nariz com cirurgia plástica. A Califórnia sempre teve muitos meninos brancos *haters*, mas este com estilo de rei do crime tinha uma faca de verdade. Oh, não, faca de verdade! Não estava interessada em conhecer melhor o Cara da Faca. Uma linda garota loira com pele de porcelana estava tirando uma selfie com um grupo de alunos mais jovens intimidados. Um fio luminoso flutuava no ar, fazendo seu cabelo lustroso brilhar. Pense em um ângulo de beleza. Aparentemente, as fadas podem criar sua própria iluminação de beleza.

Olhei para o meu telefone. A diretora Dowling me disse que uma garota mais velha chamada Stella iria me encontrar e me mostrar a rotina básica. Stella estava atrasada e eu cansada de esperar. Poderia me virar sozinha. Comecei a seguir em frente, fiquei em dúvida e mudei de caminho, e então segui em frente de novo. Ousadia era tudo.

– Uau você parece tão perdida... – ouvi alguém dizer.

Um cara estava falando comigo. Felizmente, não era o Cara da Faca, mas... desculpe, Cara Qualquer, não tenho tempo para você. O Cara Qualquer continuou, com sua voz pensativa.

– O problema é que você está sobrecarregada. Quero dizer, você está essencialmente correndo. E agora que estou aqui, você não pode me dar a satisfação de me dar as costas.

Eu dei uma espiada nele e sorri. Seu cabelo tinha picos penteados como um capacete de ouro, e sua camisa era rosa, de que eu gostava porque os estereótipos de gênero eram para os fracos. Ele até tinha um bronzeado de verão que uma ruiva como eu, pálida igual a barriga de peixe, só poderia sonhar ter. Mas não importa quão fofo ele fosse, eu não ia encorajar aquele garoto.

– Acho que isso significa que temos que fazer isso para sempre. Existem coisas piores, mas...

Parei e me virei para ele:

– Não preciso de ajuda, mas obrigada.

Agora eu estava olhando para ele corretamente, o Cara Qualquer era muito fofo, com aquele queixo de super-herói e um ar confiante. Ele podia até ser bonito, mas eu era do tipo independente.

O Cara Qualquer brincou:

– Não me lembro de ter oferecido. Tão presunçosa. Você deve ser uma fada.

– Bem, foi isso que a diretora Dowling me disse.

Respirei fundo e disse em voz alta pela primeira vez:

– Sim. Sou uma fada.

O castelo e o Garoto Bonito ficaram confusos ao meu redor por um segundo. Continuei brincando, mas não estava fazendo um bom trabalho em esconder como eu estava oprimida. Ele adivinhou que eu não era dali de perto, e seu olhar suavizou como se estivesse triste por mim. Antes, na Califórnia, eu não conseguia me encaixar. Será que eu poderia ali? Esse menino parecia tão completamente em casa, em um castelo, em um mundo onde as fadas eram reais. Parte de mim queria continuar sorrindo para ele, parte de mim queria encontrar meu próprio caminho.

– Cara, pare de assediar as calouras!

O Cara Qualquer bonitinho se virou ao ouvir a voz, que pertencia ao Garoto da Faca. Ah, que inferno. Eu queria estar fora dali. Segui meu caminho em direção à escada enquanto o par brotava. O Garoto da Faca parecia se chamar "Riv". Bem, meu nome é Bloom, então, não deveria julgar. A loira com a iluminação mágica da beleza me alcançou na escada. Ela teria ficado ainda mais bonita se não estivesse com a expressão de que cheirou algo ruim.

– Bloom?

Imaginei que aquilo era eu.

– Você deve ser Stella. Oi. Eu estava esperando. Só fiquei meio que impaciente.

Stella não pareceu impressionada com minha impaciência, mas ela guiou o caminho através do castelo, acenando sem compromisso nos arredores impressionantes. Alguns dos lustres naquele lugar eram tão elegantes e delicados que pareciam estrelas suspensas em fitas douradas. Os quartos eram grandes e brilhantes, com raios de sol tingidos por vitrais tão detalhados quanto o bordado na bainha da saia de uma princesa.

Muitos dos vitrais eram de diferentes tons de verde, colorindo sutilmente o ar ao nosso redor como se estivéssemos em um mundo feito de jade e esmeralda. Stella não ficou impressionada, mas foi totalmente impressionante ela mesma. Ela usava o cabelo em uma trança legal, um sobretudo com ar de alta-costura e botas vermelhas incríveis. Eu era uma garota de botas, além disso, usava vermelho e rosa porque as ruivas não deveriam, mas gostava de quebrar regras. Entretanto, todos os meus conjuntos de vestidos e botas ficariam pálidos em comparação com os de Stella. Até a mão de Stella estava decorada. Balancei a cabeça para suas joias ornamentadas.

– Que anel maneiro.

– Herança de família – disse Stella –, um anel portal. A única coisa que me mantém sã neste lugar é a capacidade de deixá-lo. – Ela continuou falando, cheia de tédio pelo castelo de conto de fadas enquanto eu dava outra espiada em seu anel. – Se você alguma vez quiser voltar – disse Stella, enquanto deliberadamente disparava contra mim.

Ela estava fazendo algum tipo de jogo de poder, e não entendi o porquê.

Essa garota Stella não sabia quanto eu queria voltar para casa. Mas não podia. Aquela mulher, Dowling, havia me prometido respostas. Deixei Stella me levar escada acima para o conjunto de quartos no castelo de conto de fadas que ela chamava de Suíte Winx. Joguei minhas malas, mas não prestei muita atenção no que Stella estava dizendo. Eu estava focada nas respostas. Minha primeira tarefa foi encontrar a diretora Dowling novamente.

Fogo

Uma fada que parecia mais interessada em seu telefone me levou para o escritório da diretora. Uma vez lá, só encontrei mais perguntas. Havia um globo no escritório que mostrava reinos em vez de continentes.

Havia um reino chamado Eraklyon, que soou como um dragão limpando a garganta. Pelo visto, o reino em que estava atualmente se chamava Solaria. A escola de fadas Alfea. O reino das fadas Solaria. A mundos de distância da Califórnia e de casa. E a diretora Dowling, a mulher com as respostas. Minha única esperança. Ela se encaixa aqui contra o fundo de livros e vitrais ornamentados, seu globo dos reinos e sua escrivaninha brilhante. Ela estava em sua mesa, a cadeira minuciosamente entalhada e as janelas circulares em mosaico de vidro verde atrás dela me dizendo que era uma fada do fogo.

– Até aí eu sei – disse secamente e lancei minha primeira pergunta. – Então, quando começamos?

A senhora Dowling respondeu em tom moderado:

– As aulas iniciam amanhã. Você começará com o básico. Aprender a usar sua magia lentamente, mas com segurança.

Doeu. Pensei, como a senhorita Dowling tinha ido me buscar, que poderia me dar aulas especiais. Mas não, eu era apenas outra aluna na escola de fadas. Tudo bem, por mim. Minha missão era sair dali o mais rápido possível. Assim, uma palavra que ela usou me preocupou.

– Quando você diz "devagar..."

– Quero dizer isso mesmo. A magia pode ser perigosa, como você bem sabe. Nosso currículo é projetado com isso em mente. Confie no processo.

Com alguma rispidez na voz, eu disse:

– O... processo... devagar.

– Os graduados de Alfea governaram reinos e lideraram exércitos. Eles forjaram relíquias poderosas e redescobriram a Magia perdida havia tempos. Eles moldaram o Outro Mundo. Se você tiver sucesso, também moldará.

Sua voz era suave, séria e convincente. As palavras dela se desenrolavam à minha frente como outro mapa de reinos estranhos. Dowling fez um ótimo discurso de recrutamento, mas não procurava ser recrutada.

– Esse lugar... Outro Mundo, Alfea? Honestamente, parece...

– Como um livro de histórias ganhando vida.

– Incrível. Mas não é meu lar – eu disse a ela. – Não preciso governar um reino ou liderar um exército. Estou aqui porque você prometeu que me ensinaria a ter controle.

Eu não queria implorar por segurança. Ela não me deu nenhuma.

A senhorita Dowling encontrou meu olhar suplicante com o seu olhar frio e direto. A voz dela definiu a conversa.

– Não, Bloom. Você está aqui porque sabia que não tinha outra escolha.

Quase a odiei por não me ajudar, mas ela estava certa. Este era o lugar onde poderia aprender o controle. Meus pais mereciam coisa melhor do que uma criança selvagem como um incêndio na floresta. Estava fazendo isso por eles.

Fogo

Eu faria qualquer coisa pelos meus pais, incluindo mentir para eles sobre meu novo colégio interno em Definitely, Suíça. Meu *chat* de vídeo da tarde com eles foi um pouco estranho, especialmente quando mamãe e papai sugeriram ver a vista da janela. Se ao menos o país das fadas tivesse pistas de esqui! Mamãe e eu brincávamos de fingir que eu era uma princesa, de volta aos dias em que ela pensava que eu cresceria para ser uma líder de torcida e talvez rainha do baile. Nós nos vestíamos e ela tocava as músicas do tipo líder de torcida. Eu me lembrei de um canto que dizia "feche os olhos e abra o coração!". A lavagem cerebral brega não funcionou. Nunca me importei muito com vestidos de princesa com babados, mas gostava da ideia de estar em casa no meu castelo da princesa. Em meus devaneios de castelo de conto de fadas, a princesa tinha um quarto só para ela.

No que a bela loira Stella havia chamado de Suíte Winx, uma série de quartos bem iluminados com janelas altas e uma vista que não podia permitir que meus pais vissem, apenas uma pessoa tinha um quarto próprio. Para minha total falta de surpresa, essa pessoa era Stella. O segundo quarto era ocupado por Musa, a garota com os fones de ouvido zumbindo que tinha visto antes, e Terra, que estava agora mesmo se movimentando pelos quartos colocando plantas em cada superfície disponível. Estava dividindo o quarto com uma garota chamada Aisha. Havia notado sua mochila de atleta antes, mas agora a impressionante variedade de medalhas esportivas de Aisha em sua cômoda estavam brilhando mais intensamente do que o espelho. Não sabia onde a própria Aisha estava. Ela se movia rapidamente, galopando entre nossos quartos com uma graça e velocidade assustadoras. Parecia ser alguém legal, mas não me imaginava sendo amiga do peito de uma atleta de ponta. Quando mamãe, sempre esperando pela minha transformação na senhorita Popular, perguntava sobre as outras meninas, eu dava de ombros. "Honestamente, são cinco garotas em um espaço fechado, então... É só uma questão de tempo antes de entrarmos em um modo Senhor das Moscas[1] e nos matarmos umas às outras."

Minha mãe não gostou dessa resposta. Depois do nosso habitual vaivém, meus pais pediram para ver os Alpes novamente. Olhei ao redor em pânico. Não pude fornecer aos meus pais uma filha de destaque social ou os Alpes. Na minha mesa de cabeceira, uma lâmpada se apagou. E acendeu. Então, desligou de novo. A voz calma de Aisha soou:

– Tudo bem. Luzes apagadas. Telefones desligados.

Disse aos meus pais que os amava e desliguei. Então eu estava livre para expressar minha eterna gratidão a Aisha. Ela sorriu levemente, mas achei que havia bondade ali.

---

[1] *O Senhor das Moscas*, obra de Sir William Golding de 1954, em que meninos de um orfanato têm seu avião abatido ao sobrevoar uma ilha deserta, onde todos os adultos morrem, e eles ficam à própria sorte, fazendo suas próprias leis e regras de convívio para sua sobrevivência. (N.T.)

– Queria saber por que eles acham que você está nos Alpes?

– Meus pais são humanos. Aparentemente, não têm permissão para saber qualquer coisa sobre este lugar, então eles pensam que Alfea é um internato internacional na Suíça.

Aisha parecia assustada.

– Pais humanos, filha fada?

Eu esperava que não fosse tão incomum quanto o tom de Aisha afirmava que era. Ela não parecia o tipo de se assustar facilmente. Eu me ocupei em desfazer as malas para esconder meu desconforto.

– Dowling disse que há uma fada em algum lugar da minha árvore genealógica? Uma linhagem mágica há muito adormecida? – suspirei. – Um dia, vou me acostumar como isso tudo soa tão ridículo.

A surpresa de Aisha se tornou uma diversão irônica.

– Meu Deus. Acabei de conhecer a única pessoa no universo que nunca leu *Harry Potter*?

– Como você ousa? Se soubesse quantas horas desperdicei em questionários on-line do Chapéu Seletor...

– Corvinal?

– Às vezes Sonserina – admiti. – Às vezes eu trapaceava para não pegar a Sonserina. Claro que me preocupei se isso poderia me tornar mais Sonserina do que nunca.

– Isso explica as mentiras, então – Aisha disse suavemente. Pela primeira vez, percebi que Aisha tinha listras azul-cobalto passando por suas tranças afro.

– Grifinória? – mandei de volta. – Explica o julgamento.

Aisha e eu sorrimos. Então peguei minha bolsa de maquiagem e fui para o banheiro. Até agora, meio que gostei da minha nova colega de quarto. Se todas nós acabássemos matando umas às outras, talvez eu matasse Aisha por último. Isso ainda deixava aberta a posição de quem eu mataria primeiro. Passei pelo quarto de Stella para vê-la estudando as roupas prateadas e brilhantes dispostas sobre a sua cama como um general planejando uma campanha.

– Posso te ajudar? – Stella perguntou, sem olhar para mim. A diretora Dowling havia dito que Stella deveria ser minha mentora. Embora ela tenha mostrado pouco interesse em ajudar até agora.

– Você vai mudar de roupas? – perguntei.

– Vou.

– Achei que a festa de orientação fosse algo casual.

– E é.

Só para esclarecer, eu disse:

– Uma coisa casual e você está se trocando para ir.

– As pessoas já me viram com esta roupa. Elas vão esperar algo diferente – Stella disse isso como se fosse óbvio. Ela olhava para uma saia com a intensidade de mil sóis. Pisquei.

– As pessoas esperam que você use várias roupas por dia?

– As pessoas esperam que eu me importe com minha aparência. – Os olhos de Stella se voltaram para minha roupa bem casual. Ela deslizou até o espelho sem outra palavra. Enquanto olhava para o próprio reflexo, os olhos amarelo-âmbar brilharam de repente, como faróis de carro no rosto de uma garota. Outra luz mágica e cintilante apareceu. Sem muita cerimônia, Stella puxou a luz mágica do ar, colocando-a em um ângulo para iluminar sua roupa. Congelei, pega como um coelho pelos holofotes da magia.

– Algo mais? – Stella parecia entediada.

– Aquela luz. É mágica, não é? Como exatamente você…

– Sou uma mentora – disse Stella com firmeza. – Não uma tutora.

Ok, Stella, mensagem recebida. Stella cedeu.

– Isso é algo que você aprenderá no seu primeiro dia de aula, mas a magia das fadas está ligada à emoção. Podem ser os bons pensamentos, ou podem ser os ruins. Amor, ódio, medo. Quanto maior a emoção, mais forte é a magia.

– Então, você me odeia ou tem medo de mim? – provoquei. – Você estava olhando para mim quando fez aquele feitiço. E tenho certeza de que não me ama. – Eu estava brincando, mas Stella parecia me levar a sério.

– Nem te conheço – respondeu ela. – Tenho certeza de que assim que eu te conhecer, vou descobrir... algo para amar.

A maneira como ela olhou para mim disse que não tinha tanta certeza. Ao mesmo tempo, foi bom que Stella não estivesse desconsiderando a ideia. Houve momentos em que me olhei no espelho e não via muita coisa para amar. Eu me perguntava se alguma das minhas novas companheiras de quarto já se sentira assim. Terra, movimentada e feliz; Musa, a garota legal; Stella, glamourosa; e Aisha, que parecia tão centrada. De alguma forma, eu não suspeitava.

Mente

Cinco garotas. Quarenta e oito plantas. A Suíte Winx estava lotada. Para Musa, tudo estava lotado: zumbindo com os sentimentos intrusivos das pessoas, escorregavam por baixo de sua porta como um fluxo constante de mensagens que ela nunca pediu. Musa desejou apaixonadamente que pelo menos tivesse conseguido um quarto só para ela. Mas não. Para o seu quarto compartilhado veio Terra, chateada porque a abelha-rainha Stella havia dito para levar suas plantas para outro lugar. Terra parecia se magoar facilmente. Sua dor soou na cabeça de Musa como um gongo, e Musa cerrou os dentes.

– Ela parece adorável – observou Musa.

As emoções de Stella eram tudo menos adoráveis. Mas, então, na experiência de Musa, os sentimentos da maioria das pessoas não eram agradáveis. A voz superdoce de Terra acelerou até causar uma sobrecarga, ganhando velocidade e prazer frenéticos no percurso.

– Ela está só se divertindo. E sei que é muito... chocante, Fada da Terra chamada Terra, gosta de plantas. É coisa de família. Tenho uma prima chamada Flora. O nome da minha mãe é Rosa e meu pai trabalha na estufa aqui. É por isso que conheço bem os segundos anos. Cresci perto de Alfea, e...

Típico dos segundanistas, como Stella, Terra quis dizer. Que sentiu errado. Caiu uma ficha na cabeça de Musa, como se percebesse um livro faltando na estante.

– Stella é do segundo ano? Por que ela está em uma suíte cheia de calouras?

– Ah, sim. Na verdade... Não sei. Algum problema administrativo no ano passado? Quer dizer, poderia ser isso...

"Acho que você está mentindo", pensou Musa. Ela virou as costas e mergulhou seu poder em direção a Terra, percebendo uma vaga sensação de... Não, ela não deveria vasculhar esse assunto. Muitas pessoas mentiam. Terra não deveria ser encorajada, isso estava claro. Ela já estava enchendo seu quarto com plantas e a cabeça de Musa com informações demais, que Musa nunca tinha pedido.

– Você sabe o que mais? – Musa decidiu. – Na verdade, não é nada demais.

Ela pegou seus fones de ouvido como uma pessoa se afogando que agarra um bote salva-vidas. Terra seguiu tagarelando.

– Além disso, eu não falaria sobre isso com ela. Vamos apenas... todas nós... na real: quem se importa?

– Estranhamente, esse é o meu lema na vida. Então estamos de acordo.

Musa disse isso como uma maneira gentil, mas firme, de se desligar do assunto. Terra, o Terror, não entendeu.

– Você quer uma suculenta? Elas estão na moda. Baixa manutenção. Muito você. Não que eu realmente conheça você, mas...

– Se eu aceitar, você vai parar de falar? – Musa disparou, e então instantaneamente se sentiu mal. – Terra, estou apenas me divertindo.

Musa pegou a planta, dando a Terra exatamente o que ela queria, e foi recompensada quando Terra se afastou. Aliviada, Musa rapidamente colocou os fones de ouvido. Então, o desastre. Porque Terra não queria que Musa ficasse com a planta. Ela queria que Musa se envolvesse, se interessasse, fosse dominada pela onda confusa de emoções de Terra. Para se afogar nela.

– Na verdade, essa pode ser…

Musa virou as costas para que Terra não pudesse ver seu rosto. Ela esperava desesperadamente que Terra desistisse e a deixasse em paz. Houve uma batida na porta. Musa olhou para ela, supondo que fosse Aisha águas tranquilas, ou a incendiária Bloom. Stella não era do tipo que costumava bater. Aisha colocou a cabeça para dentro.

– Você disse que cresceu em Alfea? – a amante do esporte, Aisha, queria encontrar uma piscina para nadar, porque ela tinha de nadar duas vezes por dia todos os dias ou morreria, pelo visto. Terra explodiu em uma torrente totalmente inútil de informações sobre a lagoa onde os Especialistas treinavam. Segundo ela, a divisão militar da escola se revezava empurrando uns aos outros para a água durante os treinos. Musa deixou Aisha para se entender com Terra. "Acostume-se com a decepção", Musa pensou, "com Aisha e Terra também."

Aisha não estava conseguindo uma piscina e Terra não estava fazendo amigas aqui. Terra era claramente do tipo que queria que todos gostassem dela. Quanto mais tentava, menos as pessoas gostavam dela, o que a fez se esforçar mais ainda. Essa foi a situação difícil do dilema insolúvel. Que fez Musa se sentir péssima ao ver Terra se esforçando tanto… mas isso não fez Musa gostar dela. Musa adivinhou que essa reação era parte do problema de Terra. Tanto faz. Musa tinha seus próprios problemas. Ela não ligava para Fadas do Fogo, Fadas da Luz, Fadas da Terra, Fadas da Água ou Especialistas. Ela se concentrou em tentar se desligar de tudo e de todas.

Especialistas

Foi mais um lindo dia em Alfea, em que os poderosos Especialistas treinaram para defender seus reinos mágicos. Trainees esparramados nas plataformas que margeiam a lagoa, um grande retângulo de água que refletia as paredes de pedra cinza, um caminho margeado por árvores de um lado e uma faixa de gramado verde do outro. Algum idiota acabara de ser jogado na água. Riven sorriu maliciosamente e brandiu sua espada. Depois de um longo verão de folga, era legal ter uma espada nas mãos novamente. Menos legal era Sky, o melhor amigo superirritante de Riven em todo o mundo, que estava tagarelando sobre a menina ruiva do mundo humano que ele conhecera no dia anterior. Riven tinha certeza de que ele estava louco. Ele sabia disso porque loucura era o que Sky procurava em uma garota. Também nada legal, mas não inesperado: Sky estava vencendo Riven em sua sessão de *sparring*.

– Você ficou lento neste verão. – Sky riu. Riven mostrou os dentes.

– Correção: fiquei chapado neste verão.

Não fazia sentido tentar vencer Sky. Ele era o melhor. Qualquer pessoa em Alfea poderia dizer isso... logo depois de afirmarem que Riven era o pior.

Não havia nenhuma chance real, mas Riven continuou tentando vencer Sky de qualquer jeito. Ei, ninguém nunca disse que Riven era inteligente. O pai de Sky era Andreas de Eraklyon, o lendário herói morto matador dos Queimados. O substituto do pai de Sky era o diretor Especialista Silva, seu destemido líder com seus olhos azuis frios e paixão por corridas matinais. Riven lançou um olhar cauteloso ao redor. Ele tinha um problema com autoridade, e o problema dele era a parte em que alguém tinha autoridade sobre ele. Riven tinha certeza de que Silva estaria perto em breve para explicar que todos os Especialistas do primeiro ano, os Juniores, deveriam olhar para Sky, copiá-lo e ser igual a ele, mas nunca seriam tão bons quanto.

"Mate-me", pensou Riven. "Estou indo para a floresta para ficar chapado." Ele seguiu seu caminho em direção à floresta, ignorando os protestos de Sky. Ao fazer isso, ele notou um dos Especialistas Júnior observando enquanto ele partia. Don? Não, Dane. Riven considerou mostrar o dedo médio para o cara que o encarava, mas ele não podia ser incomodado. Ele passou a Barreira azul cintilante e entrou na floresta profunda e escura. Ele quase podia ouvir a voz de Silva agora, contando aos calouros que "a Barreira era seu escudo mágico contra os Queimados. Cuidado com aqueles monstros impiedosos com sua força e velocidade desumanas, nunca se esqueçam que ninguém vê um faz dezesseis anos, buu, buu, muito apavorante!".

Riven era alérgico a discursos inspiradores. Ele tinha acabado de se sentar em algumas pedras cobertas de musgo quando ouviu o barulho: um som profundo e baixo, como ossos sendo arrastados sobre ossos, um estranho estalido agudo. Estava vindo das árvores. A floresta parecia a mesma de sempre, galhos curvos cheios de folhas verdes, luz solar salpicada brilhando entre eles. Era um som que fez com que cada terminação nervosa de Riven sentisse pontadas, calafrios correndo sob a pele, apesar da luz do sol. Ele examinou os arredores e usou cada parte do treinamento de que conseguia lembrar para ficar alerta, para estar preparado. Mas nada poderia ter preparado Riven para a visão que estava além das folhagens.

Era o cadáver mutilado de um velho. O cadáver mal tinha a cabeça sobrando, a pele de sua bochecha rasgada como papel, mas o que restou de sua face contava uma história de terror e dor além da imaginação. O corpo foi arrastado até rasgar em trapos e farrapos. Dentro dos ferimentos mais profundos, nas fendas irregulares, Riven viu uma escuridão carbonizada. Riven examinou longamente os fragmentos arruinados daquilo que um dia foi um homem. Ele tentou ser um soldado, para ser bravo, e então avançou, tropeçando nas raízes das árvores, voltando precipitadamente através da floresta profunda e escura em direção à Barreira e à segurança. Ele gritou por Sky. Para Silva. Pedindo ajuda.

Terra

Havia luzes penduradas no pátio. Havia música tocando. Terra era finalmente uma aluna de Alfea, participando da festa de orientação como ela sempre sonhou. Depois de anos sendo a filha do professor que estava sempre rondando pela estufa, ela finalmente era uma aluna regularmente matriculada. Mas quando Terra pensou nesta cena, ela nunca imaginou que todo mundo estaria falando sobre o assassinato. Ela não se importava especialmente com fofocas de festas sobre cadáveres. Aparentemente, Riven tinha encontrado um corpo na floresta. Havia rumores de que o velho poderia ter sido morto por um Queimado, mas as pessoas sempre sussurravam algo sobre os Queimados. Terra sabia que não podia ser verdade. "Riven deve estar tão chateado", Terra pensou, mas ela não se importava com isso. Ela estava saindo com suas novas colegas de quarto em uma festa. A suíte delas era chamada de Suíte Winx, que era um nome tão legal. Talvez elas pudessem se chamar de Winx Club? Terra, Aisha e Musa estavam apenas comendo algo juntas, se divertindo, falando sobre... assassinato.

– Talvez ele fosse apenas velho – Terra disse, inquieta. – As pessoas envelhecem. Morrem. Todos nós morremos.

Isso soava ok. Nada muito assustador. A nova colega de quarto de Terra, Musa, que era muito legal para a escola e certamente muito legal para Terra, disse:

– Sim. Aquela velhice decapitada realmente atingiu você.

Terra mordeu o lábio. Musa devia pensar que ela era mesmo burra. Aisha estava construindo uma magnífica torre de biscoitos em um guardanapo. A Torre Inclinada de Cookies. Terra olhou nervosamente para a comida colocada nas mesas diante delas. Às vezes ela sentia como se a comida pudesse mordê-la antes de ela devorá-la. Ela não podia comer cookies. Todas as outras meninas na Suíte Winx eram tão magras e bonitas. Se Terra comesse um monte de cookies, as pessoas diriam: "por isso ela está assim". Mas se Terra tivesse um prato cheio de cenouras, as pessoas diriam: "quem ela pensa que está enganando, disfarçando assim?". Era difícil saber o que fazer. Musa e Aisha estavam fazendo piadas sobre a quantidade de cookies que Aisha estava comendo.

Parecia que Musa realmente sabia como sorrir. Musa acenou com a cabeça para os biscoitos.

– Sem julgamento, mas...

– Eu como um milhão de calorias por dia. Se não nadasse, seria enorme. – Aisha parecia se divertir enquanto falava. Ela se parecia e se movia como uma máquina esguia, determinada e bonita. Claro que ela achou a ideia de ser enorme hilária.

– Eu costumava dançar – disse Musa.

– Entendi.

Elas realmente pareciam se entender. Elas realmente pareciam estar se dando bem.

– E por falar nisso... – Aisha se levantou em busca de mais biscoitos.

Musa provocou:

– Segunda rodada. Droga. Duas vezes ao dia. Todos os dias. Você não estava brincando.

Aisha riu e foi embora. Musa se acomodou para colocar seus fones de ouvido de volta, agora que Aisha não estava mais lá para diverti-la. Terra falou mais afiada do que pretendia.

– Então você a ouviu mais cedo?

– O quê? – Musa perguntou.

Terra sabia que não deveria pressioná-la. Ela já teve uma sensação ruim na boca do estômago, e sabia que isso só iria piorando, mas ela não conseguia evitar.

– No quarto. Porque eu me lembro que você estava com seus fones de ouvido. E... você me ignorou como se não pudesse me ouvir. Mas você conseguiu ouvir Aisha?

Musa estava claramente escolhendo as palavras com cuidado.

– Às vezes uso meus fones de ouvido quando não sinto vontade de falar.

– Sim – disse Terra –, acabei de notar que você os usa muito quando estou por perto.

Enquanto as luzes piscavam e a música tocava, Terra viu sua nova colega de quarto lutando para saber como responder. Musa era uma boa pessoa, Terra pensou tristemente. Ela não queria ferir Terra. Ela simplesmente não gostava de Terra. Depois de uma pausa, Musa afirmou:

– É uma coisa comigo. Não tem nada...

– Está tudo bem – Terra disse a ela, repentinamente enjoada de si mesma –, não precisa explicar. Você já disse o suficiente. E já falei demais.

Ela fez a Musa o único favor que podia e foi embora, deixando Musa em paz, e ficou sozinha em sua primeira festa em Alfea.

Ela viu seu pai se movendo pela festa com um ar especialmente decidido. Alguns alunos gritaram, "Ei, professor Harvey!", enquanto ele seguia, sem dar a impressão de ter ouvido. Até o pai de Terra era mais popular do que ela. Seu pai era atualmente sua única esperança. Terra tentou falar com ele brilhantemente.

– Olá, pai! Você foi até a estufa? Precisa de ajuda?

Não poderia ter nada a ver com aquilo... com o corpo. Não, Terra tinha certeza de que os novos açafrões chorões haviam chegado. Seu pai piscou benevolentemente para ela, e o coração de Terra afundou.

– Não vai adiantar, amor. É o seu primeiro dia. Nada de se esconder na estufa. Você queria vir para Alfea sua vida inteira. Você está aqui agora. Junte-se aos colegas. Seja você mesma.

"Ser eu mesma é o problema", Terra pensou. "Eu queria poder ser outra pessoa."

Ela não iria caçar seu irmão chato. Ela não poderia voltar para perto de Musa e Aisha. A simples ideia de ir encontrar Stella foi hilária e muito, muito assustadora. E Terra nem tinha certeza se Bloom viria para a festa. A garota ruiva do mundo humano, tão esbelta e adorável como todas as suas outras companheiras de suíte, parecia distraída sempre que alguém falava com ela. Como se ela fosse muito focada em outra coisa e não tivesse tempo para você. Era hora de admitir. Suas companheiras de quarto claramente pensavam que Terra era chata como chiclete. A questão era, Terra pensou, até a sujeira era mais interessante. Infelizmente, ninguém mais concordava com ela. Ela só queria uma pessoa para sair e se divertir, fazer coisas como compostagem. Apenas uma. Uma amiga. Abandonada até mesmo por seu pai, Terra deixou os olhos vagarem para as mesas cheias de comida descartada. Pelo menos Terra poderia se mostrar útil. Alguém teria que limpar aquela bagunça.

Fogo

Examinei o pátio da minha escola de fadas, em busca das minhas colegas da Suíte Winx. Chega de escrever no meu caderno sobre fogo e de pensar em meus pais, decidi. Estava em Alfea até aprender o suficiente para voltar para casa. Eu tinha que tirar o melhor proveito disso. Mas havia muita gente na festa. Fadas.

Pessoas fadas estranhas, neste lugar estranho de fadas. Eu estava nessa festa havia dois minutos, e precisava de um descanso. Em vez de uma colega de quarto, vi o Garoto Bonito de antes. Eu me dirigi até ele, grata por encontrar um rosto familiar.

– Quanta gente tem aqui – disse a ele, para explicar minha aparente falta de ar.

– O quê, você não tem festas na... – o Garoto Bonito fez uma pausa, bem marcada, e então assumiu o risco – Califórnia?

Fiz também uma pausa fingida de surpresa.

– Ele se lembrou!

O Garoto Bonito me deu um sorriso.

– Impressionada?

Sim, que ele tenha se dado ao trabalho, talvez. Gostei da maneira cuidadosa que ele disse Califórnia, como se estivesse pronunciando uma palavra estrangeira. Ele tinha falado corretamente, mas com a ansiedade de alguma incerteza por trás disso. Ainda precisava respirar.

– Onde posso ir que seja o oposto disso? O que tem lá fora?

O Garoto Bonito parecia alarmado.

– Além da Barreira? Dependendo dos rumores, ursos ou lobos ou algo assim mais assustador.

– Mas, nenhuma pessoa? – perguntei. – Perfeito! Obrigada.

Isso soou como o armazém em que me escondia nos fundos lá de casa. Essencialmente inofensivo, mas assustador, então os outros iriam evitar o lugar, e poderia encontrar um refúgio por lá. Comecei a andar até os portões, e o Garoto Bonito começou a dizer que eu não deveria ir sozinha. Ele se ofereceu para me acompanhar e zombei dele.

– Mas quanta lorota.

– Não foi uma lorota. Confie em mim – ele disse.

Pensei em Stella dizendo que assim que ela me conhecesse, ela encontraria algo para amar em mim. Isso me fez sorrir. Ou talvez fosse o menino na minha frente que tenha me feito sorrir.

– Talvez, algum dia, eu vá.

Ele era tão fofo e estava claramente fazendo um esforço, e era um menino que pensava que a Califórnia era um conceito estranho. O fato de eu nunca ter me encaixado ali não importava para ele. Talvez eu devesse deixá-lo vir.

Como se eu a tivesse conjurado ao pensar nela, a voz de Stella soou.

– Oi, Sky. Podemos falar?

Stella estava vestindo sua nova roupa impecável e segurando duas bebidas. Cada luz cintilante no pátio brilhou em seu cabelo dourado. Ela estava olhando diretamente para o Garoto Bonito, cujo nome parecia ser Sky. Pela expressão de Sky, ele conhecia Stella muito bem. Uau, isso não era da minha conta. Eu os deixei a sós. Ao meu redor, as pessoas estavam falando animadamente sobre algum filme de terror com vísceras por todo lado. Eu não estava ali para fazer amigos, ou confiar em alguém, ou amar alguém. Logo iria para casa. Passei pelo que Sky chamou de Barreira. Para estar sozinha, onde havia segurança.

Terra

Terra estava passando ocupada pela festa carregando bandejas de comida quando uma cena de terrível injustiça chamou sua atenção.

– Ah, pelo amor de...

Riven estava ameaçando algum pobre garoto Especialista. Este era o comportamento típico de Riven quando ele se sentia desequilibrado. Terra uma vez testemunhou Riven se aproximando de uma samambaia de tal modo que sugeria que ele queria podá-la até a morte, ou comê-la. Na época, ela pensou: "Deus abençoe esse ser perturbado".

Atualmente, ela era mais da opinião de que essa desordem humana precisava de compostagem.

O pobre menino devia ser do primeiro ano. Terra não o reconhecera do ano anterior. Riven passara um braço em volta dele e estava obrigando-o a beber algo que Terra suspeitava fortemente que fosse alcoólico. Os olhos do novato gritavam "me ajudem". Então Terra o fez.

– É isso mesmo? Fazendo *bullying* com o calouro? Não dava para ser mais óbvio.

Riven sorriu, porque é claro que era isso mesmo.

– Não posso intimidar os mais velhos. Certo?

Havia algo carregado no tom de Riven.

– Não sei o que isso significa! – o novato disse bruscamente. O garoto estava claramente se sentindo desconfortável. Terra foi solidária. O pobre não deveria ter de aturar a terrível personalidade de Riven sozinho.

– Ignore-o – disse ela, apontando para Riven. – Ele pensa que é algum durão. Você deveria tê-lo visto no ano passado. Ele é só um nerd trágico disfarçado.

Os olhos de Riven se apertaram.

– E ela é apenas três pessoas dentro de um mesmo disfarce.

Houve um silêncio ecoando em meio ao barulho daquela festa onde Terra não se encaixava. O novo garoto deu a ela um olhar culpado, silenciosamente se oferecendo para fazer algo, que foi muito bom da parte dele, mas que não era necessário. Terra disse ao doce menino:

– Já entendi. Mas obrigada.

Ela deixou seu tom alegre cair quando se aproximou de Riven. "Que alívio", ela pensou, distante. "Não há necessidade de fingir ser gentil com o Sr. Sociopata de Skinny Jeans." Terra poderia simplesmente destruí-lo.

– Veja só, as pessoas sempre pensam que podem tratar garotas gordas como lixo. Nós somos legais. Inofensivas. Deveríamos ficar felizes simplesmente por vocês estarem falando com a gente.

As vinhas na parede do castelo atrás de Riven começaram a se contorcer e se mover, como cobras verdes inofensivas.

– Mas às vezes temos um dia ruim e um magrelo insignificante e idiota diz a coisa errada na hora errada – Terra rosnou. – E, de repente, não ficamos mais felizes com vocês se dirigindo a nós. E não somos mais legais. E, acima de tudo, não somos mais inofensivas.

As trepadeiras se enrolaram no pescoço de Riven. Aconteceu tão rápido, que ele não teve tempo para usar suas habilidades de Especialista para se esquivar. As plantas o sufocavam, então ele não conseguia nem falar. Ele estava tão bondoso e tranquilo. Terra sorriu docemente.

– O que disse, Riv? Tenho certeza de que foi algo inteligente. Só não consegui te ouvir direito.

O rosto dele ficou vermelho. Ele estava prestes a desmaiar, Terra percebeu, ainda com aquela sensação de alegre desprezo. Ela não deveria realmente deixá-lo desmaiar. Riven odiaria isso. As trepadeiras recuaram. Riven inspirou profundamente.

– Você poderia ter me matado, sua aberração – ele cuspiu, como se ele que tivesse sido traído. Riven sumiu.

Terra o chamou, com um trinado agradável que surgiu naturalmente pela primeira vez:

– Sentirei sua falta também!

Então ela repentinamente percebeu como se comportou na frente do novo garoto, e se virou em um estado de mortificação total.

– Oi – ela se derramou –, desculpe. Sou Terra, e essa não foi minha primeira impressão ideal.

O novo garoto sorriu para ela. Foi um sorriso fraco, mas Terra agradeceu por ele fazer um esforço.

– É melhor ou pior do que vomitar depois de um único gole da bebida?

O novo garoto Especialista, Terra notou, era muito fofo. O que era impressionante para alguém prestes a vomitar. Ele tinha lindos cachos pretos como a floresta profunda, cortados rentes com as laterais raspadas. Seus olhos eram de um castanho profundo, cor de chocolate, como terra, e ele tinha grandes braços e grandes tudo, músculos ondulando sob sua pele lisa marrom-escuro. Seus dentes eram brancos, mas seu sorriso vacilava.

"Aprecie o fofo mais tarde, ajude o novo garoto primeiro." Ele estava se segurando, mas Terra julgou que ele não conseguiria por muito tempo. Terra teria que levá-lo a algum lugar mais reservado, e talvez emprestar-lhe uma flanela legal.

– Sou o Dane – o menino disse a ela enquanto o conduzia. Tudo o que Terra sabia era isto: aqui estava alguém que precisava dela. Finalmente.

Fogo

Era lindo e tranquilo na floresta, como eu esperava. Havia enxames multicoloridos de minúsculos insetos entre as árvores, joias brilhantes contra o verde sombrio. Esta floresta mística era o lugar perfeito para praticar minha Magia. A magia trabalhava com os sentimentos, dissera Stella. Como o amor. Peguei meu telefone e olhei as fotos da minha família. Ok, Bloom, bons pensamentos! Você consegue! A casa em chamas. Minha mãe, tão quieta. Não, Bloom, não esses pensamentos... Correndo em direção aos meus pais enquanto eles gritavam, sabendo que eu chegaria tarde demais...

Mas que inferno. Eu estava sentindo algo. Certamente isso funcionaria. Achei que isso poderia funcionar. Eu foquei naquele sentimento, em vez de em minhas lembranças. Estava começando a sentir calor por toda parte. Conforme o brilho aumentou dentro de mim, um pequeno fogo cresceu em minha mão direita. Então, de repente, minha mão esquerda pegou fogo também.

Quando fogo surgiu na minha mão, eu estava feliz por não ter derretido meu telefone. Encarei as chamas gêmeas em minhas palmas, dançando, enfeitiçadas. Lindas. Estava começando a me sentir muito bem. Brinquei com as chamas como se elas fossem bolas de malabarismo, observando o brilho da luz das estrelas lambendo contra o ar. As chamas estavam queimando mais quentes, mais altas, sua intensidade se expandindo. Minhas mãos gotejavam chamas. O pânico começou a crescer junto com o fogo. Tentei jogar fora as chamas, e só percebi como aquilo era estúpido quando as faíscas caíram das minhas mãos e o chão da floresta pegou fogo.

Acima do crepitar do fogo, ouvi a voz baixa de Aisha dizendo meu nome. Eu a encarei, o constrangimento lutando contra o pânico, enquanto ela avançava, suas roupas azuis formando um contraste brilhante com as folhas verdes e a terra da floresta. Suas longas tranças de cabelos escuros ainda estavam molhadas de um mergulho no rio, e ela usava uma bandana para mantê-las longe do rosto.

Quando se aproximou de mim, ela continuou falando do seu jeito, calmo e reconfortante, mas eu não estava com humor para ser acalmada.

– Você não deveria estar aqui – rosnei.

– Nem você – disse Aisha. – Você está fora de controle.

Minha frustração era um inferno dentro de mim.

– Eu sei. – Sabia disso melhor do que ninguém.

– Acalme-se – Aisha pediu. – Se você ficar com raiva de mim…

– Apenas vá embora!

O grito de frustração explodiu de mim, manifestando-se em mais chamas aos meus pés. De repente, eu estava no meio do fogo, como se fosse uma bruxa sendo queimada, mas as chamas não me machucavam. Elas irromperam em direção a Aisha, correndo para envolvê-la do mesmo modo que correram em direção à minha mãe. Eu era um incêndio florestal em forma de menina. Todo mundo deveria ficar longe.

– Corre, Aisha! – gritei –, corre!

Mas Aisha não fugiu. Em vez disso, ela enfrentou as chamas que corriam em sua direção. Ela se agachou no chão, e seus olhos brilharam em um azul profundo quando ela convocou a água para si. A água brotou do solo a seus pés em cascatas de gotas de baixo para cima, como se Aisha tivesse feito da terra o céu, e então fez chover. A água atingiu o fogo como uma espada azul e apagou minha destruição.

Água

Aisha não estava acostumada com Alfea, mas ela estava acostumada a fazer parte de uma equipe. Estava feliz por ter companheiras de quarto, e ainda mais feliz por ter uma colega de quarto em vez de ficar sozinha como Stella. Ela gostou de Bloom imediatamente, apreciando sua maneira direta e seu humor fácil.

Bloom atear fogo na floresta foi uma desvantagem, mas Aisha estava tentando negociar. Se ela pudesse fazer as meninas da Suíte Winx se sentirem como se fossem da sua equipe, então ela sabia que poderia aguentar qualquer coisa que Alfea lançasse sobre ela.

Aisha esperava algo de sua nova colega de quarto. Não uma explicação, necessariamente, mas talvez um "Desculpe por quase colocar fogo em você". Mas Bloom não disse nada. Em vez disso, ela correu para fora da floresta e de volta para o castelo. Aisha perseguiu Bloom até o pátio, tentando explicar quão imprudente ela tinha sido.

– Você é um trem desgovernado, Bloom! Você não tinha ideia do que estava fazendo!

– É por isso que eu estava lá fora sozinha, tentando descobrir.

– Que ideia brilhante – disse Aisha. Foi a ideia mais idiota que ela já tinha ouvido em toda a sua vida.

– Eu não cresci aqui. Não tenho nenhum parente fada. Eu fiz mágica uma vez na minha vida. E foi... – Bloom retrucou.

– O quê? Terrível? – Aisha perguntou ironicamente. – Estou chocada. Inundei toda a minha escola secundária depois de reprovar em uma prova de matemática. Torneiras, *sprinklers*... sanitários. Você já perambulou por cima de excrementos humanos? Eu já. Nada agradável. Mas às vezes ser uma fada significa que você tem de lidar com a bosta toda.

Era para ser uma história engraçada, que faria Bloom rir um pouco, uma que as ajudasse a criar algum vínculo, como em um time. Quando Bloom parou e se virou, olhando nos olhos de Aisha, ela pensou por um momento que Bloom contaria uma história idiota dela, e elas poderiam rir juntas.

– Somos colegas de quarto, Bloom – Aisha murmurou, tentando encorajá-la –, temos que nos abrir uma com a outra.

Aisha e Bloom estavam caminhando por uma passagem, Bloom olhando através da varanda para um lado. Então Bloom foi se sentar em um banco. Ela respirou fundo e contou sua história. Como sua mãe e Bloom estavam discutindo sobre sua vida social, e como Bloom preferia consertar abajures velhos a ser líder de torcida. Como Bloom bateu uma porta, e então sua mãe disse: "Bata de novo essa porta e vai ficar sem porta". Os pais de Bloom haviam arrancado as dobradiças da porta, e aparentemente Bloom estava sem limites.

– Naquela noite, não consegui dormir. Toda vez que eu fechava meus olhos, podia sentir a raiva crescendo. E foi então que aconteceu. O fogo.

Bloom parou por um minuto, olhando por cima para ver se Aisha entendeu. Aisha entendeu tudo. Ela olhou para Bloom com um horror silencioso. Os cabelos vermelhos de Bloom se destacavam contra o céu negro como o próprio fogo.

– Era quase como se o fogo tivesse vida própria – Bloom prosseguiu –, não lembro quanto tempo deixei queimar. Só me lembro dos gritos deles.

Quando Bloom terminou a história, ela estava claramente lutando contra as lágrimas. Um tremor sutil de cansaço percorreu seu corpo, como um atleta que vai além de sua resistência. Parecia que Bloom estivera lutado havia bastante tempo.

– Minha mãe estava coberta de queimaduras de terceiro grau – disse Bloom. – Por minha causa. E se eu não tivesse entrado lá para impedir? Para parar o que comecei?

Ela parecia completamente esgotada.

– Todas as noites depois disso, eu fugia. Estava tão assustada com a possibilidade de poder machucá-los de novo, que ia dormir no armazém assustador perto de casa. Até Dowling me encontrar e...

Ela parou, tremendo um pouco sem fogo para se aquecer ou destruir outra coisa qualquer. Este não foi o compartilhamento divertido de segredos que Aisha tinha imaginado. A linguagem corporal retraída de Bloom sugeria que ela tinha certeza de que Aisha se afastaria dela a partir dali. Em vez disso, Aisha foi se sentar ao lado de sua colega de quarto.

– Tudo bem – Aisha murmurou. – A história do fogo superou a história de merda. Você venceu.

Por fim, Aisha conseguiu fazer Bloom sorrir.

– E seus pais não tinham ideia do que aconteceu? – Aisha perguntou. – Não têm ideia de que foi você?

– Não tenho certeza de quão distantes estão meus ancestrais-fadas, mas a coisa mais mística em que meus pais acreditam é em bater na madeira três vezes.

Aisha franziu a testa. Isso não fazia sentido. Bloom percebeu sua dúvida imediatamente.

– O quê?

Aisha hesitou.

– É simplesmente estranho. Você usou muita magia de uma vez, mesmo sem tentar. É difícil acreditar que você vem de uma linhagem adormecida. Existe... qualquer chance de você ser adotada?

Do jeito que os olhos de Bloom estavam cravados em Aisha, não havia a menor chance, no inferno ou no país das fadas.

– Já ouvi a história do meu nascimento um milhão de vezes – o tom de Bloom não admitia argumentos.

– Bebê milagroso, um problema com meu coração no útero, mas no dia seguinte ao meu nascimento, ele já tinha desaparecido.

Aisha ficou gelada.

– Oh, Deus – ela suspirou. – Você é uma Trocada.

– O que é isso?

Aisha ficou em silêncio. Ela queria que sua nova colega de quarto gostasse dela, queria que elas se dessem bem. Ela não queria ser aquela que iria esmagar tudo em que Bloom acreditava.

– Aisha. O que é uma Trocada?

Bloom insistiu de novo em face de mais silêncio.

– Somos companheiras de quarto. Nós temos que ser abertas uma com a outra, lembra?

Aisha respirou fundo.

– Uma Trocada é uma bebê fada que foi trocado por um bebê humano no nascimento.

O mundo inteiro parecia tremer em torno delas, como se fosse uma vela queimada prestes a se apagar.

– Espere – disse Bloom, trêmula. – O quê?

– É bárbaro e quase nunca acontece, porém...

– Isso não é possível!

Aisha tentou falar racionalmente, para fazer Bloom entender e chegar mais perto da aceitação.

– Você é claramente muito poderosa, Bloom. Você tem que ser de sangue puro.

– Eu saberia – disse Bloom, lutando para manter a voz firme –, se meus pais não fossem meus pais.

Aisha se rendeu imediatamente.

– Ok. Ok. Você está certa.

A acusação tornou a voz de Bloom cortante.

– Por que você ousou dizer isso?

– Só estou tentando ajudar – disse Aisha, desanimada. Bloom se levantou do banco.

– Bem – Bloom disse a Aisha friamente –, você não está ajudando.

Ela virou as costas para Aisha como se fosse culpa dela. Como se ela a culpasse, a odiasse. E por que Bloom não a odiava? Aisha tinha efetivamente dito a Bloom que ela nunca poderia voltar para casa. Que Bloom não pertencia àquele lugar. O vínculo com sua nova colega de quarto não estava indo muito bem.

Mente

Musa gostava de Aisha. Ela gostava da aura normal de Aisha de águas calmas. Então ela estava tentando acalmar as preocupações e a culpa que emanava de Aisha enquanto caminhavam para a Suíte Winx juntas, no caminho de volta da reunião de boas-vindas.

– Ela está apagando minhas mensagens – Aisha se preocupava com Bloom.

– Estranho. Eu me pergunto se é porque ela abriu seu coração para você e você disse a ela que ela era uma aberração. – Musa disse. Aisha não parecia mais calma. Certo, Musa pensou. Opa.

– Você viu Bloom? – Aisha perguntou, passando correndo por Stella, entrou no quarto e saiu novamente.

Stella, deitada no sofá tirando selfies, falou lentamente:

– Não vi.

O tom de Stella fez Musa hesitar. Além disso, Musa poderia dizer que Aisha estava muito chateada. Deliberadamente, ela deixou seus poderes ligados e encarou Stella com os olhos brilhando.

– Seu rosto parece bastante calmo, mas você está destruída com culpa – informou ela a Stella. Aisha olhou para Musa. Musa estava familiarizada com aquele olhar.

– Você é uma Fada da Mente – observou Aisha, mas não havia nenhum julgamento na frase.

Aisha se virou para Stella assim que Terra saiu do seu quarto com Musa.

– Uma Fada da Mente? – Terra repetiu bruscamente. – Qual é a sua conexão? Lembranças, pensamentos...

– Não é um bom momento – Musa apontou para fora.

O olhar de Terra viajou de cada uma de suas companheiras de suíte para as outras.

– Tudo certo? – Aisha suspirou.

– Na verdade, não. Estou procurando por Bloom, e por alguma razão Stella está se sentindo culpada por isso.

Stella deu um suspiro, como que vencida pelo tédio.

– Será que todas podem guardar o drama para o clube de drama? – Stella estava determinada a ignorar isso, Musa percebeu.

E Musa não iria lutar com ela por isso, não agora que Terra sabia o que Musa também podia fazer. Musa sabia como isso iria acabar, já podia sentir o horror que Terra sentiria vindo em sua direção. Musa estava repentina e indizivelmente cansada. Stella poderia manter seus segredos. Apenas Terra estava se movendo em direção a Stella, e a maneira como ela se movia não era a agitação normal de Terra de ir a lugar nenhum. A maneira como Terra se movia era a de uma mulher em pé de guerra. Musa quase ficou impressionada.

– Ela estava falando com Sky, não estava? – Terra perguntou.

– E? – Stella perguntou em resposta, com altivez. Terra continuou:

– E sei o que aconteceu com a última pessoa que falou com Sky. Estive aqui no ano passado, lembra?

Uma rachadura apareceu no verniz de Stella quando ela lançou de volta:

– Você não conhece a história completa! – não parecia que Terra se importava.

– Ricki foi sua melhor amiga, e então ela conversou com Sky. Agora ela não está mais aqui. Por que isso de novo?

Uma ameaça pairava no ar entre elas.

– Onde está Bloom, Stella? – Terra exigiu uma resposta.

Stella decidiu visivelmente que não iria ganhar aquela batalha.

– Ela estava com saudades de casa – explicou Stella –, então fiz uma boa ação e deixei que ela usasse o meu anel emprestado.

O anel mágico de Stella permitia que as fadas viajassem entre os reinos. Terra perguntou:

– Seu anel não funciona apenas fora da Barreira?

Fora da barreira, onde um homem foi assassinado. Musa estava tentando não ouvir os pensamentos sobre o que tinha sido feito ao corpo do velho durante toda a noite.

Fogo

Havia ainda mais ruído do que o normal nos detritos empilhados nos cantos do armazém, mas não me importei. Corri para fora de lá até a casa dos meus pais. Eu ia correr pela porta de casa, e nunca mais sair, e... Ainda havia uma lona cobrindo parte da casa. Havia os escombros da construção. A luz da varanda era um farol, iluminando meu caminho para casa. E o que eu faria quando estivesse em casa? Queimar tudo de novo? Matar meus pais? Parei de avançar. Peguei meu telefone e liguei para os meus pais. Olhava pela janela enquanto falava com eles e menti que estava com o fuso horário trocado quando perguntaram se eu estava bem.

– Você não tem que estar bem – mamãe me assegurou –, você só tem 16 anos. Estar tão longe de casa não é pouca coisa.

Papai disse gentilmente:

– Não teria conseguido fazer isso quando tinha a sua idade. Agradeça por você ter a coragem de sua mãe.

Mas agora eu sabia que não era verdade. Não recebi nada da minha mãe. Não admira que sempre tenha sido uma decepção para ela. Só eu podia ver mamãe pela janela da cozinha. Ela não parecia desapontada. Ela parecia tão feliz apenas por estar conversando comigo. Como eu poderia lhe dizer o que fiz com ela? Como poderia dizer a ela o que eu era? Mamãe estava certa. Mesmo estando tão perto, não poderia estar mais longe. E isso foi tão difícil. Meus pais disseram que me amavam. Eu sabia que os amava também. E sabia que não pertencia mais àquele lugar. Talvez nunca tenha pertencido.

Eu me esgueirei de volta para o armazém, onde passei tantas noites preocupada. Uma vez lá, foi como se nunca tivesse partido, nunca tivesse conhecido Alfea. Como se eu estivesse presa ali, confusa e indefesa.

Ouvi sussurros fracos. Sibilantes. Estranhos. Através das janelas empoeiradas, toda a iluminação estava sumindo. Minha cabeça se ergueu, e na única fonte de luz fornecida pela claraboia vi uma silhueta. Mesmo à primeira vista, eu poderia dizer tudo sobre quanto isso estava errado, de seus membros alongados à sua postura grotescamente torta.

Ele deu um passo cambaleante em minha direção. Fosse o que fosse, não era humano. Cambaleei para trás, caindo, e o anel de Stella rolou para fora do meu bolso. Assisti a coisa brilhante rolar entre as frestas de uma grade do chão. Ah, não. Rastejei até ele, enfiando minha mão para pegar o anel. Mas estava fora de alcance. Continuei tentando, quando ouvi o barulho. Distante. Cada vez mais alto. A criatura inumana estava se aproximando cada vez mais. Procurei desesperadamente o anel de novo, me espremendo contra a parede sob a janela, tremendo enquanto segurava a respiração.

A centímetros de mim, olhando pela janela suja, vi aquele rosto monstruoso. Estava coberto de carne carbonizada, com as órbitas dos olhos ocas e cavadas. Mas, bem no fundo delas, seus olhos negros eram penetrantes. Como se tivesse me visto, e me vendo, ele sabia o que fazer. A janela se estilhaçou, o vidro voou por toda parte. Arranquei a grade e mergulhei nela, espremendo meu corpo, e então rastejei para aquele espaço minúsculo. A fumaça escureceu minha visão.

Então vi, a apenas alguns passos de distância, o anel de Stella. Do outro lado de uma barreira de malha vertical. Fui em direção ao brilho do anel, mas então veio um som forte que fez minha cabeça ecoar. O monstro estava na grade acima de mim. Rastejei o mais rápido que pude. O anel estava do outro lado da tela, mas havia um buraco grande o suficiente para a minha mão passar por ele. Tentei pegar o anel, e quase consegui. Mas no espaço em que eu rastejava, bem na minha frente, passando a barreira, a sombra da criatura passou por cima da grade.

O monstro bateu freneticamente na grade. Uma vez. Duas vezes. Até que, com um estrondo metálico, o monstro caiu no espaço claustrofóbico comigo. Fiz uma última tentativa de pegar o anel, mas o monstro bateu com a mão nele. Decidi um novo plano. Chamei de plano B: correr como nunca. Rastejei rapidamente para fora da grade e corri para a saída de emergência do armazém. Atrás de mim, ouvi a criatura vindo em minha direção. Não ousei olhar para trás. Eu não precisava olhar. Poderia dizer que estava vindo rápido.

Então, a diretora Dowling saiu de trás de um raio com aquela expressão tipicamente séria no rosto.

– Por aqui – disse a diretora Dowling friamente.

Ela deu um passo para o lado, revelando uma porta emoldurada, e a luz. Era outro portal mágico. Passei por ele. Do outro lado, me virei quando a senhorita Dowling passou entre o monstro e a porta. Ela levantou a mão, e a porta bateu. Depois da batida, veio apenas o silêncio. Fiquei olhando, atordoada e a salvo.

Atrás de mim, Aisha perguntou:

– Você está bem?

Virei-me e encontrei, para meu espanto, Aisha, Terra e Musa, todas esperando por mim. Pela expressão em seus rostos, elas tinham visto o monstro do outro lado da porta.

– Acho que sim? Que diabos era aquela coisa? – Terra disse com uma voz temerosa: – Tenho certeza de que se tratava de um Queimado.

Eu não conseguia acreditar que todas tinham vindo aqui, por mim. Estava faltando apenas uma das minhas companheiras de quarto.

– Espere. Onde está Stella?

– Não sei – respondeu Aisha. – Por quê?

– Essa coisa pegou o anel dela – eu disse, entorpecida.

Especialista

Sky não conseguia tirar a garota Bloom da Califórnia da cabeça. Ele estava pensando nela enquanto estava no chuveiro. Oh, não, Sky se censurou envergonhado, como se o seu Riven interior tivesse feito algum comentário maldoso sobre ela. Não desse jeito. Só que... como ela era bonita, seu cabelo vermelho brilhante como uma moeda de cobre nova à luz do sol que entrava pelo pátio. Como ela era engraçada. Ela parecia tão perdida, tentando encontrar seu caminho ao redor de um castelo estranho, e isso tinha atraído Sky para ela como uma mariposa para uma Fada do Fogo. Sky já havia feito um pequeno esboço. Na festa de orientação, ele encontrou Terra Harvey, a filha do professor Harvey. Sky tinha conseguido algo lá dentro. Terra estava à deriva parecendo feliz e com olhos sonhadores.

– Ei – ele disse a ela –, Terra, certo?

Terra piscou para ele.

– Sim.

– Desculpe se isso é estranho – falou Sky. – Mas estava pensando... Bloom é sua colega de quarto, não é? E suponho... que você tem o telefone dela.

Terra se iluminou como uma lâmpada.

– E você gostaria que eu desse para você o número dela! – exclamou.

– Não se você achar estranho – Sky disse apressadamente. – Ou agressivo.

– Não acho isso estranho, Sky – Terra o acalmou. – Acho que é lindo. O amor é lindo!

– Ah – disse Sky –, não sei muito sobre... Só estava pensando que poderia, você sabe... mandar uma mensagem para ela...

Terra tinha dado o número de Bloom para Sky, mas ele ainda estava preocupado, se isso não era muito esquisito. Terra tinha boas intenções, mas ela não era socialmente muito hábil. Sky não sabia como convidar alguém para sair. Ele tinha estado com Stella desde sempre. Ela se agarrou a ele, por causa de sua mãe. Ela se agarrou a ele com tanta força, parecia que eles se encaixavam perfeitamente. Mas então houve toda a confusão no último ano, e Stella o tinha largado, e não tinha mais falado com ele por todo o verão. Eles haviam terminado, Sky disse a si mesmo com firmeza.

Ele estava solteiro. Poderia namorar alguém de novo. Se pudesse apenas descobrir o que enviar em uma mensagem de texto para Bloom. Ele estava vagando pela sala em sua toalha, compondo uma mensagem para Bloom, quando Stella entrou pela porta. E imediatamente tentou se enfiar embaixo da toalha. Sky se sentiu obrigado a pontuar:

– Você terminou comigo.

Stella se afastou.

– Eu sei.

– Eu não tive notícias suas durante todo o verão, então digo duas palavras para uma novata e aqui está você.

– Eu disse que eu sei, ok? Eu sinto muito.

Um pedido de desculpas era bastante incomum, vindo de Stella. Quando pediu desculpas, ela realmente quis dizer isso. Sky se sentiu vacilar. Ele conhecia Stella bem o suficiente para ver que ela estava de fato bastante chateada.

– O que você está fazendo aqui? – Sky perguntou mais gentilmente.

– Fiquei com ciúme – Stella explodiu. – Sei que não tenho esse direito, mas fiquei. Então fiz algo estúpido e... Elas acham que sou um monstro.

– Stel – Sky murmurou, chocado.

– Não posso dormir lá. Em um quarto onde todas me odeiam. Posso ficar aqui esta noite? Perto de alguém que não me odeie? Você me odeia? Espero que...

Sky se moveu em direção a ela e afastou os cabelos dourados daquele rosto perfeito.

– Você é melhor do que pensa que é, Stella – ele murmurou. Então, a puxou para perto, envolvendo-a nos braços, deixando que Stella desabasse sobre ele.

Bloom, a bela garota nova que parecia perdida, tentava encontrar seu caminho através de Alfea, mas ela não parecia que permaneceria perdida. Ela não precisava de Sky, não realmente. E não importa quão atraente a ideia de alguém novo, independente e brilhante pudesse ser, era dever de Sky como soldado ir aonde fosse necessário.

Fogo

Mais tarde naquela noite, me preparei para dormir. Nenhuma de nós sabia o que fazer a respeito do anel. Nenhuma das minhas colegas de quarto parecia saber o que dizer para mim. Eu certamente não sabia o que dizer para elas. Fiquei feliz que elas vieram até mim, mas não éramos amigas.

Talvez amanhã as coisas ficassem mais claras. Eu entenderia o que significava ser uma Trocada, e o que estava acontecendo com aqueles monstros chamados de Queimados. Eu suspeitava que não.

Aisha estava deitada na cama, olhando-me com preocupação. Ela não foi nada além de gentil comigo, me dizendo que a senhorita Dowling lidaria com o Queimado, qualquer pesadelo que ele significasse, e que meus pais estariam seguros. Ela até tentou elogiar o velho abajur com a padronagem de asas rubi que resgatei, restaurei e trouxe do mundo humano para Alfea.

Minha mãe nunca entendeu por que eu queria consertar aquelas velharias. Talvez seja porque eu sempre soube que havia algo quebrado em mim. Que um dia eu teria que aprender como consertar a mim mesma.

– Sempre senti isso – disse a Aisha –, senti que havia algo estranho dentro de mim.

– Não há nada de estranho em ser uma fada, Bloom – Aisha disse.

– E que tal ser uma Trocada? – perguntei. – Vi a maneira como você olhou para mim. Por que uma fada faria isso? Deixar seu bebê no mundo humano?

– Eu te disse. Elas não fazem mais isso.

Sorte minha. Fui a exceção.

– Mas eles fizeram. Eu fiz uma pesquisa bem profunda no Google e as Trocadas surgiram em várias culturas. Se elas não eram bebês de fadas defeituosos ou sacrifícios ao diabo, eles eram apenas uma piada maldosa para uma família humana desavisada. Você sabe o que eles nunca são? Uma coisa boa.

– Não tenho certeza se o Google é a melhor fonte para o folclore das fadas – Aisha falou de modo gentil.

– Você está certa. – Olhei diretamente para ela. – Uma fada é. Por isso que estou perguntando: O que sou?

Mesmo antes de ver a tristeza em seus olhos firmes e escuros, eu sabia que estava pedindo muito a ela. Ela não poderia ser minha salvação, mais do que a senhorita Dowling poderia.

– Eu não sei, Bloom – Aisha sussurrou –, eu sinto muito.

Isso era tudo o que havia a dizer, não era? E eu sentia muito também. Subi na minha cama, lutando contra a vontade de puxar os cobertores sobre minha cabeça e chorar por minha mãe. Mamãe não podia vir até mim, e eu não poderia ir até ela. Aqui estava eu, rodeada por fadas e monstros, e ainda era a aberração. Deitada acordada, enrolada na minha cama fria, eu sabia que estava presa em Alfea. Eu não tinha controle sobre meus poderes e não tinha uma maneira de dizer a verdade aos meus pais. Não havia como voltar atrás. E não via como este castelo poderia ser um lar.

Especialista

Que péssimo começo para o segundo ano de Riven. Ele tinha esperado ficar com algumas gatas e, possivelmente, elevar suas habilidades com a faca. Não com cadáveres terrivelmente mutilados e Terra tentando assassiná-lo com uma planta. Ok, ele sabia que era uma pessoa horrível, mas não havia necessidade de ficar psicopata com relação a isso! Todos achavam Terra tão doce, mas Riven sabia melhor que isso. Uma garota realmente legal teria se preocupado com a experiência traumática de Riven e trazido uma xícara de chá e um cobertor.

Não que Riven quisesse algo assim, porque isso seria patético. E agora ele não podia nem voltar para seu quarto esta noite, porque Sky estava lá com Stella. Princesa enlouquecida ex-ela-mesma. Stella deve ter ido ao quarto de Sky e jogado algum feitiço do tipo pobre-piedade-de-mim, sou-tão-frágil-mas-também-bela. Sky sempre caiu nessa.

Ele era um otário. Riven tinha dado uma olhada em Sky carinhosamente abraçando Stella na cama, resistiu à vontade de vomitar e caminhou direto de volta. Tanto faz. Não era como se Riven fosse dormir a qualquer momento a partir dali. Cada vez que fechava os olhos, via aquelas feridas enegrecidas e a máscara rasgada e manchada de sangue em que tinha se transformado a face do pobre velho. Mas tudo bem! Ele tinha um plano, e seu plano era ficar chapado.

Ele se iluminou e, ao fazer isso, percebeu uma linda garota nova cruzando o pátio carregando uma pilha de livros. Ela tinha lindas tranças maria-chiquinha e usava uma saia curta. Riven falou com ela imediatamente, porque ela era gostosa, e ele era um homem simples.

– Queimando um combustível à meia-noite?

– Cheirando o Adderall da meia-noite seria o mais correto. Vou precisar dormir, uma hora dessas... – a Garota Misteriosa respondeu, com um olhar astuto que em nada diminuiu seu magnetismo.

Riven ofereceu uma porção para ela. Ela sorriu, o que a fez ainda mais sexy.

– As mãos estão um pouco ocupadas.

Ele sorriu de volta. Oh, oh. Ele deu uma longa tragada. Ela chegou perto para que ele pudesse apreciar melhor seus perversos olhos escuros e a fenda muito atraente no seu queixo. Os lábios dos dois separados por alguns centímetros, ele deixou a fumaça entrar em sua boca. Ela a prendeu, indiferente. Riven ficou impressionado.

– Você é uma caloura?

Ela soprou a fumaça de volta em seu rosto. De uma forma sexy. Seus olhos dançaram com um brilho estranho e escuro.

– Sou muitas coisas. – A menina se virou e foi embora, dando um pequeno balanço em seus passos. Ele ouviu um trovão. Riven teve a sensação de que os dados estavam rolando e tinha tirado um seis. Ok, o ano escolar começara péssimo, mas talvez algo estivesse finalmente acontecendo em seu caminho. Alguém achava que Riven era fofo. Na verdade... Riven lembrou-se do Especialista júnior Dane e abriu um sorriso. Duas pessoas acharam Riven fofo. E elas estavam certas.

O coração envelhece

Farah Dowling ficou sozinha em seu escritório, olhando para fora da janela na tempestade que se formava, rodopiando negra e prateada atrás do vidro. Os alunos estavam todos seguros na cama, ela esperava.

Mandara seu assistente Callum horas atrás, apesar da propensão de Callum de se esconder. Ela poderia ter um momento em seu santuário e refletir sobre a magnitude do que aconteceu hoje.

Ela prendeu um Queimado nas dependências da escola. Só então Silva entrou, tempestuoso como o mundo fora da janela. Ele achava que ela deveria ter matado o Queimado. Dowling discordou:

– Eu preciso entrar na mente dele. Nós precisamos saber se este é um incidente isolado ou algo mais.

– Algo mais? Como o quê?

– Encontrei uma Trocada no Primeiro Mundo – ela admitiu.

A voz de Silva se aguçou, ao questionar:

– Uma Trocada? Eu não ouvia falar de uma dessas há séculos.

– Mesmo assim, lá estava ela – disse Farah. – Saiu há dezesseis anos, bem na época em que o último Queimado foi localizado.

Eles se conheciam havia muito tempo, ela e Saul Silva. Eles foram jovens juntos, visionários juntos, soldados e rebeldes juntos. Parecia outra vida, mas às vezes ainda parecia que ele podia ler sua mente, com magia que não vinha do poder das fadas, mas por fazer parte de uma equipe.

– Você acha que está tudo conectado? – Silva perguntou calmamente.

Ela achava que sim.

Conto de fadas n.º 2

Nenhum estranho aqui, apenas amigos
que você ainda não conheceu.

– ATRIBUÍDO A W. B. YEATS

Terra

Do outro quarto, Terra podia ouvir a vibração da chamada de clarim matinal de Aisha.

– Beba um pouco de café e trate de levantar-se. Esteja animada. Hoje você aprenderá a usar sua magia!

Pobre Bloom. Terra não podia imaginar que ela estava animada. Ela tinha sido perseguida por um monstro terrível na noite anterior. Todo mundo estava tendo problemas com colegas de quarto naquela manhã. A própria Terra enfrentava um dilema. Não podia ir para a escola com seus pijamas florais. Não conseguia se vestir na frente de uma colega de quarto, uma leitora de mentes assustadora. Terra correu para o banheiro. Estava meio vestida com uma camisa quando Aisha entrou no quarto, conversando alegremente, e sentou-se...

– Opa. Oh, céus... você está fazendo xixi na minha frente! Ok. Essa é nova. E tudo bem! – Terra acrescentou apressadamente.

Terra era legal. Ela poderia ficar por ali. Aisha estava magnificamente indiferente.

– Ah. Aquela esquisita? Não estou acostumada a me importar. Equipe de natação e tudo. Você estava indo para o banho?

Aisha deu descarga e se levantou. Ela abriu o chuveiro e Terra se perguntou por um momento frenético se Aisha estava sugerindo um banho descontraído entre as garotas. Terra não sabia se elas caberiam, e ela não estava interessada em saber.

– Não, eu, ah... Eu ia me trocar, mas... – sua onda cerebral travou –; eu esqueci meu sutiã.

Aisha apontou para o sutiã em cima da pilha de roupas de Terra.

– Aquele?

Terra tagarelou desculpas: aquele sutiã era muito pequeno, estaria talvez queimado, ela nunca tinha visto aquele sutiã antes em sua vida; quando Aisha começou a se despir para o banho.

Para mudar de assunto, Terra perguntou:

– Você viu Stella? Não acho que ela voltou ontem à noite...

Stella provavelmente estava com Sky. Mas Sky realmente voltaria com Stella, depois do ano passado? Indiferente a isso e a tudo o mais, Aisha deu de ombros. Essas eram as companheiras de quarto das Winx desejadas por Terra. Ficando fora a noite toda com meninos. Ficando superpeladas. Cada uma delas mais legal do que Terra jamais seria. Terra agarrou suas roupas e fugiu.

Fogo

"Primeiro dia de aula", pensei. É hora de aprender e não pensar sobre ser uma Trocada ou em monstros queimados me perseguindo. Pensamentos felizes, como em Peter Pan! É assim que você voa. Não literalmente, porque as fadas não tinham mais asas.

Emocionalmente. Emocionalmente, eu voaria. Sem pensamentos ruins.

Pela porta aberta do meu quarto, a voz de Musa penetrou.

– Eu nem pensei que essas coisas fossem reais, mas todos nós o vimos. Foi assustador como o inferno. Parecia que queria matá-la...

Até a voz desligada de Musa parecia preocupada. Como eu poderia parar de pensar em monstros queimados se as pessoas não paravam de falar sobre eles? Desejei que Musa parasse de matar a vibração mais leve.

– E o meu anel? – Stella perguntou.

O que era perigo mortal em comparação com joias? As prioridades de Stella abalaram meu mundo. Não. Ela fora gentil em me emprestar o anel. Eu fui a responsável. Não queria fugir de nenhuma responsabilidade. Queixo para cima, saí para o *hall.*

Era um espaço lindo e luminoso, cheio de cadeiras confortáveis e luz solar. Havia um abajur em formato de uma nuvem fofinha, a sala de estar parecia pertencer a um ambiente diferente, para uma conversa mais agradável.

– Aquela coisa queimada... pegou o anel – admiti.

– O quê? – Stella retrucou.

– Acalme-se, princesa – Musa falou lentamente.

Stella se contraiu de raiva.

– Não me diga para me acalmar e não use o meu título como um insulto.

Foi a minha vez de dizer "o quê"? Mas fiz isso na intimidade da minha mente.

– Você é realmente uma princesa? – soltei.

Stella me olhou feio.

– O anel que você perdeu é uma das joias da coroa de Solaria. Isso pode não significar muito para alguém do Primeiro Mundo, então sinta-se à vontade para perguntar aos seus colegas de quarto que grande confusão isso significa.

Na deixa, Aisha saiu do banheiro. Minha Salvadora, secando o cabelo com uma toalha.

– Quase tão grande quanto ter emprestado a ela, para começo de conversa –, disse ela calmamente a Stella. – Dowling conseguiu trancar a criatura. Que você saberia, se estivesse aqui na noite passada, quando ela nos deu uma bronca.

Eu ainda estava atordoada e surpresa com a novidade da história da princesa.

Solaria, eu tinha visto no mapa de Dowling, era o reino em que estávamos agora. Stella era a princesa real desta terra.

– Essa foi como voltar para casa da rua com os cabelos molhados, vergonhosa, no entanto – comentou Musa.

Musa e Aisha entraram em minha defesa. Agradeci, mesmo me perguntando onde Stella estivera na noite anterior. Com o Sky? Eles conversaram na festa, mas conversar era uma coisa, e pular para a mesma cama era outra. Eu meio que senti a vibração de que Sky gostava de mim. Eu estava surpresa pelo quanto desejava que Stella tivesse passado a noite com outra pessoa.

Aisha continuou falando sobre a senhorita Dowling.

– E como a sorte aconteceu, ela quer manter a noite passada em segredo, então você não teria maiores problemas.

Musa balançou a cabeça.

– E se alguém soubesse que havia um Queimado solto no Primeiro Mundo? Mesmo que temporariamente? Que desastre.

Do modo como Musa disse "Queimado", parecia um nome de fada para chamar essas criaturas, como se o nome fosse escrito em letras maiúsculas sinistras. Mas a senhorita Dowling me salvou do monstro. Talvez ela nos ajudasse novamente.

– Eu não disse a ela que perdi o anel, mas tenho certeza de que, se dissesse... – ofereci.

Stella respondeu, o chicote em sua voz fazendo com que todas elas pulassem:

– Não faremos tal coisa. Eu vou dar um jeito depois da aula. Mas para agora? Ninguém conta nada a ninguém. E alguém poderia, por favor, certificar-se de que Terra sabe disso? Ela nunca consegue manter a boca fechada.

Com essa nota agradável, Stella abriu a porta para o seu quarto. Por alguma razão, Terra estava se trocando lá. Ela tinha ouvido tudo claramente e parecia absolutamente mortificada.

Eu estava atordoada demais para ter pena de Terra. Não deveria me importar, comparando com incêndios criminosos mágicos e monstros, mas não conseguia superar o fato de que Stella era literalmente uma princesa de conto de fadas. Cabelos dourados, caminhando na luz, para o castelo onde nasceu. Ela era então a heroína dessa história.

Fogo

A aula hoje estava sendo realizada em um antigo círculo de pedra. As pedras eram cinza, algumas ligeiramente quebradas e lascadas, como os dentes de um gigante enorme e morto havia muito tempo. Elas foram colocadas em intervalos regulares uma da outra, em um padrão claramente deliberado na amplitude da grama verde. O sentido da história, das memórias passadas me fez sentir intimidada. O círculo representava séculos antes de eu nascer, e duraria séculos depois que eu fosse embora.

Certamente, eu não poderia fazer parte disso. O assunto de nossa lição parecia ser uma tigela, ferro antigo manchado ou possivelmente de bronze, com um enfeite bordado e coberta com desenhos intrincados em espiral, que pareciam celta. Terra sussurrou que era chamado de Vaso.

O Vaso ficava sobre um pedestal no círculo de pedras, e fiquei com os outros calouros em um círculo ao redor dele. Cada um de nós estava esperando a nossa vez para mostrar a todos o que podíamos fazer. Com tochas flamejantes e uma cachoeira caindo atrás dela, cabelo loiro preso para cima e uma capa de gabardine azul-marinho em torno de si, a diretora Dowling estava bem no centro do círculo de pedra.

Ela se encaixava ali de uma forma que ninguém mais poderia. Sua dignidade deu a essa aula um senso de cerimônia, sua voz séria entoando as palavras emprestou à lição um ar de ritual.

– A magia vive na própria estrutura da natureza. E aqui no nosso círculo de pedras, é ampliada. O Vaso testa sua capacidade de canalizar essa magia. Uma base segura para iniciar seu treinamento. Mais adiante, você pode aprender a se conectar com outros elementos. Mas o seu primeiro ano tem foco no elemento com o qual você nasceu.

Ela começou a nomear os elementos, como se estivesse fazendo a chamada:

– Terra. O solo, areia, rocha e todo tipo de vida vegetal. – Sem surpresa, Terra avançou, colocando as mãos no Vaso. Instantaneamente, seus olhos brilharam verdes, e tentáculos delicados de hera brotaram da tigela de pedra.

Dowling continuou:

– Água. Os lagos e oceanos do mundo, ou as moléculas que existem em todos os organismos ao nosso redor. – Aisha tomou seu lugar junto ao Vaso. Seus olhos brilhavam azuis, e dentro do Vaso um minúsculo redemoinho começou.

– A mente. A conexão com memórias, pensamentos, sonhos ou emoções de todos os seres vivos... – Assim que Musa tocou o Vaso, seus olhos brilharam roxos, e ondas elétricas como ondas sonoras cruzaram o Vaso. Houve um lampejo carmesim no Vaso, a cor do sangue do coração.

– O ar. Sua velocidade, temperatura, umidade; seu som e propriedades elétricas... – Uma garota que eu não conhecia, com olhos escuros travessos e uma fenda no queixo, aproximou-se do Vaso. De repente, seus olhos brilharam na cor cinza, e arcos de relâmpago zapearam ao redor da tigela. Ela deu um sorriso confiante para a senhorita Dowling. Ela continuou como se não tivesse visto o sorriso quase provocador da menina.

– Seja qual for o seu elemento, as emoções subjacentes são as mesmas para todas as fadas.

A senhorita Dowling não olhou para a outra garota, mas acenou para mim enquanto me aproximava do Vaso. Tentei respirar a intervalos regulares e cobrir meu nervosismo com arrogância. Coloquei a ponta dos meus dedos nas curvas de pedra que cobrem o Vaso.

A voz firme da senhorita Dowling me incentivou.

– Abra sua mente até encontrar a magia do mundo ao seu redor.

Tentei. Encarei o Vaso. Nada estava acontecendo.

– Concentre-se em sentimentos claros e positivos – a senhorita Dowling me incentivou.

– Sim – eu disse.

Pensamentos felizes. Sentimentos esvoaçantes. Vamos, caramba.

– Há uma fonte emocional que vive bem dentro de você. Encontre-a. Penetre fundo nela. Supere suas dúvidas.

Até a senhorita Dowling estava começando a parecer desacreditar. O tempo se alongava, e o Vaso permaneceu humilhantemente sem resposta ao meu toque. Os outros calouros murmuravam atrás de mim, os sussurros enchendo o círculo de pedra como uma névoa. Bem baixinho, ouvi Musa dizer:

– Isto é um desastre.

E eu sabia que ela estava certa.

Fogo

Depois da aula, os outros calouros ainda fofocavam sobre mim, e a senhorita Dowling me puxou de lado sob as árvores. Mesmo as folhas verdes acima pareciam sussurrar alguma zombaria.

– É apenas o primeiro dia – ela me lembrou, mas eu não estava no clima para uma conversa estimulante. Fiquei ressentida com ela, parada ali comendo uma maçã como alguém com um conhecimento que não quisesse compartilhar.

Eu a lembrei de alguns fatos também.

– Ou estou prestes a matar a todos, ou mal consigo acender um fósforo.

– Você precisa de mente focada – aconselhou a senhorita Dowling. – As distrações podem fazer com que a magia seja errática.

Eu me perguntei o que poderia estar me distraindo. Só conseguia pensar em umas mil coisas. Não sabia que faria a pergunta antes de fazer:

– Eu sou uma Trocada?

Vi essa pergunta atingir a senhorita Dowling mais forte do que eu esperava. Claramente, ela não esperava que eu descobrisse tão depressa. Eu me perguntei por quanto tempo ela planejava esconder isso de mim. Eu me perguntei o que mais ela estava escondendo de mim.

– Onde você ouviu isso? – a senhorita Dowling perguntou com todo cuidado.

– Minha colega de quarto me viu perder o controle na floresta ontem. Ela teve dificuldade em acreditar que saí de um longo período adormecido da linhagem de fadas – repeti as mentiras que ela me contou, as mentiras que engoli tão facilmente, com amargura.

– Bloom… – A senhorita Dowling respirou fundo. Partindo de uma mulher tão equilibrada como ela, era quase uma admissão de culpa.

Minha voz ficou afiada.

– Teria sido tão difícil dizer que meus pais não eram meus pais?

– Eu não queria sobrecarregar você com muito, tão rapidamente.

Ah, com certeza. Ela mentira para mim para meu próprio bem.

– Então, em vez disso, você me deixa aprender com os adolescentes, a fonte de informação mais gentil e confiável.

A senhorita Dowling quase estremeceu.

– Eu vou admitir. Não era o ideal.

Bufei.

– Você acha?

– Olhe esse tom! – retrucou a senhorita Dowling.

Eu sabia que havia pressionado demais. Não queria afastá-la. Queria que ela me ajudasse.

– Você ao menos sabe quem são eles? – perguntei suavemente. – Meus... pais de verdade?

Eu vi a negativa nos olhos da senhorita Dowling antes que ela falasse.

– Não sei. Que é outra razão pela qual não te contei.

Abruptamente, perdi o controle da raiva. Eu estava tão cansada, todas as minhas esperanças para o dia já estavam destruídas.

– Então... o que devo fazer?

Eu só queria respostas. Mas ninguém as daria para mim.

– Venha para a aula todos os dias – disse Dowling. – Mantenha o foco. Aprenda. Cresça. Provavelmente, as respostas virão.

As respostas não viriam da senhorita Dowling. Isso estava muito óbvio.

– Crítico e vago – eu disse amargamente. – Assim como tudo o mais neste lugar.

Eu mal conhecia aquela mulher. Não sabia por que eu ainda continuava olhando para ela em busca de ajuda. Ela já tinha mentido para mim, e agora ela estava me dizendo para vir passar vergonha nas aulas, dia após dia. Ela não se importava comigo. Pedir ajuda à senhorita Dowling era pior do que inútil. Eu me afastei.

Especialista

Nas plataformas que margeiam o lago, dois Especialistas novatos estavam lutando. Kat era durona. O novo garoto Dane decididamente não era. Sky deu sugestões úteis. Riven, no banco ao lado de Sky, deu sugestões inúteis e fez muita zombaria.

Ao fazer isso, ele observou atentamente como o telefone do novo garoto Dane zumbia sem parar. Com o que parecia ser cinco mil mensagens de Terra. Uau, Riven adivinhou que eles eram melhores amigos agora. Ou Terra gostava de Dane. Será que Terra gostava de Dane? Latindo para a árvore errada ali, Terra! Riven teve o desejo de zombar de Terra, mas então Terra poderia estrangulá-lo com as trepadeiras novamente. Ele riu quando Kat lançou Dane para o tapete.

– Você poderia tentar ser cinquenta por cento menos idiota? – perguntou o santo Sky. Riven sorriu afetadamente.

– Isso seria cinquenta por cento menos divertido.

Dane se aproximou para pegar seu telefone, provavelmente para que ele pudesse ler suas várias mensagens. Ele estava evitando contato visual com Riven. Sky disse suavemente:

– Lembre-se em que causa perdida você foi se meter no ano passado? Dois olhos roxos e um tornozelo torcido. No primeiro dia.

Não, Riven não precisava ser lembrado do ano passado, e ele não via por que Sky e Terra tinham que continuar fazendo aquilo. Sim, ele percebeu que Sky teve pena dele, levando Riven sob suas asas. Riven simplesmente não gostava de pensar sobre quão patético Sky deve tê-lo encontrado. Como ele tinha sido o herói do caso de caridade de Sky.

Riven fez uma sugestão escandalosa sobre como ele poderia expressar sua profunda gratidão pela benevolência de Sky, acrescentando:

– Pensei que minha amizade fosse uma recompensa suficiente...

Sky inclinou a cabeça para trás e riu. Riven estava ciente de que Sky o manteve por perto principalmente pelo valor da diversão. Isso era melhor do que Sky sentir pena dele.

Então Sky viu Stella, princesa de Crazytown, demorando na beira do campo. Sky imediatamente se dirigiu para Sua Alteza Insana. Riven voltou sua atenção para Dane.

– Saia desse telefone.

– E eu te ouviria por quê?... – pelo menos o cara novo tinha bom humor.

Riven lançou o desafio.

– Porque você encheu meu Insta de curtidas ontem à noite e eu não vou contar para ninguém.

Ele se divertiu quando notou Dane curtindo uma foto antiga dele. Não era nem mesmo uma foto particularmente sexy. Obviamente, Dane deve ter discordado.

Um vermelho quente subiu sob a pele marrom-clara de Dane.

– Eu só estava curioso sobre todos os veteranos, e então meu dedo escorregou e...

Riven zombou dele.

– Seu dedo escorregou? É com isso que você vai tentar me enrolar? Estou me sentindo generoso. Não vou continuar assim por muito tempo.

Assim que Dane desligou o telefone, Riven inclinou-se para a frente para observar o longo fluxo de textos entre o novato e Terra. Sim, parecia que eles estavam tendo um verdadeiro diálogo. Riven balançou a cabeça. "Ok", ele decidiu. Ele poderia ser como Sky. "Faça uma boa ação. Coloque Dane sob sua proteção." Sim, Riven estava se sentindo benevolente. E se isso incomodasse senhorita Terra e todas as suas amigas da parreira, uma pena.

Riven estava virtuosamente dedicado a ajudar o novo garoto, que ficou ainda mais vermelho sob a atenção contínua de Riven.

– Primeiro conselho? Escolha seus amigos com cuidado nesse primeiro ano. Segundo? Foco. Concentre sua mente nisso. Você lutou com Kat com todos os seus membros e você perdeu. Ser um bom Especialista não é sobre quão grande você é. É uma questão de estratégia.

Ele gritou:

– Ei, Mikey! Vamos treinar.

Dane olhou para Mikey com certo alarme. Provavelmente porque Mikey era enorme, e Dane estava preocupado que o rosto bonito de Riven pudesse ficar amarrotado. Mikey andou pesadamente até o tapete de luta, onde Riven caminhou para encontrá-lo. Mikey atacou Riven com força. Riven se defendeu de dois socos esmagadores. Então ele se lançou e levou Mikey ao chão em um estrangulamento. Riven olhou para cima para ver se Dane estava assistindo. Claro que Dane estava.

– Primeira lição. É assim que você ganha, novato. Sem piedade. Para ninguém.

Boa ação do dia feita, Riven se afastou da área de treinamento para encontrar alguns de seus amigos. O universo deu a ele uma recompensa por sua virtude quando a Garota Misteriosa veio para o lado dele.

"Ela não conseguia ficar longe", Riven pensou.

– Cara doidão e esquisito, certo? – perguntou a Garota Misteriosa.

– Pode me chamar só de Riven – sugeriu o próprio. Ela fez uma careta. À luz do sol, ela era ainda mais bonita. Ele podia estender a mão e colocar a ponta do dedo na fenda do queixo dela.

– Seu nome é Riven? Mesmo?

Riven perguntou:

– Oi, algum problema? Posso ajudá-la?

Ela ronronou:

– Você pode. – Ela enroscou o braço no dele, levando-o para longe de seus amigos. Ele a deixou fazer isso com uma vaga sensação de triunfo. Ele sabia que ela gostava dele. – Você parece um delinquente bastante adequado.

– Depende de quem está perguntando – disse Riven.

Ela piscou para ele.

– A pessoa que quer invadir o escritório de Dowling. Achei que você poderia querer ajudar.

– E por que ajudaria? – Riven perguntou. – Você acha isso?

– Porque você é um cara legal e eu sou uma garota gostosa. – A novata cravou os olhos nos dele. – Ou eu interpretei mal a profundidade do seu personagem?

Acontece que o nome da criminosa sexy era Beatrix.

Mente

Uma vez que as pessoas soubessem que você poderia ler sentimentos, e que sua magia da mente era forte, eles iriam querer que você lesse todos ao seu redor. Mas eles nunca iriam querer que você os lesse.

Até Aisha, por mais que Musa gostasse dela, começou a questionar Musa enquanto almoçavam. Musa tentou, mas ela nem sabia como explicar sua magia. Ela se preocupava em não assustar Aisha. Ela se preocupou sobre Aisha sentir pena dela. E era difícil para as palavras cobrirem o caos infinito que cercava Musa em todos os momentos, pressionando-a de todos os lados. As costas da atendente da lanchonete doíam. Um novo garoto especialista chamado Dane estava se sentindo frenético e preso. O pai de Terra, o professor, estava nervoso com algo, possivelmente aquele cadáver, e as palavras de Musa tropeçavam enquanto ela tentava contar a Aisha tudo isso e tentava lidar com a situação.

E então Musa parou no meio da frase, atingida por algo que ela nunca havia sentido antes. Silêncio, depois de tanto barulho, o silêncio parecia inimaginável. Uma calma no furacão emocional de Musa. A nova sensação vinha de um cara de jaqueta verde saindo da sala. Musa só teve um vislumbre de suas costas e então ele se foi.

– O que acabou de acontecer? – Aisha perguntou, ao lado dela.

– Não tenho certeza – Musa respondeu, distante. Ela não sabia o que tinha acontecido, mas sabia como se sentiu. Paz, finalmente.

Luz

Stella tinha planejado dividir um quarto com sua melhor amiga por todo o tempo em que estivessem juntas em Alfea. Isso não funcionou bem. Agora ela tinha de dividir uma suíte com as novatas, e a pior novata de todas tinha saído e perdido o anel de Stella. Certo, por que alguém teria cuidado com as joias da coroa?

Bloom da Califórnia acreditava claramente que ela poderia ter qualquer coisa que chamasse sua atenção. O anel de Stella. Namorado da Stella. Mas Stella estava mantendo Sky, e ela pretendia ter seu anel de volta também. Bloom já havia de alguma forma conquistado a lealdade de todas as suas colegas da suíte. Terra, Musa e Aisha estavam almoçando com ela nesse momento. Aisha, a companheira de quarto perfeita, estava no meio de uma explicação sobre o seu plano para ajudar a pobre e lamentável Bloom.

– Então aqui está o que devemos fazer. Talvez você possa fazer uma lista de gatilhos emocionais, e podemos prosseguir...

– Aisha, agradeço o que você está fazendo –, disse Bloom, claramente não apreciando nada daquilo – mas posso descobrir isso eu mesma.

– Tenho certeza. – Aisha não parecia nada certa. – Eu só acho que você está com aquele negócio de Trocada na sua cabeça, e talvez esteja pensando demais.

Coisas de Trocada? Ah, isso foi interessante. Não admira Bloom pensar que ela poderia pegar as coisas de outras pessoas. Ela agarrou a vida inteira de uma criança humana e tomou para si. Stella iria conseguir a história completa sobre isso, e logo.

Com sua voz afiada como alarme, Bloom disse:

– Então todos eles sabem? Sobre eu ser…

– Ah, é por isso que você estava estranha no Vaso? – Terra perguntou. Ela tagarelou. – Isso faz muito mais sentido, porque é a tarefa mais fácil que teremos e…

Musa colocou a mão no braço dela.

– Estou tornando tudo pior – Terra pensou em voz alta. Terra sempre piorava as coisas. A garota era totalmente inepta socialmente. Ela deveria ser confinada à estufa para seu próprio bem.

Stella interpretou esse silêncio constrangedor como uma deixa para andar até a mesa, Sky ao seu lado, onde ele pertencia, com um mapa nas mãos.

– Portanto, temos um plano – anunciou Stella. Ela espalhou seu mapa no final da mesa.

– O que é isso? – perguntou Musa, enquanto Terra parecia alegre ao ver um mapa.

– Ei, Stella me contou o que aconteceu ontem à noite. Você está ok? – Sky se sentou perto de Bloom, quase a tocando. Sua voz era gentil. Isso não fazia parte do plano. Stella gostou do coração gentil de Sky, mas ela não estava disposta a dividi-lo. Ela estava agarrando-se a ele por si mesma.

– O que você acha? – Bloom perguntou cansada. Sky olhou para Bloom com olhos amáveis e sábios.

– Eu acho que você está pirando, mas fingindo que não está.

– Isso é assim óbvio? – Bloom perguntou.

– Não – Sky disse facilmente. – É que eu sou muito bom…

Bloom sorriu, encantada contra sua vontade, sua raiva se desfazendo.

– Sky? – Stella disse rispidamente. Ela olhou fixamente para a garota da Califórnia. A raiva de Bloom voltou a subir. – Onde você acha que eles o estão guardando de novo?

Stella perguntou. Sky se levantou de seu assento e foi até o mapa enquanto todos começaram a planejar como encontrar o monstro que Dowling tinha prendido e recuperar o anel. Finalmente, as pessoas estavam se concentrando nas coisas importantes: a joia de Stella. Enquanto ele se debruçava sobre o mapa, Stella colocou a mão nas costas de Sky. Coçando suavemente. Rastreando. Marcando seu território.

Aparentemente, Bloom falava com sua mãe todas as noites e tomava banhos de elogios e carinho, mas a mãe de Stella tinha ensinado a ela coisas mais importantes. Por exemplo, como reivindicar uma petição real. Sky começou a apontar coisas no mapa com a precisão de um soldado. Ele era um cavaleiro ajudando a princesa.

– Existem apenas alguns edifícios fora da Barreira onde eles poderiam prender uma criatura assim. E eu tenho certeza de que vi Silva vindo do leste esta manhã, então.

Seus dedos fortes acompanharam o caminho no mapa.

– Há um celeiro e um moinho...

– O celeiro é minha aposta – Terra soltou. – Meu pai fortificou as vigas para acorrentar um cavalo ferido quando eu era pequena. Eu ainda me lembro de entrar sorrateiramente e...

Stella a interrompeu. Alguém tinha que parar o incessante tagarelar dela. Foi uma misericórdia para Terra, e certamente uma misericórdia para quem tivesse que ouvir Terra. Era um serviço público que Stella estava se comprometendo a realizar para o seu povo.

– Então, nós temos apenas que nos esgueirar até o celeiro e pegar meu anel.

– Estranho como você está falando casualmente sobre a palavra nós – comentou Aisha. Engraçado como Aisha estava tão ansiosa para ajudar Bloom e tão relutante em ajudar Stella. Ela escolheu seu lado muito rápido. Musa entrou na conversa:

– Parece mais com você esse tipo de negócio. – Aparentemente, todas as companheiras da suíte estavam.

– Exceto que eu não o perdi.

Stella olhou para Bloom significativamente. Mensagem recebida.

– Quando vamos? – Bloom perguntou. Todos trocaram olhares apreensivos. Naturalmente, Aisha, a interferente, foi quem falou para proteger sua preciosa companheira de quarto.

– Vou ser bem franca aqui. Desculpe. Bloom, você tem controle zero sobre a sua magia. Isso é, se você conseguir canalizar. Péssima ideia.

– Mas eu que perdi o anel – Bloom retrucou. – E vou trazê-lo de volta. Estou bem. – Bloom estava falando com bom senso.

Ela sabia o que era devido a Stella. Ela não estava dando em cima de Sky, Stella teve que admitir. Talvez a Garota Trocada não fosse tão ruim assim. Soou como se ela estivesse tendo problemas com sua magia, e Stella sabia tudo sobre como lidar com problemas com magia. Se Bloom soubesse do seu lugar, elas poderiam se ajudar mutuamente.

A aprovação recém-nascida de Stella por Bloom desapareceu quando Sky olhou para Bloom como se soubesse que ela não estava bem. Mas ele não fez isso. Ele não conhecia essa garota nova, e ele não deveria estar tão preocupado com os seus sentimentos. Hesitante, ele disse:

– Talvez devêssemos tirar um segundo para...

Stella ignorou seu cavaleiro.

– Todo mundo está fazendo disso um problema maior do que precisa ser. Você disse que o Queimado está trancado, certo?

– Ah, e dominado – contribuiu Terra. Quando todos piscaram para ela, explicou: – Tenho certeza de que meu pai tem destilado este óleo que o acalma. Chama-se Zambak. – Terra olhou para a mesa dos docentes, onde seu pai, o professor, estava sentado com a senhorita Dowling e o diretor Especialista Silva.

Terra ofereceu, em voz baixa:

– Provavelmente posso fazer um pouco mais...

Terra poderia realmente ser bastante doce, se parasse de falar tanto, ou pelo menos dissesse coisas mais úteis. Stella mostrou seu reconhecimento real.

– Obrigada, Terra, por ser útil. E obrigada, Bloom, por assumir a responsabilidade. E obrigada a todos os outros por… nada. Acho que obrigada por nada.

Ela olhou para Aisha e Musa com desagrado real. Ela não se importava que todas as outras preferissem Bloom. Seus sentimentos eram de nenhum interesse por Stella em absoluto. Ela estava conseguindo o que queria. "Cuide do que é seu", ela aprendera quando criança. "Ou você vai terminar sem nada."

Bloom ficou de pé e se dirigiu a Stella sozinha.

– Me avise quando quiser fazer.

Fogo

Escapar de um Especialista não era tão fácil. Sky me pegou perto do lago, seu rosto sério e preocupado, seu cabelo despenteado pela brisa. Ele realmente parecia o cavaleiro perfeito. Mas ele não poderia salvar todas as donzelas que encontrava pelo caminho. Ele teria que escolher uma.

– Você não tem que concordar com o que Stella quer –, ele me disse enquanto corria em minha direção. – Existem outras opções. Você não precisa fazer isso só porque ela tem uma… personalidade forte.

Minha voz estava fraca:

– Eu perdi o anel. Ajudar a consegui-lo de volta é a coisa certa a fazer. Fim da história.

Sky admitiu:

– Duas personalidades fortes. Entendi.

Eu o olhei bem nos olhos.

– Claramente, sou do seu tipo.

Houve uma pausa. Eu não me arrependi de ter dito isso. Ele tinha me paquerado um pouco ontem, e então passou a noite com Stella. Eu não tinha tornado as coisas estranhas. Eu apenas apontei onde estava o constrangimento. Depois de um silêncio, Sky ofereceu:

– Então, ontem... quando eu estava... quando estávamos conversando... eu não tinha conversado com Stella havia meses. Sim, namoramos no ano passado. Mas nós tivemos uma espécie de separação dura e...

E eles só conversaram na noite anterior? E eles decidiram ser apenas amigos?

– E o quê? – perguntei.

Infelizmente, Sky disse:

– Eu só não quero que você pense que eu sou o cara...

Eu o cortei.

– Sky, nós nos conhecemos ontem. Eu não acho qualquer coisa sobre você. – O que importava não era o que eu pensava. O que importava era se ele estava sendo aquele cara. Ou não.

– Ok. Isso é razoável – disse Sky. Eu chamei sua atenção. Eu gostei que ele parecia realmente me ouvir. Eu senti uma faísca quando nossos olhos se encontraram: uma centelha de possibilidade, de algum potencial. Eu escolhi minhas palavras com cuidado.

– Seu acordo com Stella parece... complicado. E agora, minha vida poderia ter menos complicações. Não mais. – Então, foi isso. Adeus, cavaleiro de conto de fadas. A princesa poderia ficar com ele.

Especialista

A diretora Dowling mantinha boas bebidas em seu escritório. Riven se serviu, recostando-se em uma cadeira do escritório, enquanto sua gata recém-conhecida Beatrix passeava olhando os livros. Eles brincaram enquanto Riven ficava de olho em seu telefone. Dowling gastou meia hora para o almoço. Seu assistente Callum usou quinze minutos, então o tempo estava apertado. Riven tinha plantado um vigia, já que Callum poderia ser sorrateiro. Riven era mais sorrateiro ainda. Ele cobriu a cabeça com o capuz do seu moletom, uma vez que eles estavam bisbilhotando.

– O que você está procurando, afinal? Respostas dos testes?

Beatrix fez uma cara de desdém.

– Por favor. Os testes que eles aplicam hoje em dia dá para responder com giz de cera. – Ela era divertida de se assistir em seu vestidinho xadrez azul. Melhor ainda, ela era divertida de se ouvir.

– A história deste lugar é muito mais sombria do que Dowling e o resto dos professores quer que saibamos. – Beatrix virou da estante de pedra esculpida de volta para Riven com um olhar predador nos olhos. – Eu quero a verdade. Você não?

Riven queria alguma coisa, isso era certo. Ele brincou com ela sobre ser uma nerd gostosa. Ela se aproximou dele enquanto sussurrou:

– Por quê? Isso é um arquétipo confuso para você?

As coisas estavam prestes a ficar realmente interessantes quando o telefone de Riven vibrou com uma mensagem de Dane, dizendo a ele que Callum estava a caminho. O Especialista júnior Dane estava se mostrando bastante útil. Riven estava feliz por ter decidido se tornar seu mentor. Riven e Beatrix saíram rapidamente.

Riven nunca percebeu as faíscas elétricas brincando ao longo da superfície da estante de pedra, revelando o contorno de uma porta secreta. Ele percebeu o sorriso satisfeito de Beatrix enquanto se apressavam na fuga, mas ele interpretou isso errado. Ele presumiu que era tudo por causa dele.

Fogo

O círculo de pedras ao pôr do sol era lindo. O brilho do sol poente dava a cada pedra um halo. Parecia que, a qualquer momento nesse espaço, a mágica poderia acontecer. Mas a magia não estava acontecendo. Continuei tentando e falhando.

– Ouvi dizer que você está arrasada – disse a Princesa Stella, caminhando para dentro do círculo. E agora Stella passou a ser delicada comigo. Ótimo. Tentei ignorar sua provocação e insisti:

– Ainda vou te ajudar.

– E eu estou encantada – Stella falou lentamente –, mas prefiro que esperemos até que você não esteja completamente inútil. Qual foi o dano?

Eu não tinha certeza se Stella era a melhor pessoa para deixar se aproximar, mas ela era a que estava ali.

– Eu... não sei – admiti. – E quanto mais eu tento descobrir tudo, mais difícil fica. – Fiz um gesto frustrado apontando para o meu caderno. Stella olhou o livro com ainda mais desdém do que ela normalmente exibia.

– Esse é o seu problema. Você não consegue pensar seu caminho até a magia.

Eu suspirei:

– Eu sei. Tudo é uma questão de emoções claras e positivas. Tem uma página dedicada a elas.

– Espere. Você fez uma lista?

Envergonhada, comecei a guardar meu caderno.

– O que você tem nele? Seu sabor preferido de sorvete? Marmotas de mãos dadas?

"Veja bem, marmotas de mãos dadas eram muito fofinhas! A princesa não deveria julgar". Eu enfiei minhas coisas na mochila enquanto Stella listava algumas ideias que ela achava hilárias, incluindo a que minha mãe sentia orgulho de mim.

– Espera – disse Stella. – Provavelmente não aquela última, certo? Considerando que ela não é a sua mãe verdadeira…

Parei de guardar as minhas coisas. E me virei para Stella. Era melhor ela não forçar tanto a barra. Mas Stella forçou.

– Estou errada? Você ainda se importa com o que a sua não mãe diz? Mesmo você sendo uma Trocada? Que tentou matá-la?

Meus punhos se fecharam. Eu falei entre dentes:

– Se você disser qualquer coisinha mais…

A voz de Stella se interpôs à minha, autoritária de um modo como somente uma futura governante poderia fazer.

– Coloque suas mãos sobre o Vaso.

– O quê?

Os olhos de Stella estavam brilhantes no pôr do sol. Sua voz nos meus ouvidos soava sinistra, quase intimidante.

– A magia mais forte vem das piores emoções: a raiva e o ódio. Então, coloque suas mãos inúteis de Trocada nesse Vaso e sinta.

Constrangida, eu olhei para Stella. Sua expressão estava hostil com o ódio, e eu vi ali algo que eu reconhecia muito bem. Senti algo dentro de mim mudar, como se eu estivesse me movendo para um terreno muito profundo, mas seguro. Eu coloquei minhas mãos no Vaso e as chamas explodiram dele. Uma labareda faminta de fogo, crescendo para consumir algo ou alguém. Rapidamente eu tirei minhas mãos dali. O fogo sumiu.

– O quê? Você acha que já terminou? – Stella reclamou. Seu rosto estava tingido pelo sol que morria, junto com um triunfo destemido. Eu reconheci aquele sentimento também. Eu queria mais daquilo. Eu ouvi um rugido como o de labaredas nos meus ouvidos. E percebi que aquilo estava apenas começando.

Mente

– Eu não gosto do que Stella está ensinando a ela – disse Aisha. Musa quase não ouvia nada.

Os queixumes de Aisha em relação a Bloom começaram a ser algo frequente, tanto quanto às saídas para a natação de Aisha. Musa estava ocupada procurando o garoto novo de jaqueta verde, aquele que exalava paz. Como uma máquina abafadora de sons em forma de pessoa. Ela continuava a captar pedaços daquela paz, mas sempre que ela se virava, não tinha mais ninguém ali. Ela começou a temer que o garoto pudesse se tornar invisível e ela nunca mais o encontraria. Embora não estivesse ouvindo, Musa podia sentir a emoção que Aisha estava emitindo, sonora e clara.

– Muito ciúme? Por que uma amizade com Bloom é tão importante para você?

– As colegas de quarto não deveriam ser amigas?

Ah, doce Aisha. Musa pensou em Terra, o terror em pessoa, e suspirou:

– Eu não sou a pessoa mais indicada para comentar sobre isso.

Aisha não estava apenas preocupada a respeito de Bloom. Ela considerava Musa com simpatia e perguntou sobre a caçada ao senhor Jaqueta Verde. Musa derramou sua frustração.

– Eu sinto sua presença ao dobrar em um corredor, mas sempre que eu tento segui-lo, ele nunca está por ali.

Musa sentiu outra vibração daquela paz doce e tranquilizante. Nessa hora, ela se sentia muito cansada, mesmo para sair atrás dele e de novo ser desapontada.

– Aqui está ele de novo, logo atrás de mim.

Como esperado, Aisha disse:

– Não tem ninguém atrás de... – então os grandes olhos castanhos de Aisha se arregalaram. Musa percebeu que o olhar de Aisha estava vendo alguém por trás dos ombros de Musa. O senhor Jaqueta Verde poderia finalmente ser encontrado.

– Mistério resolvido. Ele consegue atravessar as paredes. Uma Fada da Terra!

Era por isso que ele parecia desaparecer a toda hora. Mas ele não tinha desparecido naquela hora. Aisha podia vê-lo perfeitamente. Musa não ousou se virar, mas ela tinha uma pergunta. Musa falou baixinho.

– Eu não sou fútil, mas... ele é gatinho?

Então Aisha, uma dama que estava totalmente fora de controle, gritou:

– Ei, qual é o seu nome?

– Não. Não! O que você está fazendo? – Musa perguntou em um sussurro de agonia.

– Aisha, por favor, não!

Musa não era muito boa naquele negócio de interagir com pessoas, quando elas tinham que conversar entre si. Ela precisava de tempo para planejar sua estratégia, e esconder seus fones de ouvido, para não parecer tão estranha. Ela não poderia fazer isso naquele instante, só que era tarde demais. Uma voz de garoto, agradável, relaxante e um pouco confusa, disse:

– Hummm... Eu sou o Sam. Tudo bem?

– Eu sou Aisha – anunciou ela mesma, aquela vilã traidora. – E essa é Musa.

Aisha se virou para Musa, em uma atitude de "somos todas amigas aqui". Engraçado, porque Musa iria odiá-la para sempre.

Sam da Jaqueta Verde era muito bonito, com cabelos castanhos macios e pele bem clara, com um queixo que seria uma delícia acariciar com os dedos. Era uma pena que Musa teria que rastejar para baixo de sua cama, morar ali para sempre e nunca mais vê-lo de novo. Musa disse articulando para Aisha:

– Eu te odeio. Sempre te odiarei. Odiarei seus filhos e os filhos dos seus filhos e...

Aisha, aparentemente ensurdecida naquele instante, disse a Sam:

– Musa está te perseguindo há algum tempo.

Musa mal conseguia enumerar, nem sequer uma, das promessas do que ela faria com Aisha.

– Morta... você está... – Então, todas as palavras morreram na garganta de Musa quando olhou para os olhos de Sam. O que ele pensaria sobre ela? Alguma esquisita, agarrada aos seus fones de ouvido, seguindo-o por toda parte, desesperada por uma chance de quietude no meio do caos.

Os últimos raios do sol no pátio foram capturados pelo cabelo castanho de Sam. Ele tinha rugas de expressão ao redor dos olhos e da boca. E Aisha tinha acabado de dizer que Musa o estava perseguindo. O belo e pacífico Sam olhou para Musa e murmurou:

– Que sortudo eu sou.

Terra

O sol poente brilhou através dos painéis de vidro opacos da estufa, iluminando as vinhas emaranhadas e as flores coloridas. Algumas eram classificadas como mágicas. Outras nem tanto. Não importava. Toda flor era mágica para Terra.

Colocadas em intervalos no meio dos vegetais estavam algumas mesas pretas de laboratório onde eles podiam operar as maravilhas da ciência em meio às belezas da natureza. Terra estava sempre contente ali, e jamais estaria mais feliz do que naquele momento. Em seu lugar especial. Com Dane, que demonstrou interesse por seu equipamento de química e fingia não saber o que era uma pipeta. Ele pediu que ela repetisse aquela palavra cinco vezes. Ela passou uma folha morta para ele.

– Faça isso de novo e toda essa floreira irá até você.

Dane sorriu. Ele era tão, mas tão bonito, Terra pensou. Isso foi exatamente como no ano passado, sendo feliz na estufa, tendo alguém para fazer companhia. Exceto que isso foi muito melhor do que no ano passado, porque Dane era uma pessoa maravilhosa e adorável. E Terra estava quase certa de que Dane gostava dela também. Ela tocou uma planta, e a fez brotar em uma flor de gailárdia. Só para ele. Dane sorriu, dentes brancos e brilhantes, parecendo verdadeiramente impressionado.

Então seu telefone vibrou. Dane mandou uma mensagem de volta, depois voltou sua atenção para Terra e perguntou o que eles estavam fazendo. Terra respondeu ansiosamente:

– É um óleo. Bem, tecnicamente um unguento. Mas parece fino para um unguento.

Ela e suas companheiras estavam em uma missão secreta, para salvar o anel real de Stella do Queimado. Stella tinha agradecido a Terra pessoalmente a ajuda.

– Ah – disse Dane –, um un... guento. – Talvez Dane não tenha entendido que coisa legal eles estavam fazendo.

– É para proteção. Contra o Queimado, no caso de você não ter ouvido.

– Eu ouvi – respondeu Dane. – Muito louco que eles estejam de volta.

O telefone de Dane vibrou novamente. Dane o pegou de novo, em seguida, colocou-o de lado, mas logo depois ele resmunga que precisa correr e saiu apressado. Talvez um amigo dele estivesse com problemas. Talvez ele precisasse ir treinar. Antes de seu telefone começar a zumbir, Dane realmente tinha demonstrado estar gostando de passar o tempo com ela. "Quem quer que estivesse mandando mensagem para Dane", Terra pensou, "era alguém superirritante."

Especialista

Riven parou de enviar mensagens de texto para Dane e sorriu para si mesmo. Beatrix estava sentada no chão de seu quarto, examinando um livro com um marcador. Inteligente, além de sexy. Ela levantou uma sobrancelha para o telefone de Riven e suas mensagens hilárias.

– Você vai ajudá-lo fazendo-o se sentir mal sobre si? Um valentão bem-intencionado?

– Esse é o plano – Riven falou lentamente –, por quê? Isso é um arquétipo confuso para você?

Beatrix deu um sorriso enviesado para ele, um pouco assustado e impressionado. "Isso mesmo", pensou Riven. "Eu não vou apenas ser seu pedaço de carne. Embora eu também esteja totalmente disposto a ser só isso." Infelizmente, ele não poderia convidar Beatrix para desfrutar do seu corpo sexy, pois o colega de quarto de Riven entrou e sacou a situação Beatrix-no-chão-ficando-doidona.

– Olá – disse Sky, com desaprovação.

– Oi – disse Beatrix, sem se incomodar. Sky olhou para ela. Depois, para Riven. Em seguida, de volta para ela. Como se Sky não tivesse uma garota em seu quarto na noite passada. Beatrix ofereceu a Sky o vaporizador que ela segurava.

– Não, obrigado – disse Sky afetadamente. – O dia não está bom, Riv. Silva encontrará ela aqui...

– Beatrix – disse Beatrix. – Ela não. Beatrix.

– Diga a ele, garota.

Riven destacou:

– E Silva saiu. Meio que espionou para ter certeza. Algo sobre se encontrar com um destacamento militar de Solaria? Pergunte à sua namorada.

Sky simplesmente não era tão bom em se esgueirar coletando informações como Riven. Eram as boas intenções e a nobreza interna. Isso que principalmente o atrapalhava.

Beatrix começou a zombar de Sky por namorar Stella. Realmente Riven pode ter encontrado sua alma gêmea. Sky a ignorou. Ele ficou todo tenso. Ainda mais tenso do que o normal.

– Se os solarianos estão vindo... – Sky parecia estar pensando muito. Riven terminou o pensamento por ele.

– Significa que os rumores são verdadeiros. Eles capturaram um Queimado. A prisão solariana não é brincadeira. Acho que eles vão transferi-lo.

Pareceu uma ótima ideia para Riven. Mandar o monstro assassino para bem longe? Uma grande vitória para a equipe!

– Que belo resultado... – Riven se esticou fazendo charme – não chegamos a lugar algum.

Todo mundo parecia discordar. De repente, Beatrix precisava ir à biblioteca imediatamente, e Sky precisava falar com Stella com urgência. E Dane estava na estufa, se divertindo e sendo patético com Terra. Riven estava totalmente abandonado. Típico.

Água

Sky disse a Stella que o Queimado estava sendo transferido. Era agora ou nunca. Era hora de Bloom, Stella, Musa, Terra e Aisha agirem como uma equipe. Finalmente. "Então, seria ótimo se Stella pudesse parar de criticá-la", Aisha pensou, "e Bloom ouviria os alertas de Aisha sobre o treinamento de Stella."

Esse não era o espírito de trabalho em equipe. Aisha olhou as costas do casaco verde de caça de Stella.

– Então, qual é o plano, Exército da Barbie?

– Você pediu a Aisha para vir conosco? – Stella perguntou em voz alta enquanto a equipe se afastava de Alfea em direção à floresta à noite.

Bloom ficou em silêncio e Aisha gostou disso. Bloom podia estar chateada com Aisha, mas ela não ia jogar o jogo de Stella, que prosseguiu:

– Acho que não. E se você não pediu para Aisha vir, e eu não pedi a Aisha para vir... Ninguém pediu a Aisha para vir.

– Isso é idiota – rebateu Aisha. – Você precisa de mim. O que você vai fazer, Stella, ficar deslumbrada com a própria luz? Enquanto Bloom luta para acender uma fogueira?

– Estou bem aqui – Bloom rosnou.

Stella afirmou:

– Eu já consertei Bloom – como se Bloom fosse um dos abajures ou relógios quebrados que Bloom contou a Aisha que ela gostava de consertar. Só Aisha não confiava em Stella para consertar qualquer coisa.

Era tão claro que Stella não jogava em equipe. Não havia eu no time, mas havia um eu no ringue. Pegar a sua joia de volta era tudo com que Stella se importava.

– As emoções negativas são instáveis – argumentou Aisha –, elas têm limites. Seu método não vai ajudá-la a longo prazo.

– Nenhuma de vocês a está ajudando agora! Podemos apenas fazer o que precisa ser feito? – o rosnado de Bloom ecoou pelas árvores. Atrás delas veio a voz imparcial de Musa:

– Ah, muito boa. Todo mundo está calmo e controlado. Perfeito.

Terra e Musa vieram em direção a elas, Terra acenando com um frasco na mão. Aparentemente, Musa ajudou Terra a fazer o óleo que iria controlar o Queimado. E Terra sabia onde o Queimado estava sendo mantido. Terra e Musa eram ambas jogadoras de equipe.

A missão foi iniciada. O silêncio reinou finalmente entre as cinco meninas. Enquanto elas se moviam por entre as árvores, o único som era o suave estalido de galhos e da vegetação rasteira sob seus pés.

A cena estava envolta em névoa. Totalmente quieta. Um palco armado para a história de terror que esperava para acontecer. Elas emergiram das árvores e pararam perto do celeiro abandonado. Bloom respirou fundo e seguiu em frente. Aisha ouviu a respiração das outras acelerar enquanto elas se aproximavam da velha estrutura destruída.

A porta do celeiro estava pendurada, já aberta. Bloom avançou, então Aisha foi com ela, e Stella foi em busca de seu anel. Mas mesmo antes de entrarem no espaço que produzia eco, Aisha estava com medo do que iriam encontrar. Nada.

A equipe se espalhou, Aisha parando para ver um par de algemas, destravadas e abertas.

– Eles já o levaram.

Elas chegaram tarde demais, ela pensou, em um desespero distante. Então a cabeça de Bloom girou na direção da porta dos fundos do celeiro, que estava aberta. Houve um pequeno som. Talvez tenha sido apenas o rangido de uma dobradiça, mas fez Bloom avançar instintivamente, como se estivesse à caça de uma presa. Lá estava ele novamente. Não foi um rangido, ou um farfalhar, mas um ruído áspero. Imediatamente Aisha estava prestes a seguir os passos de Bloom. Então, a gritaria começou.

Terra

Terra estava prestes a entrar no celeiro quando notou que Musa seguia para o outro lado. Os olhos de Musa estavam brilhando em um tom violeta perturbador, e ela tropeçava como uma sonâmbula na direção do riacho. Colegas de quarto deveriam ficar juntas. Terra mudou de rumo.

– Você está bem, Musa? – Musa mal parecia ouvi-la, resmungando enquanto caminhava, alheia a tudo. Até que ela se dobrou, gemendo:

– Está doendo! – Terra se movimentou para ajudar Musa, mas os olhos de Musa estavam fixos no riacho. Então o olhar de Terra se moveu para o riacho também.

– Gente! – Terra gritou por suas companheiras de quarto. – Nós temos um problema!

Era uma carnificina. Havia um jipe preto capotado. Um caminhão entortado contra uma pobre árvore partida. Quatro soldados mortos, destroçados em pedaços horríveis. E o único sobrevivente, senhor Silva. O comandante dos Especialistas estava sentado caído contra uma árvore. Havia um corte na lateral do seu corpo. Cortes em seus braços e pescoço. Sangue escorrendo de um ferimento no couro cabeludo.

Os olhos de Terra catalogaram a lista de ferimentos, sabendo o que eles significavam.

– O Queimado – ela disse em voz alta.

Não parecia que transportar o Queimado para uma prisão solariana fora um grande sucesso.

– Ele ainda está aqui em algum lugar –, Stella suspirou. "Pelo menos eles estavam todos juntos", Terra pensou. Elas poderiam pensar no que fazer como uma equipe. Então Aisha disse:

– Espere, onde está Bloom? Bloom!

Houve um início de pânico, mesmo na voz de Aisha. Stella parecia que estava prestes a fugir dali. Isso era ridículo. Bloom poderia ser comida pelo Queimado. O senhor Silva poderia morrer. Terra assumiu o comando:

– Vamos ajudar o senhor Silva. Você e Aisha vão encontrar Bloom – ela comandou Stella, e Stella concordou acenando com a cabeça. Terra avançou até o senhor Silva, que parecia semiconsciente.

Musa tentou acompanhar Terra, mas ela estava claramente em péssimo estado também. A dor e o medo do senhor Silva indicavam um massacre, derrubando todas as defesas da pobre Musa.

– Eu não consigo – Musa choramingou.

– Eu vou te ajudar – Terra prometeu –, vamos.

Os olhos do senhor Silva arregalaram de repente. Eles estavam totalmente negros. Sua espada foi subitamente apontada para elas, sua boca fechada com um rosnado. Para um soldado, deve ser terrivelmente desorientador sentir a necessidade de reagir como se seus amigos fossem inimigos.

O pai de Terra tinha avisado anteriormente sobre os efeitos do ataque de um Queimado.

– Tenha cuidado, ele está fora de controle – Terra advertiu Musa.

Ela explicou ao senhor Silva, da maneira mais gentil e firme que pôde:

– O Queimado feriu você. Você está infectado. Nós vamos ajudá-lo.

Ela invocou magia para amarrar os braços de Silva com videiras, de modo que sua espada desagradável não fosse novamente apontada para elas. O senhor Silva lutou violentamente contra as amarras, e quando ele tentou atacar, Musa congelou. O pânico não iria ajudar ninguém.

– Eu tenho o Zambak para você – Terra acalmou o senhor Silva. – Isso irá acalmar a infecção e podemos levá-lo de volta para a escola.

Ela se virou para Musa:

– Eu vou segurar a cabeça dele, mas eu preciso que você coloque na boca dele.

Musa hesitou. Terra entendeu que Musa devia se sentir horrível naquele instante, mas isso não mudava o que precisava ser feito.

– Musa – Terra disse com firmeza –, ele está com medo. Eu não estou. Foco em mim.

Depois de um momento, os olhos de Musa encontraram os de Terra e ali se fixaram. Ela concordou, acenando com a cabeça.

Fogo

Eu estava perdida na floresta, perseguindo o som do Queimado, mas não importa quão fundo eu entrava na floresta, não conseguia encontrar o som novamente. Até que eu encontrei, um leve som áspero. Atrás de mim. Eu virei para encarar o monstro.

Envolto em névoa, o Queimado estava olhando através da clareira bem em minha direção. O monstro deu um passo em minha direção e eu demorei um momento, desejando que minha magia funcionasse.

O Queimado atacou, pulando sobre mim. Eu fiquei firme e ergui uma das minhas mãos. Uma linha de fogo irrompeu pelo chão da floresta em direção ao Queimado. Meu fogo o atingiu de frente, iluminando a noite. O Queimado cambaleou para trás, contorcendo-se enquanto as chamas o engolfavam, e eu me peguei sorrindo. "Peguei você!".

Mas, então, o Queimado parou de cambalear. Ficou em pé. Recuperou a compostura e investiu contra mim novamente. Ainda estava em chamas. Era possível que eu realmente tivesse me ferrado ali. O monstro que não estava mais queimado, mas queimando, saltou direto para mim. Eu me senti grudada no chão.

Felizmente, seu salto foi cortado em pleno ar por uma poderosa rajada de água. O monstro foi jogado no ar, caindo no berço das raízes levantadas de uma árvore. Uma raiz o perfurou e o corpo ficou amassado e imóvel.

Eu me virei lentamente, já sabendo quem eu veria a seguir. Água para esfriar meu fogo. Aisha. O martim-pescador, brilho azul do poder da água já desaparecendo de seus olhos, ela perguntou:

– Você está bem?

Eu balancei a cabeça, e olhamos para o Queimado.

– Ele está?... – Aisha sussurrou, como se preocupada que ela pudesse acordá-lo.

– Acho que sim. Você o acertou com muita força.

Aisha sorriu e me cutucou, compartilhando a vitória.

– E admito, você tinha mais controle do que eu pensava que tivesse.

Eu sorri de volta.

– Espere. Isso é um... elogio? Você está me elogiando nesse instante?

Aisha revirou os olhos, mas estava sorrindo.

– Vamos pegar o anel de Stella – disse Aisha, mas eu já estava em irradiação total.

Parei de sorrir enquanto examinávamos o Queimado. Minha magia de fogo e a magia de água de Aisha não melhoraram sua aparência. Aisha semicerrou os olhos.

– Cadê ele?

– Ali. Parece que está preso... dentro dele?...

O anel era apenas um brilho no braço da criatura. O anel parecia incrustado em sua pele carbonizada.

– Então... Você quer? – eu perguntei a Aisha, na esperança contra todas as chances. Ela arregalou os olhos.

– Eu? Ah, não! Eu fiz minha parte. Você se esqueceu? Canhão de água?

– Não. Foi tão impressionante que pensei que você gostaria de terminar o trabalho.

Lancei a Aisha um olhar suplicante. Ela olhou de volta para mim.

– Não foi você... quem realmente perdeu o anel? Eu tinha esquecido...

Ponto perdido. Respirei fundo, então cravei meus dedos na carne carbonizada.

– Essa foi a coisa mais nojenta que eu já vi – Aisha murmurou.

Foi a coisa mais nojenta que já senti. Mas finalmente, eu o retirei. Aisha aplaudiu.

– Mas ela conseguiu!

Meus olhos encontraram os de Aisha. Meu coração estava batendo rápido com a vitória. Meu sorriso despertou o dela, e abri a boca para agradecer a ela. Por ter vindo atrás de mim. Por acreditar em mim. Em seguida, o Queimado se ergueu. Aisha e eu corremos para salvar nossas vidas.

Terra

Terra sempre teve um pouco de medo do senhor Silva. Ele tinha um olhar tão severo, com seu cabelo bagunçado e olhos frios. Agora ela tinha seu braço em volta dele, apoiando-o enquanto ele mancava em direção a Alfea.

O senhor Silva tinha sido tão corajoso, não parou para descansar, embora ela pudesse dizer a cada respiração quanto isso custava para ele. Musa era menor do que Terra, e não tão forte quanto ela. Terra teve que aguentar a maior parte do peso de Silva, mas ela conseguiu.

Enquanto eles caminhavam para o pátio, os olhos de Terra examinaram o terreno buscando ajuda. Havia Sky na varanda e, portanto, muito longe para ajudar, seus braços ao redor de uma Stella de aparência abalada. Terra pegou um pedaço da conversa: aparentemente, Stella tinha se perdido na floresta. Realmente, Stella não era boa em uma crise. Terra tinha que confiar que Aisha encontraria Bloom.

– É o Silva? – Sky perguntou, olhando de cima, como se ele não acreditasse. "Oh, não", Terra lembrou. Sky era muito próximo de Silva. Seu pai disse que Silva era como um pai para Sky. Devia ser horrível para Sky ver Silva daquele jeito. Ela sentiria pena de Sky mais tarde. Agora precisava de alguém com quem pudesse contar, para ajudá-la naquela emergência.

– Preciso de um kit médico do Bastião! – Terra gritou.

Riven correu em obediência a ela. A Fada do Ar de aparência astuta, Beatrix, se ofereceu para chamar a diretora.

Musa estava ajudando a apoiar Silva, Riven estava pegando os remédios, e Terra precisava de mais ajuda. Ela notou que Dane estava lá.

– Você pode nos ajudar a levá-lo para a estufa?

Silva soltou um gemido baixo de ferido e Terra acalmou:

– Quase lá, senhor Silva.

Foi um alívio ver seu irmão irritante. Ele estava vindo em direção a ela e Musa, movendo-se rápido.

– Sam – disse Terra –, traga o papai.

Musa perguntou, com um tom baixo e horrorizado na voz:

– Pai?

– Sim – Terra disse a ela distraidamente –, esse é meu irmão. – Ela se perguntou por que Musa parecia tão atordoada. Musa não tinha percebido que o pai da Terra era professor ali? Ou Sam tinha irritado Musa de alguma forma? Se Sam estivesse incomodando a companheira de quarto de Terra, ela iria dar uma bronca nele mais tarde.

Por enquanto ela tinha que se concentrar em ajudar Silva. Ele estava claramente em agonia, embora fingisse não estar. Quando Terra levou Silva para a estufa e seu pai, Sky estava seguindo logo atrás deles.

– Quão ruim ele está? – Sky perguntou tensamente. – Você pode ajudá-lo?

– Eu vou ficar bem, Sky. Se você deixar o professor Harvey trabalhar – Silva brincou.

Terra acreditou que era orgulho, por um instante, mas então Sky recuou. Uma vez fora da linha de visão de Sky, o rosto de Silva se contorceu, e ela percebeu o que estava realmente acontecendo. Silva estava tentando poupar Sky, que estava tão frenético de preocupação. E tudo o que Terra podia fazer para ajudá-los era preparar os medicamentos para aliviar a dor de Silva.

Quando seu pai teve um momento para respirar, ele disse a Terra que ela salvara a vida de Silva. Terra se sentiu mais feliz do que em meses, até a diretora Dowling apareceu sem nem um pouco de sua dignidade habitual. Ela, o pai de Terra, o pai de Sky e o senhor Silva lutaram contra os Queimados juntos, quando eles eram jovens. Antes do pai de Sky morrer.

A senhorita Dowling sempre parecia tão calma, mas agora ela parecia apavorada. O senhor Silva ainda não estava seguro. O pai de Terra a elogiou e com isso fez Terra muito feliz. Mas o pai de Sky estava morto, e o homem que era tão bom quanto seu pai podia estar morrendo.

Fogo

Eu me senti quase tonta com a vitória. Controlei minha magia com sucesso e derrubei um monstro com uma amiga. Terra mandou uma mensagem de texto avisando que Silva estava sendo tratado.

"Se ao menos Stella não tivesse que atirar em nós. Eu teria pensado que conseguir seu anel de volta iria melhorar o humor de Sua Alteza."

– Você não tem ideia do que eu tive que fazer para conseguir isso – disse a ela –, foi...

– Que tal nunca mais falarmos sobre esta noite? – Stella exigiu. Então a porta da suíte se abriu e Sky entrou. Sua cabeça estava baixa, e ele se movia em direção a Stella como se estivesse tentado se agarrar a ela. O comportamento de Stella suavizou instantaneamente. Ela liderou o caminho para seu quarto. Pouco antes de ele seguir em frente, Sky olhou para mim. Mas ele entrou no quarto atrás dela. Eu fui deixada de fora sozinha.

Só então Aisha voltou do banheiro. Eu não estava sozinha, pensei quando Aisha começou a virar a cama. Uma colega de quarto significava que você quase nunca ficava sozinha. E talvez isso fosse ótimo. Aisha disse cuidadosamente:

– Então... correndo o risco de te fazer me odiar de novo...

– Eu nunca te odiei. Tudo o que aconteceu comigo estava fora do meu controle. Eu só...

– Precisava fazer do seu jeito – Aisha disse, com pronto entendimento –, por que você acha que eu nado? As raias da piscina não me dizem o que fazer. Melhores amigas que uma garota pode ter.

As raias realmente estavam lá para indicar o que alguém deveria fazer, mas Aisha estava tentando. Ter Aisha tentando me entender, tornou de repente fácil de entendê-la também.

– Você só estava tentando ajudar.

Aisha admitiu:

– Foi apenas em parte para ajudar você. Isso aqui é novo para mim – ela indicou a sala, e nossas camas. – Só quero que tudo corra bem.

Eu sorri.

– Idem para mim.

– Ok, então... Por que você se afastou, no celeiro?

– Eu realmente não sei – confessei –, o que é estranho. Eu senti algo. Como se eu tivesse alguma conexão com aquela coisa.

– Esquisito.

Aisha tinha o dom de subestimar. Mas nessa noite eu me sentia bem demais para deixar a estranheza me derrubar.

– Estou percebendo que só tenho que conviver com coisas estranhas. Eu não vou conseguir entender tudo. O lado pensante do meu cérebro tem limites. Mas se abrir emocionalmente? Eu posso sentir isso. A magia está ao meu redor. É novo e meio assustador, mas...

E nosso quarto, Aisha, meu novo sentimento de esperança, foi tudo se aproximando. Eu podia ouvir Aisha chamando meu nome, mas ela parecia muito distante. Em vez disso, havia uma mulher inclinada sobre uma mesa em minha direção, bloqueando a luz. Ela estava em seus 60 anos, vestindo um casaco de estilo militar. Ela tinha longos cabelos loiro-mel e características marcantes, linhas de expressão esculpidas profundamente em sua pele, e o tipo de olhos azuis de aço profundos, que vêm de anos de não dormir bem e horas olhando para horrores.

De repente, aqueles olhos brilharam. Minha visão de uma mulher misteriosa sussurrou:

– Quando a hora chegar... você vai me encontrar.

E eu queria isso. Mas não tinha a menor ideia de onde começar a procurar.

Conto de fadas n.º 3

Mas procure sozinho ouvir as coisas estranhas ditas...
para os corações brilhantes daqueles há tempos mortos...

– W. B. Yeats

Fogo

Minha visão era de um quarto de hospital humano, e mais por causa dos sons do que pela visão. Eu ouvia o bip irregular de um monitor cardíaco. Em seguida, a linha parada. A voz de um médico disse, calmamente e urgente: "Vamos perdê-la. Rápido, vamos. Vamos!".

A linha parada se apagou. O único som que restou foi o silêncio, e um suspiro. A voz do médico disse cansada "eu tenho que ir contar para os pais".

Um novo som veio, um novo conjunto de passos, e então o médico disse:

– Com licença, senhora? Você não pode estar em...

A voz do médico foi cortada, e houve apenas silêncio novamente. E uma luz suave que se tornou ofuscante. Um quarto de hospital humano, com duas fadas nele. Eu, como um bebê, e a mulher com olhos brilhantes e o casaco militar. Eu realmente era uma Trocada.

A verdadeira filha dos meus pais morreu na mesa de cirurgia, na minha visão. E fui colocada naquela sala em troca para eles. Um cuco no ninho, e eles nem mesmo suspeitaram. A imagem da mulher era tão clara. Ela queimou na minha visão... até que ela estendeu a mão, e só havia escuridão.

A escuridão foi substituída pelo rosto de Aisha. Eu estava de volta em meu quarto, e Aisha parecia frenética de preocupação por mim.

– O que diabos aconteceu?

Respirei fundo e respondi:

– Acho que vi a fada que me deixou no mundo humano. – Eu estava olhando para a senhorita Dowling em busca de respostas, mas essa mulher era quem realmente as tinha. Ela era muito velha para ser minha mãe, mas ela deve saber de onde eu vim. Ela queria me contar. Ela queria que eu a encontrasse. E de alguma forma, eu o faria.

Especialista

Riven estava dando uma chance a Sky em esgrima no campo de treinamento hoje, então talvez Sky estivesse fora de seu jogo. Ou talvez Riven estivesse apenas ficando mais incrível!

Quando o diretor Especialista Silva se aproximou, Sky olhou em sua direção. Silva estava parecendo muito duro ultimamente. A preocupação passava pelo rosto de Sky toda vez que Silva aparentava perder algum peso.

Riven aproveitou a vantagem da distração de Sky e quase acertou um soco. Silva, cujo olho frio e afiado nunca perdia nada, viu o lance e gritou:

– Sky, cuidado com os pés. Riven, quando ele favorece sua esquerda...

Riven sabia o que Silva estava dizendo. Ele fez um ataque ao lado direito de Sky. Sky caiu no tapete.

– Muito bem, Riven – disse Silva, e Riven fez o seu mentor não sorrir como um idiota. Riven ofereceu uma mão para erguer Sky, e eles se dirigiram para os bancos.

A namorada de Sky estava lá. Ela não parecia preocupada que o garoto dela tivesse sido derrubado. Ela estava, na verdade, enviando mensagens de texto. Sky estava carrancudo. Se Stella fosse namorada de Riven, ele estaria carrancudo todos os dias, e cortaria fora sua própria cabeça. Mas Riven suspeitou que não era sobre Stella.

– Ele não parece pior para você?

Sky perguntou baixinho. Não há necessidade de perguntar quem era "ele".

– Riven recebeu um elogio e, de repente, Silva está com um dano cerebral... – Riven resmungou. Ok, ele entendeu. Não há necessidade de reforçar. Sky era o mais incrível, e Silva sempre gostaria mais dele. A carranca de Sky apenas se aprofundou.

– Já se passou uma semana desde que ele foi infectado pelo Queimado, e...

Eles alcançaram Stella nos bancos. Riven começou a tirar as bandagens das mãos e se trocar. Ele não amava usar o símbolo de Especialista estampado no peito. Sky se virou para questionar Stella sobre seu tópico de interesse, que absorvia toda a sua atenção.

– O que você acha?

– Sobre o quê?

– Silva – Sky respondeu tensamente –, como ele parece para você?

Stella mal olhou na direção de Silva.

– Bem.

– Doutora Stella, apresentando o diagnóstico de esforço zero! – Riven aplaudiu com falso entusiasmo.

Stella o ignorou. O que mais havia de novo? Tudo bem para Riven. Ele preferia hera venenosa à atenção de Stella.

– Você vai treinar mais tarde ou vamos sair antes da festa? – Stella perguntou a Sky.

Ele não respondeu, pois ainda estava focado em Silva.

– Sky? – Stella insistiu –, ele está bem. Professor Harvey ainda está aplicando o Zambak, certo?

– Isso apenas administra seus sintomas – Sky se preocupou. – Ele não ficará melhor até que matem o Queimado que o atacou.

– E tem gente procurando por ele. Ele não vai conseguir se esquivar de cada fada e Especialista no Outro Mundo.

Mas Sky não parecia convencido. Havia algo no olhar de Sky que Riven nunca tinha visto antes. Ele nunca tinha imaginado seu melhor amigo, o herói de Alfea, parecendo realmente vulnerável. Isso assustou Riven. Claramente, isso também assustou Stella.

Ela se levantou rapidamente:

– Eu tenho aula agora. Pare de se preocupar.

Como se fosse tão fácil assim. Stella beijou-o rapidamente no rosto, então saiu correndo. Pobre Sky. Onde ele poderia conseguir, tipo, algum suporte emocional? Com uma namorada como Stella. E um melhor amigo como Riven.

Uma vez que Riven não podia fornecer suporte emocional, ele tentou chegar ao fundo do mistério do porquê Sky havia voltado para Stella novamente. Como Riven não era um cavalheiro, ele fez uma sugestão de natureza erótica sobre o que Stella poderia fazer no vestiário feminino. Sky o empurrou para fora do banco. Riven caiu, esparramado e depois se levantou rindo. Ele estava esperando que Sky sorrisse também.

Riven geralmente conseguia provocar até que ele fizesse isso, no mínimo. Mas Sky não estava sorrindo. Riven olhou para a expressão infeliz no rosto de Sky e sentiu uma pontada estranha no peito como algo pequeno se quebrando ou amolecendo.

Foi decente da parte de Sky ter colocado Riven sob sua proteção no ano passado. Às vezes ele era paternalista e isso doía, mas Sky era o melhor cara que Riven conhecia, e ele tentou ser gentil. Alguém deveria ser gentil com Sky em troca. E Stella não estava avançando.

Isso não era realmente sobre os sentimentos de Riven. Era sobre como Sky se sentia. Sky cuidava muito de como estava Silva. Riven viveu em medo constante de que Sky pudesse imitar a escassa barba de Silva.

– Bem, eu a culparia por sua terrível luta na última semana, mas…

Ele tentou fazer sua voz ser gentil, embora ele tivesse certeza de que sua voz não conseguiria isso.

– Eu sei quão próximos você e Silva são. Estou por perto se você quiser. Como… – Riven engoliu em seco, tentando encontrar as palavras –, conversar? Chorar no meu ombro? Se quiser que eu fale "vai ficar tudo bem, cara, estou aqui"?

A cabeça de Sky se virou para rastrear os movimentos de Silva. Silva parecia estar tentando escapar discretamente de seus alunos.

– Eu tenho que correr, ok? – disse Sky.

Riven acenou com a cabeça, com um sorriso enviesado. Foi uma ideia idiota tentar contato, de qualquer maneira. Dadas as opções, ele não escolheria a si mesmo para conversar, também.

Água

Bloom teve que esperar para resolver seu mistério. Aisha a arrastou para a aula de magia, onde Bloom foi presenteada com uma pilha de gravetos em uma mesa. Aisha sentou-se ao lado de Bloom e dedicou sua atenção a uma tigela de água.

Aisha estava realmente um pouco animada para a aula. Agora era a hora de aprimorar suas habilidades e construir sua equipe.

– Acho que é realmente impossível – anunciou Bloom –, talvez seja uma tarefa complicada.

Aisha, concentrada em sua tigela, murmurou:

– Talvez seja toda a conversa.

Dowling rondou e interveio:

– Um fogo que devasta tudo em seu caminho é instintivo e impulsivo. E quando você precisar que esse fogo pare?

Bloom não respondeu. Aisha temeu que o assunto acertasse muito perto de casa. Dowling continuou severamente:

– Você pode acender uma única peça de graveto e deixar os outros intatos?

Bloom focou e viu um pequeno pedaço de madeira começar a soltar fumaça. Ela fez um claro esforço para separá-lo, mantê-lo queimando. E então ela começou a sorrir abertamente. Puta merda, ela tinha conseguido! Dowling aprovou, o que foi um grande elogio vindo dela.

Aisha estava com um pouco de ciúme. Dowling tinha o duro aspecto de um treinador que Aisha teve uma vez, de quem todos guardavam mágoa por ser um cara durão demais... até que ela os levou à vitória.

Aisha gostaria de receber um aceno de cabeça, mas ela nem sequer fez uma ondulação na superfície da água. Então Dowling se voltou para outro aluno. Uma fada do ar cujos olhos brilhavam cinza enquanto ela usava o que Aisha imaginava ser algo como eletricidade estática para levantar grãos isolados de arroz de um grande monte. Dowling disse:

– Impressionante, Beatrix. Continue assim.

– Entendi, senhorita D – disse Beatrix, a Fada do Ar. Dowling olhou para ela. – diretora Dowling – disse Beatrix.

A senhorita Dowling se afastou. Baixinho, Beatrix entoou dramaticamente:

– Sua Graça.

Bloom deu uma risada abafada. Beatrix devolveu com um sorriso conspiratório e amigável, compartilhado entre duas pessoas cuja aula estava sendo muito boa. Talvez Beatrix e Bloom seriam amigas, fácil assim.

Tentar fazer amizade com Bloom tinha sido muito difícil para Aisha. Agora Aisha estava sentada na aula, a única cuja magia estava falhando. Aisha fez um pequeno ruído de frustração. Ela estava ciente de Dowling pairando perto dela, respirando em seu pescoço. Antes mesmo que Dowling pudesse falar, Aisha retrucou:

– Sim. Controle. Eu entendi. Quer dizer, eu consigo fazer isso.

Ela se concentrou tanto que sentiu seu cérebro dobrar e seus olhos brilharem, toda a água correu para o centro da tigela, formando uma esfera perfeita. Ela esperava que Dowling ficasse pelo menos um pouco impressionada.

– Bom, Aisha. No entanto, uma massa de água é persistente e confiável. Considere os elementos individuais que se combinam para formar o todo.

Os olhos de Dowling brilharam. Uma única gota se separou da esfera.

– Uma única gota de água é imprevisível. Vaga. Amorfa. Você consegue isolar uma? Você pode sustentar aquela que luta com sua forma?

Aisha se concentrou mais. De repente, a água caiu de volta na tigela, espirrando e se espalhando em sua mesa. Ela não realizou nada, a não ser aquela bagunça.

– Algo ainda a ser aprendido – disse Dowling secamente. Então ela se dirigiu à classe: – Isso é tudo por hoje.

Todos fizeram as malas. Aisha contraiu a mandíbula, tentando conviver com a frustração. Ela estivera pensando em magia como um esforço de equipe, mas se ela não fosse alguém boa em magia, ninguém iria querê-la em seu time.

– Você está legal? – Bloom parecia preocupada.

– Apenas... cansada – afirmou Aisha.

Terra

Terra estava só tentando ter um almoço agradável. Potencialmente um almoço romântico com o garoto de quem ela realmente gostava. Era complicado o suficiente tentar entreter Dane com uma conversa espirituosa e, finalmente, fazer com que ele gostasse dela.

Mas Terra não pôde ter um almoço agradável porque Riven estragou tudo. Ele furou a fila para pegar o almoço, que foi tão rude que Terra se descontrolou.

Agora Riven estava compartilhando uma maçã com a Fada do Ar de saia curta. Estranho. Anti-higiênico. Uma maçã inteira era muito para qualquer um deles dar conta?

– Ela é tão estranha – disse Terra –, quem não conseguia comer um pedaço de fruta sozinha? Além disso, quem poderia gostar de Riven?

Terra considerava a estranheza de Riven desnecessária.

– Aparentemente, ela também é uma grande nerd – contribuiu Dane, oferecendo detalhes sobre o interesse de Beatrix na história das fadas e um estilo de vida festiva em que Terra certamente não estava interessada, muito obrigada. Ela resmungou.

– Riven tem um gosto questionável. – O gosto questionável de Beatrix também era desnecessário comentar. Dane lançou um olhar para o lado de Beatrix e Riven que quase pareceu de admiração, mas nem era tanto.

Certamente, Dane era muito bom para seu próprio bem. Por outro lado, Terra apostou que Beatrix era o tipo de garota de que todo cara gostava. Terra de repente sentiu-se enjoada demais para comer um único pedaço de maçã.

– Talvez... – disse Dane –, mas eu meio que acho que eles não são tão terríveis. Além disso, eles me convidaram para a festa hoje à noite, então...

– Espere, o quê?

– A festa dos Especialistas Seniores – disse Dane.

– Sim. Eu sei do que se trata. Eles repetem isso todos os anos. É uma bagunça.

– Isso significa que você não vai?

Terra repentinamente percebeu que estava sendo muito chata, e queria muito que Dane pensasse que ela fosse legal, e tentou disfarçar.

– Talvez – Terra respondeu. – Vou ver qual é a vibe.

"Isso! Isso foi uma coisa legal de se dizer, certo?"

Dane sorriu.

– Então talvez eu te veja esta noite.

"Isso foi um sinal? Dane estava tentando dizer a ela para ir à festa? Terra realmente precisava ir a uma festa? Principalmente uma festa como aquela..."

Terra havia crescido ali. Ela tinha ouvido os rumores sobre a festa dos Especialistas Seniores. Ai, o que ela tinha acabado de fazer?

Fogo

Almoçar com Musa foi bom, mas o desempenho de Aisha na aula ainda estava me incomodando.

– É estranho ver Aisha não acertar algo de primeira – eu me preocupei.

– Concordo. Não sei por que isso faz você se sentir tão desagradavelmente culpada, no entanto.

Musa me lançou um sorriso. Mas não pude deixar de me irritar.

– Eu sei que você tem que sentir as emoções de todos, mas aqui está um pensamento: você não precisa transmiti-los o tempo todo.

Suspirei, e tentei explicar a culpa:

– Aisha está cansada. Meus pais acham que Alfea fica na Suíça, então eles me chamavam no Skype às nove da manhã, horário da Suíça. Todas as manhãs, o que significa...

– Duas da manhã do nosso horário? – Musa suspirou.

– Sim, todas nós ouvimos.

Ah, que bom, mais culpa.

– Eu falo muito alto? Eu tento ser silenciosa...

– Como aquelas velhas desembrulhando as balas em um teatro. Mas estou indo bem nas aulas – Musa me assegurou –, assim como Terra...

Musa parou, agora distraída. Os olhos dela brilharam roxos enquanto examinava a sala, eventualmente pousando no que ela estava procurando.

– Onde você foi?

Segui a linha de visão de Musa para encontrar aquele garoto Sam desviando no meio de alguns alunos. Seu olhar encontrou o de Musa, e ele deu a ela um sorriso breve e caloroso.

– Minha vez de transmitir suas emoções? – perguntei a Musa, que sorriu de volta.

– Ainda estão na fase de reconhecimento. Além disso, há uma complicação. Então me faça um favor e não os transmita na frente de...

Terra chegou, jogando sua bandeja de almoço na mesa com um barulho metálico.

– Aqui vai uma pergunta – ela disse abruptamente –, quando foi que ser um nerd virou uma coisa legal?

Musa e eu trocamos um olhar. Um estilo patenteado de Terra praguejando apareceu no horizonte como uma nuvem de tempestade.

– Não me entendam mal – Terra se enfureceu. – É ótimo. Tão incrível. Poder para os nerds. Mas de repente é legal falar sobre história de fadas?

– Hum – eu disse.

– O quê? – Terra continuou resmungando. – Eu gosto da escola. Gosto de ter boas notas. Gosto de ler sozinha com uma xícara de chá de camomila, mas ninguém está disposto a dividir uma maldita maçã comigo. Mesmo que eu ache isso nojento.

Musa disse lentamente:

– Vamos precisar de muito mais contexto para entender isso.

– Beatrix. – Terra disse o nome com aversão. Aquilo foi novidade. – Eu realmente não entendo qual é a diferença. Entre mim e ela. Porque para ela está... funcionando.

Musa e eu trocamos olhares enquanto Terra empurrava sua comida no prato. Quem exatamente estava pronto para lidar com aquela observação?

Então o garoto de Musa mostrou dois picolés para ela, do outro lado do refeitório. Um suborno evidente. Como se Musa precisasse de qualquer suborno. Musa começou a arrumar suas coisas.

– Na verdade, tenho que correr. Sinto muito, meninas.

Ela não parecia sentir muito, na verdade... Enquanto Musa saía, encarei Terra, que estava desamparada. Isso deve ter a ver com Dane. Dane está a fim de Beatrix? Mas eu tinha ouvido que Beatrix estava envolvida com Riven. Terra tinha falado um bocado sobre Dane e seu desejo de se afundar nas poças de chocolate daqueles olhos. Ela também falou longamente sobre Riven e seu desejo de afogá-lo no lago dos Especialistas. Eu esperava que Dane não gostasse de Beatrix. Eu esperava que ele gostasse de Terra. Ela merecia isso. E ela merecia um amigo que soubesse o que dizer a ela. Terra suspirou.

– Está tudo bem. Eu sei o motivo. Ela fuma e ela bebe e ela tem seu estilo próprio. E eu... Eu pareço comigo mesma.

A frase pairou no ar entre nós. Antes que eu pudesse dizer qualquer coisa, Terra balançou a cabeça e rapidamente mandou para longe a autopiedade.

– E você, como está? Como está a busca pela mulher da sua memória?

– Parada – respondi honestamente. – Por acaso seu pai teria os anuários escolares antigos? Essa foi uma ideia brilhante de Aisha.

– Provavelmente, mas terei que ver isso por mim mesma. Ele tem estado tão ocupado com Silva, que não quero perturbá-lo com outra coisa.

Eu estava tentando evitar pensar em Silva. Sempre que eu pensava nele, pensava em Sky.

– Como está Silva? – Eu perguntei culpada.

– Meu pai esteve muito deprimido esses dias, então não acho que ele esteja muito bem.

Agora que comecei a pensar em Sky, não conseguia parar mais. Eu mal o conhecia, mas nunca senti uma conexão tão forte com alguém tão rapidamente. Pensar nele parecia como a minha magia de fogo: perigosamente prestes a perder o controle.

– Não consigo imaginar quão difícil deve ser para Sky. Eu sei que eles são bem próximos. Você o viu hoje, Sky?

Terra me olhou, sua expressão dizia que ela estava totalmente ciente do que estava acontecendo.

– Sky é um cara legal, Bloom. De verdade, um dos melhores, mas Stella...

O olhar de Terra saltou algumas mesas, onde Stella estava sentada com o grupo do segundo ano.

– Só estou preocupada com ele, Terra – eu disse. Muito rapidamente. Terra cedeu, mas seu rosto permaneceu cético. Claro que ela não caiu na minha justificativa. Eu não a culpo por isso.

Terra

Depois de ouvir a preocupação de Bloom no almoço, Terra disparou para interceptar o pai dela no caminho para fora da estufa, onde ela sabia que ele estava tratando do senhor Silva. Um pouco antes de ele a ter visto, Terra viu o rosto de seu pai. Havia linhas de preocupação em torno de sua boca, uma preocupação tão profunda que o fez parecer muito mais velho.

"Oh, pobre Silva", Terra pensou. "Pobre Sky." Ela não conhecia bem Sky, mas no ano passado ela tinha sido grata a ele por cuidar de Riven. Tinha sido tão bom da parte dele estender a mão e ajudar alguém. Não havia muitos caras que teriam feito a mesma coisa. Principalmente entre os filhos de heróis famosos.

Sky foi paciente o suficiente para aturar Riven e Stella também. Havia tão poucas pessoas gentis no mundo. Sky não merecia isso.

– Como ele está? – Terra perguntou nervosamente.

– Diretor Silva? – A expressão preocupada de papai foi imediatamente substituída por um sorriso – se acalmando e...

Terra sentiu alguma incerteza... e um pouco de paternalismo.

– Ele vai ficar bem, amor. Deixe que eu me preocupe com isso. Em outras palavras, não preocupe sua cabecinha com isso, Terra.

– Ah, claro. Obviamente. Mas... Musa e eu o trouxemos de volta, lembra?

"Você disse que estava orgulhoso de mim, pai", Terra pensou. "Lembre-se disso."

Papai disse, em sua voz de "minha garotinha":

– E tenho certeza de que foi muito assustador.

– Não – Terra disse a ele enfática –, quero dizer, você pode me dizer o que está acontecendo de verdade. Não sou mais criança.

Papai a beijou no topo da cabeça antes de seguir em frente.

– Claro que não.

"Sim, pai, muito convincente." Terra suspirou. Ela confiava em seu pai. Talvez ela devesse deixá-lo lidar com isso e se concentrar na aterrorizante perspectiva de ir a uma festa. Ainda assim, doeu. Papai acreditava que Terra era uma criança que não poderia ser confiável com a verdade. E Terra acreditava que Silva estava morrendo.

Água

Bloom estava sentada em sua cama, examinando uma pilha de anuários. Aisha estava trabalhando em uma missão própria sem muita esperança. Ela estava em sua mesa com uma tigela de água, praticando a sua mágica. Nem uma única gota subiu da tigela desde que ela estava ali sentada. Bloom falava de um lado para outro entre as páginas dos anuários, então elas sussurravam como o vento pelas árvores em uma tempestade. Os olhos de Aisha dispararam para ela em uma indagação silenciosa.

– A memória está começando a desaparecer – Bloom admitiu –, está ficando cada vez mais difícil dizer quem poderia ser.

Ela fechou o anuário quando uma nova ideia se formou.

– Mas eu estive pensando... Eu tive a lembrança depois que usei magia para lutar contra o Queimado. Muita magia. Talvez onde quer que ela esteja, ela tenha sentido essa energia. Ou abriu um portal mágico na minha cabeça, ou algo do tipo. E se eu for ao círculo de pedra e usar tanta mágica quanto...

Aisha olhou para Bloom com grande preocupação.

– Por favor, não me diga que tenho que explicar por que essa é uma ideia terrível.

Aisha sentiu que já tinham problemas suficientes sem Bloom causar um incêndio fenomenal na floresta.

– Algumas semanas atrás, eu concordaria com você. Mas você me viu em aula, certo? – os olhos de Bloom brilharam. – Estou muito melhor.

Aisha olhou para sua tigela.

– Ah, sim, você está arrasando – ela disse a sua colega de quarto.

O momento constrangedor foi interrompido por Terra, chamando por elas e pedindo ajuda desesperadamente.

– Alguém sabe pintar um olho de gatinha?

Elas encontraram Terra no banheiro, de frente para o espelho e diante de uma maquiagem horrível. Uma tentativa de olho de gatinha tinha sido feita. Tentativa era a palavra-chave...

Feliz por ter algo para consertar, Aisha se apressou para ajudar Terra. Ela empunhou o delineador como se desenhasse com uma espada. Bloom permaneceu na porta. Aisha sabia que Bloom não era muito festeira, mas ela esperava que Bloom ficasse por perto. A força em números era claramente necessária nessa conjuntura crítica.

Musa deu uma espiada no banheiro:

– Isso é estranho. O que está acontecendo aqui é realmente muito estranho!

Musa era ainda menos festeira do que Bloom, e Aisha sabia que Musa tinha suas reservas sobre sua colega de quarto.

– Troque de roupa – Terra ordenou a Musa –, todas nós vamos a essa festa. E vamos mostrar para o mundo... que somos descoladas, legais e...

Obviamente, Terra estava pensando naquela garota Beatrix novamente. Sua voz ficou mais alta e mais rápida enquanto falava, claramente prestes a fazer um discurso completo. Então Aisha largou seu trabalho no olho de Terra e mostrou para ela o resultado no espelho. Aisha não conseguia consertar sua própria magia, mas tinha conseguido corrigir a maquiagem de Terra.

Aisha ficou satisfeita ao ver Musa sorrir para Terra no espelho.

– Uh, que gata! – Musa disse a ela com animação.

Foi quando Aisha soube que todas estavam indo para aquela festa.

Especialista

O lixo da maquiagem de Stella estava espalhado por toda a mesa de Sky. Mesmo o santo Sky, entrando no quarto dele e de Riven, não poderia reprimir uma sensação de irritação. A contrariedade de Riven tornou-se uma vibração constante de irritação há bastante tempo.

– Desculpe – disse Stella a Sky alegremente –, mas quatro calouras se aprontando para sua primeira festa é um pesadelo dentro de um pesadelo.

Riven zombou:

– Curiosidade, se todos ao seu redor são um pesadelo... o problema não deve estar neles.

Ela estava reclamando das tentativas irritantes de Terra em pintar um olho de gatinha por algum tempo. Sem dúvida, Terra estava em pânico de uma maneira hilária sobre realmente ir a uma festa, e Riven também zombou dela, mas ele não entendia por que Stella pensou que poderia fazer aquilo.

Sky se virou para Riven, que estava cuidadosamente enchendo de vodca sua garrafa portátil. Todos se prepararam para a festa ao seu modo. Riven estava vestido para a festa e ansioso para arrumar encrenca.

– Você já está bebendo? – Sky ergueu as sobrancelhas.

Riven explicou a situação:

– Ela está aqui há uma hora. Então, estou bebendo há uma hora.

Riven não foi quem convidou Stella de volta para seu quarto ou para as suas vidas. Riven foi um mártir das terríveis decisões de Sky sobre namoradas.

– Você pode pegar leve esta noite? No ano passado você vomitou em não menos do que cinco lugares diferentes.

O quê? Sky queria que Riven fosse um desistente? Ele não acreditava que Riven poderia bater seu próprio recorde? Riven deu a ele um olhar desapontado. Tipo, "tenha um pouco de fé aqui, amigo". Então Stella disse que Marco, um dos Especialistas mais durões, estava em busca do Queimado. Ela tinha certeza de que o monstro seria abatido e que Silva seria salvo logo.

Finalmente, Stella foi útil. Finalmente, Sky pôde relaxar e se divertir. Mas Sky ainda disse que ele não iria beber. Riven estava sem ideias criativas. Ele não tinha ideia do que faria Sky se sentir melhor.

Terra

A Ala Leste abandonada, com sua pedra rachada e cantos escuros estava qualquer coisa, menos solitária naquela noite. Havia cerveja derramando dos copos de plástico. Uma fogueira ardia e tinha música tocando. A sala estava inundada de luz roxa, como se a magia de Musa estivesse enchendo o ar e os pensamentos das pessoas estivessem pintando as paredes. Fadas em jeans e tops sexy balançavam em uma roda, jogando os braços no ar e se beijando. Terra agarrou-se ao seu Tupperware e tentou acalmar os nervos contando às outras fatos históricos fascinantes.

– Esta é a Ala Leste de Alfea. Foi usada para preparações de guerra, mas como não há conflito há algum tempo, ninguém mais desce aqui – Terra fez uma pausa. – Exceto esta noite.

Terra podia ver Bloom parecendo um pouco sobrecarregada. Isso foi bom, que Bloom se sentisse incomodada também. Estava tudo bem: elas eram o Winx Club e ficariam juntas. Aisha percebeu a expressão de Bloom também.

– Você precisa de uma cerveja.

– Sim, eu preciso de uma cerveja – Bloom confirmou.

Bloom e Aisha se separaram e foram em direção ao barril. Isso foi totalmente legal, também! Terra tinha certeza de que elas voltariam logo, e Musa ainda estava ali, e talvez elas pudessem encontrar Dane, e com sorte, Dane não estaria com Beatrix. Ou Riven.

Terra esticou o pescoço, olhando ao redor.

– Procurando por alguém em especial? – Musa perguntou, com sua voz em um tom irônico.

– O quê? Não. Só estou me perguntando onde posso colocar isso. – Terra sabia que mentir para alguém que lia emoções era no mínimo fútil, mas Musa a deixou escapar impune.

Musa levou Terra até uma caixa de escudos que estava servindo como um bar improvisado. Musa começou a se servir de uma bebida enquanto Terra apoiava o seu Tupperware. Ela abriu para mostrar os brownies. Musa olhou para os brownies casualmente, mas depois inclinou a cabeça.

– São aqueles?... Terra!

– O quê? Sky queria que Riven fosse um desistente? Ele não acreditava que Riven pudesse

Uma voz irritante as interrompeu.

– Olha quem foi que apareceu!

Musa se virou rapidamente para ver o irmão de Terra se aproximando.

"Pobre Musa", Terra pensou. Ela sentia que tinha que ser legal com o irmão de sua colega de quarto.

– Com nada menos que o Tupperware da mamãe – Sam falou lentamente.

– O que você quer, Sam? – Terra indagou.

Musa pareceu surpresa com o tom de Terra. Musa era filha única, Terra tinha certeza disso. Ela não devia perceber quão irritantes os irmãos podiam ser.

– Só pegando uma bebida, relaxe – Sam disse a Terra. Depois ele virou-se para Musa com ar interessado. – Musa, certo?

Musa piscou.

– Essa sou eu.

Sam piscou de volta, um brilho cruzado entre eles.

– Oi.

Uau, o irmão de Terra estava tentando fugir com sua colega de quarto? Puxa, que vergonha para ele! Terra teria de explicar a Sam que Musa estava apenas sendo educada. Só então a atenção de Sam foi desviada.

– O que está pegando aí? – Sam olhou para o Tupperware e depois para Terra.

– Eles são para a festa, não para mim – Terra disse com firmeza.

Sam não deveria julgar. Só então ela viu Dane vindo em direção a eles. Ok, era hora do jogo! Hora da festa! Hora do jogo da festa.

– Não pensei que você conseguiria – disse Dane.

Ele estava tão gato. Aquela camisa caía bem nele.

– Sim – Terra disse, desesperadamente casual. – Decidi vir de última hora. De qualquer forma, brownie?

Dane estendeu a mão para pegar um. Ele foi tão educado. Ele estava comendo sua comida! Terra teve uma súbita apreensão sobre a comida dela. Ela tinha visto Dane vomitar depois de uma bebida. Seus brownies delinquentes podiam ser demais para o doce Dane.

– Eu pegaria metade – Terra avisou –, ou mesmo um quarto, só para não ter erro. Tipo, uma mordida.

Dane pegou vários brownies. Foi tão legal da parte dele estar entusiasmado com sua culinária! Terra estava legal. Ela deu uma risada legal.

– Ou, bem, pegue quantos quiser!

– Vou levar alguns para Riven e Sky – disse Dane, com seu sorriso encantador.

– Veja se eles querem um pouco, Ok? – Terra continuou sua missão de estar legal, totalmente legal. Legal, legal, legal.

Silva poderia estar morrendo, então Sky podia comer tantos brownies quantos quisesse, mas Terra tinha uma suspeita sombria sobre para quem aqueles brownies foram levados, na verdade. Exatamente o que ela sempre quis: alimentar Riven e sua gatinha, que se achava muito esperta.

Fogo

Em um banco ao lado das festanças, vi Sky bebericando um copo de água com os olhos grudados no celular. Me aproximei, cerveja na mão.

– Não vi você o dia todo.

– Você por acaso me procurou?

Eu sorri. Detonada! Sky abriu um sorriso também. O sorriso parecia enferrujado, quase dolorido, como se fosse a primeira vez que ele estivesse sorrindo naquele dia. Eu me sentei ao lado dele.

– Como está o Silva? – perguntei. Sky suspirou.

– Dureza. Mas eles estão cercando o Queimado, é apenas uma questão de tempo até que ele melhore.

Eu devolvi suavemente:

– Como você está?

Foi uma pergunta simples. Uma bem óbvia. Mas ele me olhou como se fosse uma pergunta bizarra, como se ninguém mais a tivesse feito. Eu pensei se não deveria ter perguntado nada. Então Sky confessou:

– Eu me sinto um lixo, Bloom. Eu sei que eu deveria ser forte, mas...

Ele olhou para mim com olhos suplicantes. Eu capturei aquele olhar, tentando mostrar a ele que eu estava ouvindo, que ele não tinha que ser forte comigo. Ninguém pode ser forte o tempo todo.

– Silva basicamente me criou, depois que meu pai morreu. Eles foram melhores amigos. Eu sei que treinamos para lutar. Para arriscar nossa vida. Mas nunca me permiti pensar que Silva...

Aquilo devia ser muito difícil para ele.

– Lamento muito – murmurei.

Não era muito, mas eu poderia sentir muito e me sentar com ele. Ao meu lado, quase imperceptivelmente, senti Sky relaxar.

– Você é próxima dos seus pais? – Sky perguntou finalmente.

– Essa... é uma pergunta complicada – respondi.

– Eles vivem no Primeiro Mundo, certo? Não muitas fadas vivem por lá. É por isso que é complicado?

Fiquei quieta, tomada pela dúvida. Será que Sky pensaria diferente sobre mim se soubesse que eu era uma Trocada? Além do mais, ele era o namorado de outra garota: eu não deveria despejar todos os meus problemas sobre ele.

Sky, muito charmoso para o seu próprio bem ou para o meu, disse:

– Tudo bem. Gosto de um bom mistério.

Eu brinquei de volta, balançando minha cerveja.

– Não se preocupe, mais algumas dessas e eu serei um livro aberto.

– Talvez eu abra o meu também. Eu poderia me distrair um pouco – Sky sugeriu.

Eu ofereci:

– Ouvi falar do cerveja-pong, se você quiser se divertir de verdade.

Sky hesitou, então sorriu, cintilando tão brilhante quanto as fogueiras da festa em volta de nós:

– Você acabou de cometer um grande erro.

Especialista

Eram garotas contra garotos em uma luta contra a dor. Sky e Riven, a última palavra em duplas de cerveja-pong. Contra Bloom, a ruiva do mundo humano, e sua colega de quarto Aisha, a garota esportiva. Quando Sky pegou o copo para beber, os olhos da ruiva brilharam vermelhos. Ele quase cuspiu a cerveja.

– Você fez isso?...

– Esta cerveja parece quente? Trate de beber. Essa é a regra.

Bloom e Aisha explodiram em gargalhadas quando Sky derrubou a cerveja. No geral, Riven pensava que Bloom e Aisha eram garotas legais. Riven era o próximo.

– Podem ficar convencidas – Riven aconselhou às senhoras –, mas agora aprendam.

Bloom inclinou-se para Aisha, sussurrando. Aisha acenou com a cabeça. Riven lançou a bola, mas antes que ela caísse em um copo, os olhos de Aisha brilharam azuis e a cerveja explodiu para fora do copo. Então, cada gota de cerveja de cada copo espumou e derramou como uma onda de choque sobre Riven. Não foi legal. Riven praguejou.

– Ah, meu Deus – disse Bloom.

Bloom e Sky riram, mas Aisha não estava rindo também. Ela parecia mortificada com a bagunça que tinha feito. Como realmente deveria. Ela fez Riven parecer ridículo em público! Aisha resmungou:

– Desculpe. Honestamente, me desculpe. Eu vou pegar algumas toalhas de papel.

Enquanto Aisha se afastava, Bloom se moveu para ajudar Sky a recolher os copos do chão. O humor de Riven não tinha melhorado quando ele percebeu que os dois estavam tentando não rir dele.

– Sente-se um pouco melhor? – sussurrou Bloom, a ruiva fofa, em tom conspiratório.

– Certamente mais bêbado – Sky admitiu. Riven cronometrou as faíscas e lembrou-se do primeiro dia de escola. Como Sky conseguiu o número da ruiva e conversou sobre qual mensagem deveria enviar para ela. Até que ele ficasse com Stella novamente.

– Fez tanto para não beber esta noite – disse Riven, e depois hesitou em continuar. – Pelo menos essa daí é um pouco mais divertida do que Stella. Me lembra Ricki.

– Quem é Ricki? – perguntou a linda ruiva Bloom. Bem que ela deveria te perguntar. Sky mudou, repentinamente desconfortável.

– Riv – disse ele, em tom de advertência.

Riven não planejava ler nenhum aviso. Ele estava encharcado e parecia estúpido e se sentia irritado.

– Você mora com Stella e não sabe o que aconteceu com sua última colega de quarto?

– Eu não sei. Mas com certeza gostaria de saber – Bloom disse com convicção.

Sky olhou para Riven, mas era tarde demais para voltar agora.

– Ricki era a melhor amiga de Stella. Até ela flertar um pouco mais com o Sky aqui, e Stella mostrou a todos que legítima psicopata ela é.

– O que isso significa? – Bloom perguntou com firmeza.

– Stella usou sua magia para cegá-la. De propósito. Ela cegou sua melhor amiga.

As palavras soaram muito reais quando Riven as pronunciou, o peso delas esmagando os sons da festa feliz. Sky não estava mais sorrindo.

– Isso não pode ser verdade – Bloom suspirou. Sky pigarreou.

– Isso é... sim. Essa é a história.

Tendo virado a mesa, Riven saiu para se secar. Sim, Riven era um idiota. Você pode contar com ele para ser assim. Mas a ruiva tinha o direito de saber no que ela estava se metendo. E Sky deveria realmente pensar mais sobre o que ele estava escalando para si novamente. Riven tentava torcer sua camisa ensopada enquanto batia com os pés.

Esta foi uma festa terrível. Onde estava Beatrix, a gata sexy que realmente gostava dele? Na falta de Beatrix, onde estava Dane? Provavelmente com Terra, mas ele não deveria estar com ela. Como Riven poderia ser o mentor de Dane e ensiná-lo a ser incrível, se Dane nunca estava por perto?

Fogo

Eu vaguei por um corredor lateral na Ala Leste, tentando evitar fadas se beijando. Essa festa me fez pensar de versos de um poema,

“O solitário de coração segue murchando, / Enquanto as fadas dançam em um lugar segregado...”

Essa ala abandonada era um lugar à parte, sim, e eu estava me sentindo bem sozinha. E eu estava tentando desesperadamente não pensar em Sky, e no que Riven havia dito sobre Stella.

Procurei o corredor para Aisha, para companhia e ajuda, mas em vez disso vi pilhas de fotos emolduradas jogadas contra a parede. Houve uma em particular que me parou. Porque em pé no meio dos alunos estava uma mulher vestindo um casaco de corte militar, de olhos fundos e uma expressão intensa, sua boca fina definida em uma linha sombria e seu cabelo loiro brilhante preso para trás. Ela era a mulher misteriosa da minha visão. Peguei meu telefone para registrar as evidências quando uma voz feminina me assustou. As palavras de Beatrix foram muito arrastadas.

– Você está fazendo foto colagem no meio de uma festa? Como não somos amigas ainda?

Eu me virei para olhar Beatrix. Lembrando a fala de Terra sobre o interesse de Beatrix pela história e percebendo em um flash de inspiração de que Beatrix poderia saber algo, escolhi uma das fotografias. Apontei para minha mulher misteriosa.

– Você sabe quem é essa?

O rosto de Beatrix mudou. Era quase imperceptível. Quase.

– Por quê? – ela perguntou com uma voz estranha.

– Eu só sei que você sabe tudo sobre a história e pensei que você talvez a conhecesse.

– Ainda estou curiosa para saber o porquê – Beatrix disse de maneira maliciosa.

Eu me mexi, desconfortável. O porquê era difícil de explicar.

– Não estou tentando parecer misteriosa nem nada, mas... Eu só... Eu não posso te dizer.

– Você pode não estar tentando parecer misteriosa, mas você está dando essa impressão.

Beatrix olhou para mim, olhou para a foto, e então sua expressão sombria de repente mudou para um sorriso brilhante.

– Não importa, de qualquer maneira – ela me disse com um tom de voz alegre. – Não tenho ideia de quem seja. Desfrute das suas artes e ofícios.

Beatrix saiu da sala, movendo-se com urgência como se ela tivesse uma razão específica para isso. Talvez quisesse um pouco dos brownies de Terra. Eu olhei de volta para a foto. Um pouco mais cuidadosa dessa vez, e reconheci mais um rosto.

– Ela está ao lado da senhorita Dowling – murmurei em voz alta.

Mente

Musa e Sam encontraram um corredor silencioso, iluminado pela luz do luar. Mesmo no meio de uma festa, Sam poderia encontrar alguma paz.

– Muita gente – Sam disse agora.

– Fazendo sua cabeça aqui?

Ele estava tão confortável com o poder dela, e ainda a considerava bastante interessante. A maioria dos meninos ficaria horrorizada com sua magia. A maioria das pessoas ficara horrorizada com ela.

– Nunca subestime o poder da cerveja barata para entorpecer emoções afiadas – Musa disse levemente, e então, mais séria –, uma festa: as pessoas estão felizes.

Ela olhou para Sam ao luar. Apenas fazendo o que a fazia feliz.

– Eu também – ela adicionou suavemente. O olhar de Sam ficou especialmente quente, mesmo enquanto ele continuava a brincar com ela.

Musa criou coragem para perguntar:

– Você e a Terra? Vocês são próximos? – Havia uma pequena linha entre as sobrancelhas de Sam.

– Nós não andávamos com muitos outros garotos da nossa idade enquanto crescíamos, então sim…

Eles não pareciam tão próximos, mas Musa não era uma especialista em relações de família. Era bom ou ruim se eles fossem próximos? Sam sorriu, já encantado por ela.

– É por isso que você e eu estamos nos escondendo? Terra?

– Ela tem muitos sentimentos sobre muitas coisas. Como sua colega de quarto, posso experimentar todos eles.

Nesse instante, Musa estava experimentando muitos sentimentos de si mesma. Ela se inclinou um pouco mais perto dele.

– Como você acha que ela reagiria a… isso? – Musa sussurrou.

– Ah, nós somos "isso", então? – Sam perguntou levemente.

Musa ficou instantaneamente mortificada.

– Não mais. Está tudo acabado. Quem é você mesmo? – Sam sorriu.

Ambos riram, e a risada mudou para um silêncio carinhoso, então em um beijo ainda mais doce. Até Musa sentir uma onda indesejada de emoções, e saltou de cima dele com alguma relutância.

– Desculpe, apenas… tive uma leitura muito forte e repentina de interação social…

Ela olhou para Sam em pânico repentino. Terra virou no corredor para encarar Musa. Que ficou paralisada de terror por um segundo, antes de ver que Sam tinha desaparecido do seu lado. Ele acenou para Musa da alcova oposta antes que ele desaparecesse através da parede.

– Aí está você! – anunciou Terra com alegria, e então, com um rápido ataque de nervos –, por que você está sozinha aqui? Você está bem?

Terra, que estava claramente um pouco bêbada, não esperou pela resposta de Musa. Ela estava no próximo tópico, e pelo sentimento dela, esse seria uma delícia.

– Então, eu não queria perguntar, mas... tipo, qual é a vantagem de ter uma colega de quarto que pode dizer como as pessoas se sentem, se você não... não que isso seja tudo que penso de você, mas... Dane. Eu. Pode ser que role alguma coisa?

Musa ficou pasma por um segundo. Ela estava esperando algo diferente daquilo. Claramente temendo o pior, Terra disse:

– Ah, Deus.

Musa correu para tranquilizá-la:

– Não, é só... Quando você e o Dane estão juntos, ele se sente confortável. Não sei o que isso significa especificamente, mas ele gosta de você.

Com uma esperança dolorosa e transparente, Terra perguntou:

– Então, poderia ser? Alguma coisa?

Musa deu um sorriso comedido enquanto Terra irradiava seu rosto. Aqui estava. Uma maneira de tornar Terra como Musa, e tudo o que bastava foi Musa, a garota que adotou a política de não esconder nada. Escondendo muito mais que um beijo com o irmão de sua colega de quarto.

Fogo

Eu estava justificadamente cheia de indignação. Eu estava com raiva, e de uma forma razoável, eu tive que expressar isso! Talvez estivesse um pouco bêbada, mas isso não importava. O álcool realmente me ajudava a pensar. Eu me servi mais uma vez enquanto Aisha me observava com olhos preocupados.

– E você está absolutamente certa de que esta é a mulher de suas lembranças? – perguntou Aisha. – Não seria outra, talvez?

– Cem por cento de certeza. O que significa que Dowling sabe algo mais. E ela está escondendo de mim. De novo.

Eu não sabia por que continuava confiando na senhorita Dowling. Eu não sei por que eu queria confiar nela. Eu fui uma tola. Aisha disse de forma pacífica:

– Tudo bem. Vamos falar com ela amanhã.

– Amanhã? – repeti.

– Vamos para casa. Você está travada e um pouco chateada. E eu ainda posso fazer um pouco mais de lição de casa...

Aisha claramente não entendia a gravidade da situação.

– Ela mentiu para mim. Não vou esperar até amanhã para ter algumas respostas.

Aisha lançou um olhar demorado e pensativo para mim. Finalmente, ela disse:

– Tudo bem então. Divirta-se.

Ela se virou para ir embora. Estendi minha mão para detê-la.

– Você não vem? – perguntei em voz baixa.

– Você quer ver a diretora à meia-noite, e bêbada? Vá em frente. Enquanto você está nessa, por que não vai até o círculo de pedra e detona sua magia? Talvez receba outro sinal da sua guia de fadas há muito perdida. Porque isso faz sentido.

Aisha, que sempre fora compreensiva, Aisha que era minha verdadeira aliada em Alfea, parecia completamente exasperada comigo.

– Cansei de puxar você de volta da beira do abismo, Bloom – ela disse. – Você quer pular? Pule sozinha.

Especialista

Sky estava no meio de uma briga com Stella quando isso aconteceu. Ele estava exigindo que ela contasse a verdade sobre o que havia acontecido com Ricki.

– Ficar com você depois que você cegou sua melhor amiga de propósito me faz parecer, na melhor das hipóteses, um idiota insensível, e na pior das hipóteses, um psicopata – disse Sky, percebendo quanto isso era verdade, enquanto falava.

Ao ver o rosto lindo e chocado de Bloom quando Riven despejou a história, tudo ficara claro como cristal. Sky não queria que ela pensasse mal dele. Bloom era a única pessoa que se importava com o que ele estava passando.

Por que ele continuava com essa charada, por que ele estava tentando ficar com Stella novamente, apesar de tudo, enquanto Stella não podia nem dizer a verdade? Muito mais importante, quando Stella nem se importava com a preocupação de Sky por Silva? Quando Bloom parecia se importar mais com Sky do que sua namorada de longa data se importava?

Isso faria qualquer um se perguntar o que ele estava fazendo, permanecendo com Stella... Então chegou uma mensagem de texto, dizendo que Marco e sua equipe tinham matado o Queimado, e todos os pensamentos sobre Stella e Bloom desapareceram.

Silva ia ficar bem. Sky estava tão feliz. Tinha de ver Silva imediatamente. Ele se virou e deixou Stella sem dizer uma palavra, correndo para a área de treinamento Bastião.

Sky entrou para encontrar uma única luz brilhando entre os bancos. Silva estava sentado ali sozinho. Ele foi até Silva. Enquanto se aproximava, sentiu o rosto corar e um sorriso brotar de seus lábios. Foi tão difícil sorrir, por dias, mas agora era fácil.

– Como você está se sentindo? – Sky perguntou, a alegria cantando em seu coração como pássaros. – As feridas já devem estar cicatrizando, certo?

Silva se virou em direção a Sky. Com muito esforço. Claramente, sentia dor, mas ele não deveria mais ter tanta dor. Quando Sky olhou para baixo, viu sangue fresco ao lado de Silva. As feridas não estavam cicatrizando.

Como uma voz distante em seus próprios ouvidos, Sky disse:

– Você disse que eles o mataram.

– Eles o mataram – Silva respondeu.

A voz de Sky vacilou.

– Mas então, por que...

Com olhar impenetrável, Silva nem mesmo piscou.

Sky imaginava que Silva poderia abrir uma exceção para ele. Mas talvez não.

– Aquele que eles mataram não deve ter sido quem me atacou... E, claramente, há mais de uma dessas criaturas lá fora – Silva disse.

Tenso, desesperado, Sky rebateu:

– Então, o batalhão vai continuar a busca, eles encontrarão o outro, e...

Com seu primeiro sinal de dor real, Silva respondeu:

– É tarde demais, Sky. Acabou.

Sky olhou para as próprias mãos. Treinadas para segurar armas, para lutar, para proteger. Mas quando a única pessoa com quem ele se preocupava mais do que qualquer coisa estava com problemas, Sky não tinha feito nada para ajudar.

– Você me disse... para esperar.

– Era tudo o que se podia fazer.

Sky se levantou, rápido. Furioso.

– A única coisa que você sempre me disse sobre meu pai foi que ele morreu lutando. E agora você vai se deitar e esperar morrer? – perguntou Sky.

Eles ficaram olhando um para o outro. Sky tinha certeza de que nenhum dos dois sabia o que dizer. Ele nunca falara com Silva daquela maneira. Sempre treinara para ser o melhor, para deixar Silva orgulhoso.

Sky estava esquecendo toda a sua disciplina, então correu para longe para que Silva não visse seu rosto. Era para ele ser o soldado perfeito de Silva. Não era para ele chorar daquela maneira.

Fogo

A expressão da senhorita Dowling ficou carregada quando eu invadi o seu escritório, interrompendo-a no meio de uma reunião. Que pena para ela. Muito ruim para Aisha. Eu sabia o que estava fazendo.

– Você deveria estar na cama – disse a senhorita Dowling.

– E você deveria me dizer a verdade – respondi.

Dowling lançou um olhar para o professor Harvey, o pai de Terra. Ele acenou com a cabeça e saiu. Triunfantemente, apresentei minhas provas e mostrei para Dowling a foto no meu telefone.

– O que é isto? – perguntou Dowling distante.

– Essa mulher! Aquela que está bem próxima a você nesse retrato é a mulher que me deixou no Primeiro Mundo.

Dowling olhou para a foto e de volta para mim. Com um aceno curto.

– Rosalind – ela disse brevemente –, como você sabe disso?

Rosalind. Saboreei o primeiro pedaço de informação que eu tinha.

– Quem é ela?

Dowling fechou os olhos por um momento. Ela parecia tão cansada, quase senti pena dela. Mas eu também precisava de respostas desesperadamente para ter qualquer arrependimento.

– Ela me precedeu como diretora. Eu era sua aluna. Em seguida, sua pupila.

– Então você estava aqui fazia dezesseis anos quando ela fez aquilo.

Uma irritação apareceu na voz de Dowling.

– Eu te disse. As circunstâncias que cercam o seu nascimento são um mistério para mim como são para você.

Não consegui esconder o tom de acusação da minha voz.

– Você enxerga como isso está ficando cada vez mais difícil para eu acreditar, certo?

A senhorita Dowling me olhou com uma frieza repentina.

– Você está bêbada. Talvez possamos ter essa discussão quando não estiver mais.

– Todas as fotos dela foram jogadas na área abandonada da Ala Oeste. Diga que isso não é suspeito.

Dowling disse secamente:

– Rosalind foi diretora durante um período difícil da história de Alfea. Não foi uma época sobre a qual ficamos felizes em comemorar.

– Eu quero falar com ela.

– Isso é impossível.

– É mesmo? Porque, uma semana atrás, eu tive uma visão. Uma lembrança do dia em que ela me deixou no Primeiro Mundo.

Um brilho de curiosidade apareceu nos olhos da senhorita Dowling. Finalmente, ela estava interessada em algo além de me calar e me trancar para fora. Continuei, ansiosa:

– Ela disse: “Encontre-me” e eu quero conversar com ela. – Estava tudo tão claro para mim agora. A senhorita Dowling não era a única que me daria as respostas que eu ansiava. Ela era apenas o caminho para encontrar essa outra mulher. Rosalind me ajudaria.

– Ela está morta, Bloom – Dowling apenas disse.

Eu estava tão atordoada que não consegui processar.

– O quê?

– Ela está morta há anos – Dowling repetiu.

Eu estava no escritório da diretora, cambaleando ligeiramente. Estava tão desesperada por respostas, mas eu podia ver minha última esperança se desfazendo. Dowling continuou, não antipática, mas terrivelmente decisiva:

– Então, não sei o que você viu, ou por que você viu, mas esse é o fim desse assunto.

Especialista

Riven, sem camisa, com o cabelo ainda molhado de cerveja, fumava um baseado enquanto mexia na armadura ao lado dele. Dane gostava dele. Também examinava a armadura e perguntou a Riven o que ele estava procurando.

– Algo legal – disse Riven.

Ele encontrou um capacete incrível; entregou a Dane o baseado, e começou a colocá-lo. Beatrix entrou pelo corredor, balançou a cabeça e tirou o capacete dele.

– Nunca cubra o rosto – aconselhou Beatrix. – É uma de suas poucas qualidades que valem a pena.

– Ela não está errada – Dane contribuiu.

Interiormente, Riven se envaideceu. Beatrix lançou um olhar significativo para o baseado na mão de Dane.

– Ah. Vamos brincar de espingarda? – Dane parecia confuso.

Riven balançou a cabeça.

– Você não tem jeito. Inale a fumaça.

Dane obedeceu a Riven. Então, Beatrix virou-se para Dane, e com um sorriso que dizia que ela sabia exatamente o que estava fazendo, pediu:

– Agora expire.

Riven viu o momento exato em que Dane finalmente entendeu o jogo, quando Dane soprou a fumaça em Beatrix. Ela segurou por alguns segundos. Riven foi até ela, que retribuiu o favor, soprando a fumaça para ele. Dane estava recostado sobre uma mesa quando Riven e Beatrix saíram para tomar ar. Ele parecia muito satisfeito consigo mesmo, como se isso fosse exatamente o que ele esperava de uma festa, embora estivesse um pouco tonto.

– Não sei como você pode fumar tanto depois dos brownies da Terra – Riven comentou.

O humor de Riven piorou. Ele soube assim que viu Dane trazer os brownies.

Bom, Terra estava mal. Riven tinha comido todos os quatro brownies e se recusou a deixar alguns para Dane, que também parecia infeliz. O que ele pensava que era, o cavaleiro protetor de Terra?

– Não seja um idiota. Ela os fez para todo mundo.

– Não, ela não fez – Riven retrucou –, Terra os fez para você.

Dane parecia totalmente confuso. Então, já que Riven tinha sido nomeado por ele mesmo como contador de verdades indesejáveis nesta festa, sentiu que era seu dever dizer a Dane que Terra estava sedenta por ele. Riven pensou que era melhor que Dane soubesse. E melhor para Terra ter seu coração partido mais cedo do que tarde. Ela realmente gostava de Dane, mas ele não gostava de Terra. Dane gostava dele.

Fogo

Eu tinha apenas mais um plano para obter respostas. Portanto, apesar do alerta de Aisha fiquei atormentada à noite e entrei no antigo círculo de pedra nos arredores de Alfea.

Eu estava muito furiosa para me preocupar com as consequências. Ao entrar no círculo, senti meu poder aumentar. Chamas se acenderam nas tochas ao meu redor. Outras se formaram nas palmas das minhas mãos.

Continuei atraindo mais magia para mim. Pareciam tentáculos de fogo que escapavam da minha coluna. Eu estava pronta para deixar o céu em chamas, e o pensamento me assustou o suficiente para que eu parasse.

– Bloom? – A voz de Sky soou atrás de mim. Eu me virei para ver Sky se aproximando.

Paramentado com a armadura leve dos Especialistas, com uma espada embainhada nas costas. Parecia mais um cavaleiro do que nunca.

– O que você está fazendo aqui? – perguntou Sky.

Eu hesitei. Eu poderia ser cautelosa ou tímida, ou poderia simplesmente despejar a verdade.

– Sou uma Trocada, Sky. Essa é minha história de família complicada. Não faço ideia de quem eles são na verdade.

Não havia nenhum julgamento no rosto de Sky. Apenas um reconhecimento de que isso era um assunto quente. Ele praguejou.

– Sim – eu disse –, e estou aqui fora... como uma louca... porque aparentemente estou disposta a fazer qualquer coisa pela possibilidade de conseguir uma resposta.

Houve uma pausa enquanto Sky assimilava esta nova informação.

– Não faço ideia de como estar aqui fora possa te dar respostas, mas... Eu entendo.

– E agradeço por isso.

Ninguém nunca me pegou antes, mas achei que Sky poderia ter conseguido.

– Ufa – eu disse –, por que você está usando armadura?

O rosto de Sky estava sério.

– Silva está morrendo. O Queimado que eles mataram não era o certo. Ele ainda está lá fora.

Fiz uma pausa, juntando tudo.

– E você está planejando encontrá-lo sozinho?

Sky comprimiu os lábios com força e em seguida respondeu:

– Você não é a única pessoa maluca. Não posso esperar sentado, sem fazer nada.

Entendi perfeitamente. Olhando para a dor em seu rosto, eu poderia ter dito a ele a mesma coisa. Meus olhos foram desviados de seu rosto, em direção à floresta. Um som ecoou em meus ouvidos. Sussurros estranhos, tornando-se familiares para mim. Lentamente, eu disse a Sky:

– Pode ser que você nem precise sair.

Especialista

Terra continuou tentando arrastar Dane para fora e fazer uma festa especial só com ele. Riven, na qualidade de mentor sexy de Dane, não poderia permitir que isso acontecesse. Então ele desafiou Terra e Dane para uma partida de cerveja-pong.

– Não, eu estou legal – disse Dane.

Riven esperou. Ele sabia que Terra tinha um pequeno problema com desafios. Seu problema era que ela os amava.

– Fechado! Não pense que não percebi que você está vestindo a camiseta de Dane – Terra disparou contra Riven. – Você fez o pobre Dane dar a camisa dele só porque Aisha molhou a sua! Por que você é tão valentão?

Riven encolheu os ombros.

– Isso me diverte.

"Vencê-los na cerveja-pong iria diverti-lo também", ele imaginou. Só que sua suposta amiga Kat o decepcionou, e Terra e Dane venceram e deram um abraço da vitória. Terra estava claramente amando esse abraço em Dane, que estava sem camisa. Parecia que Riven tinha, de fato, feito um grande favor a Terra ao tomar para ele a camisa de Dane. Dane ficou claramente impressionado com aquele abraço prolongado. Riven olhou para ele como se dissesse "eu te avisei". Terra não viu esse lance.

Stella se aproximou de Riven e o puxou para longe dos outros, mesmo quando Riven não queria ser levado embora. Típico de Stella. Riven rapidamente tirou a mão dela de seu braço. Ele não estava pronto para intimidade física de qualquer tipo com a princesa, e queria deixar isso bem claro.

– Você viu Sky? – Stella perguntou impaciente. – Ele não está respondendo as minhas mensagens.

– Você procurou por Bloom? – Riven perguntou inocentemente.

Stella piscou de volta.

– O quê?

– Opa! – disse Riven, gargalhando em seguida –, eles são apenas amigos. Cem por cento. Nada acontecendo entre eles. Não precisa cegá-la também.

O rosto cuidadosamente maquiado de Stella transformou-se em uma paisagem gelada.

– Eu não desperdiçaria minha magia com uma Trocada, de qualquer maneira – ela cuspiu de volta.

A coluna de Riven parecia eletrificada. Bem, ali estava! Sky estava a fim de Bloom. Mas, é claro, a garota era um desastre.

– Espere, Bloom é uma Trocada?

– Opa! – ronronou Stella, dando o troco em Riven.

Antes que ele pudesse responder, o telefone de Stella tocou. Do outro lado, o de Terra também. Pelo olhar das duas, a mensagem para ambas era importante. Terra entrou em modo de assumir o controle.

– Vamos, Stella! Temos de ir – disse, abandonando Dane e imediatamente correu para Stella, agarrando seu pulso.

– Espere, espere – disse Riven –, para onde vocês estão indo?

– Não tenho tempo para você agora, Riven – retrucou Terra –, algo importante está acontecendo. Tenho de ir, aproveite a festa e deixe o pobre Dane em paz.

Ela saiu correndo, deixando Riven e Dane para trás. Riven descobriu que isso não era sábio. Deixar Dane em paz, ela disse? Ah, Terra, Terra, Terra. Ela não sabia como Riven se sentia diante de um desafio?

Fogo

Os sussurros aumentaram em meus ouvidos enquanto Sky e eu caçávamos pela floresta. Eles estavam mais altos do que antes, aterrorizantes. Eu quase poderia decifrar as palavras. Sky desembainhou sua espada.

– Está perto – avisei.

Eu me virei. Ficamos de costas um para o outro.

– Quero saber como é que você consegue rastrear essas coisas? – Sky perguntou

"Cace os Queimados agora, Sky", eu pensei. "Deixe para falar mais tarde."

– Um dos muitos mistérios da minha vida que poderíamos resolver dentro do abraço protetor da Barreira.

De repente, Sky se virou para ver um Queimado pulando em cima dele. Ele foi diretamente atacado, mas acertou em cheio. Todo mundo dizia que Sky era o melhor guerreiro em treinamento de Alfea. Talvez ele pudesse simplesmente matar o monstro e poderíamos ir para casa.

O monstro gritou, então jogou Sky para o lado e se virou para me atacar. Ele saltou em mim, me derrubando. O Queimado se preparou para outro ataque, e eu soube, em um momento de certeza fria como o luar, como fui tão tola quando Aisha tentou me avisar, que eu estava condenada, pois não teria nenhuma chance.

– Fechem os olhos – Stella gritou.

Fechei os olhos, confiante, enquanto o Queimado erguia o braço para desferir um golpe mortal. O golpe nunca foi concluído. Em vez disso, vi a impressão pálida de uma luz cegante atrás de minhas pálpebras. Quando abri os olhos, a floresta ainda estava iluminada. O Queimado estava cambaleando para trás, atordoado.

Minhas companheiras de quarto estavam ao meu redor. Mandei uma mensagem para elas, que vieram correndo. Aisha correu para a frente, ajudando-me a me levantar. O monstro estava de pé novamente e indo direto para ela... até que uma corrente de hera se enrolou em suas pernas, puxando-o para o chão.

Terra chamou minha atenção e sorriu. O Queimado rompeu a hera sem muito esforço. Mas Terra o tinha desacelerado o suficiente para eu convocar minha magia novamente. As chamas se moviam em linhas retas e nítidas em direção à criatura. Mas elas não o alcançaram.

– Aisha! – gritei.

Ela convocou uma enorme parede de água na frente das chamas e quando nosso fogo e água se encontraram, a floresta foi inundada de vapor. Vimos a forma obscura do Queimado cambaleando em nossa direção, desorientado, perdido na brancura daquela névoa.

Até que do meio da névoa uma lâmina apareceu brilhante. A espada de Sky perfurou o monstro no coração, e o Queimado caiu no chão. Conforme o vapor se dissipou, nós nos movemos em direção ao corpo do Queimado.

– Espere – disse Musa atrás de mim –, parem, eu não acho que ele está...

Eu estava bem ao alcance do Queimado quando o monstro empinou de repente para atacar, mas então foi paralisado por uma luz que emanou de dentro do seu corpo enegrecido. Diante de nossos olhos, o Queimado foi incinerado de dentro para fora.

– Não – veio a voz fria da senhorita Dowling –, ele não estava morto.

Especialista

Sky assistiu do outro lado da sala como o professor Harvey tratava de Silva. Parecia a última vez que ele teria que assistir àquilo impotente para ajudar Silva, esperança e medo parecendo rasgar seu coração ao meio a cada batida.

Se ele tivesse matado o Queimado errado tudo isso teria sido em vão. Ele não sabia, não poderia ter certeza, mas Silva parecia ter mais energia.

Silva disse a Sky, com uma voz forte e furiosa:

– Você é um idiota.

– Eu sei – disse Sky, mal ousando ter esperança. – Mas você está melhor?

Silva continuou falando:

– Você é um estúpido, imprudente, impulsivo...

– Professor Harvey? – Sky implorou.

Sky se virou para o professor, desesperado por qualquer sinal. Harvey olhou para cima com um sorriso que deu a Sky a resposta que ele queria ouvir.

– Não sorria para ele! – Silva disse a Harvey e virou-se para Sky, mostrando o que ele estava ansioso para ver. As feridas estavam sarando. Silva permanecia carrancudo. Sky passara a vida inteira tentando agradar a Silva, temendo provocar aquele olhar de reprovação em seu rosto. No entanto, neste momento, Sky não se importou nem um pouco. Ele correu para Silva, puxando-o para um abraço e segurou firme.

Ele não falhara, afinal. Ele não iria desistir. Não iria perder alguém que amava. Desajeitadamente, perto do cabelo de Sky, Silva murmurou:

– Seu pai sentiria orgulho de você.

Luz

– Então Dowling podia fazer mais de um tipo de magia? – Bloom perguntou. – Isso é algo incrível!

Pobre e tola Bloom. O que eles ensinaram às crianças na Califórnia? Parecia um lugar sem lei. Stella estava se sentindo benevolente com tudo. Ela usara sua magia para salvar o dia! Sky e suas colegas da Suíte

Winx, sem dúvida, ficaram extremamente impressionados. Sua mãe ficaria orgulhosa quando soubesse.

Uma festa é tão boa quanto as roupas que você escolhe para usar nela. Uma batalha é vencida pelo poder que você leva para ela.

– Se você for forte o suficiente – Terra disse a Bloom.

– O que ela é, obviamente! – Stella se juntou para ajudar.

A senhorita Dowling era forte e estava ensinando Stella a ser forte, também.

– Então, é claro que a irritamos – disse Musa.

Musa não era uma pessoa muito positiva.

Stella começou a sentir-se ligeiramente negativa com o som de pneus se aproximando. Todos ficaram parados quando Dowling virou o corredor para encará-los, guardando seu telefone.

– O fato de vocês e o diretor Silva estarem vivos não muda o quão imprudente foram – disse Dowling claramente.

Stella ficou aliviada com essa boa notícia. Silva estava vivo. Eles tiveram sucesso, e Sky estaria bem agora, de volta à sua personalidade normal. Mas Dowling continuou, severa:

– Vamos discutir as consequências pela manhã.

Enquanto Dowling se afastava, os olhos de Musa brilharam roxos. Aisha inclinou-se para ela, sussurrando.

– Ela está irritada, tipo, detenção ou expulsão?

– Fico com a primeira. Mas só por causa da pequena ponta de orgulho que também senti lá dentro dela – disse Musa.

Mais boas notícias. Logo em seguida, Sky entrou. Parecia mais estável do que tinha estado desde que Silva fora ferido, e Stella relaxou quando o viu assim. Às vezes ela se sentia como se fosse um pouco a hera amada de Terra, e que só poderia florescer com o apoio dele. Então Sky olhou para Bloom e Stella, e por um instante Stella sentiu uma tensão estranha no ar, como se ele estivesse tentando equilibrar algo pesado.

Tome uma decisão. Stella sentia-se como Aisha, tentando não deixar a água escorrer por entre seus dedos. Bloom entrou em ação, tomando a decisão por ele. Nós deveríamos subir. Stella ficou irritada com a gratidão que sentiu por Bloom por ter decidido se afastar, mas não era hora de pensar nisso. Não agora, quando ela sentia que tudo poderia finalmente correr bem.

Stella estava realmente emocionada por Sky, e certamente Sky iria perdoá-la por ter sido um pouco estranha antes. Juntos, haviam resgatado Silva. Ela se lembrou de tê-lo visto na floresta, empunhando sua espada como um cavaleiro. Ele fora tão corajoso. E isso fazia todo sentido, que um cavaleiro fosse destinado a uma princesa. Quando olhou para Sky, no entanto, viu naquele rosto querido e familiar um olhar desconhecido. Sentiu o pânico se apoderar de seu coração. Será que ele estava bravo com ela, ou ele queria Bloom? Talvez Sky não fosse corajoso em tudo. "Não vá", Stella pensou. "Não me deixe sozinha no escuro."

Especialista

Agora que Sky estava se sentindo melhor, aparentemente Stella gostava ainda mais dele. Ela encaminhou-se na direção dele, desejando pegar sua mão e agarrar.

– Eu estava péssima, hoje. Sinto muito. Não consegui lidar com o fato de ver você vulnerável e assustado.

– Eu sei – disse Sky –, eu senti. Foi bastante evidente.

– Você é o único que conhece meu verdadeiro eu, Sky – Stella sussurrou.

– Essa é uma escolha sua, Stella.

– Não é bem assim. Eu sou a herdeira do trono solariano. Se você soubesse o tipo de pressão que estou sofrendo...

– Eu sei. Você sabe que eu sei.

Se ele não soubesse, ninguém mais saberia. Ele e Stella se conheciam havia tanto tempo, que ele conhecia a dor dela tão bem quanto conhecia a própria dor. Ele via a dor dela agora, escrita em todo o seu belo rosto enquanto Stella lutava para falar.

– Sua força é minha rede de proteção. Eu tenho de saber que estará ali, caso eu venha a cair.

Seus papéis juntos eram tão definidos que ele poderia repeti-los sem pensar. Cada célula de seu corpo estava dizendo para colocar seus braços em torno dela e confortá-la, como sempre fazia, toda vez que ela se mostrava vulnerável. Só que em todas as vezes anteriores, ele não imaginava que ela nunca seria recíproca.

– E se EU cair? – perguntou Sky. – Quem estará lá para me amparar?

Ele virou e se afastou dela, lembrando da sensação de calor que sentiu apenas por ter Bloom sentada ao seu lado em uma festa idiota. Ele tinha feito a escolha errada no primeiro dia de aula. Ele desejava ter mandado Stella para longe de seu quarto, e queria ter enviado aquela mensagem para Bloom.

Terra

Deitada em sua cama, o celular na mão, Terra corria pelos stories do seu Instagram e encontrou Beatrix. Sem dúvida, sendo legal. Compartilhando um único pedaço de fruta. Terra não queria ver aquilo. Ela clicou no vídeo, de qualquer maneira.

Era um vídeo instável de Riven e um Dane sem camisa. Riven piscou para a câmera. Dane passou os braços em torno dele.

– Ei, Riv – ele balbuciou –, faça de novo aquela espingarda comigo.

– E a sua namorada? – perguntou Riven.

– Quem? – Dane rebateu.

Então eles estavam zombando dela, Dane sugerindo que Terra poderia transar com uma planta, e Riven rindo. Se divertindo à custa dela. Riven, o cara mais malvado de Alfea, e Dane, o menino dos sonhos de Terra.

Riven deu outra tragada e Beatrix entrou no enquadramento da câmera:

– Minha vez – disse ela, girando para Dane, e então acrescentou com toda a confiança fácil e sexy, que Terra jamais teria –, vamos lá, a três agora.

Riven exalou a fumaça na boca de Dane e Beatrix ao mesmo tempo. Desta vez, todas as três bocas se tocaram. Parecia confuso e fora de controle, e Terra sentia-se confusa e fora de controle.

Dane, que Terra pensava ser tão doce, que ela imaginava realmente gostar dela. Mas não, claro que ele gostava de Beatrix, que era tudo o que Terra jamais seria. E, de alguma forma, por algum motivo, Riven estava envolvido. Dominada pelo choque e pela dor, a mão de Terra tremeu enquanto lentamente colocava o telefone na mesa de cabeceira. Ela não conseguiria processar aquilo. Não naquela noite.

Fogo

Aisha e eu nos preparamos para dormir, ainda fofocando sobre os acontecimentos recentes, e lhe contei o que tinha feito. E o mais importante, o que não tinha feito.

Eu não convocara toda a minha magia no círculo de pedra e queimado a floresta. Pensei que ela ficaria orgulhosa de mim. Aisha parecia mais preocupada do que orgulhosa. Ela se virou para me olhar, para ver em que lugar da cama eu me sentara, e pude sentir algo poderoso se aproximando.

– Bloom, eu sei que você quer encontrar seus pais biológicos… mas… e se não houver uma grande conspiração? Você disse que Rosalind era a diretora. – Aisha selecionava as palavras com óbvio cuidado. – Não seria possível que você fosse apenas a filha de uma aluna? Uma adolescente assustada que engravidou e não sabia o que fazer?

Colocado dessa forma, parecia plausível, mas balancei a cabeça.

– Existem muitas coisas que não consigo explicar.

Um tom cortante se revelou na voz de Aisha:

– Sabe, algumas pessoas matariam para serem naturais na magia como você. Mesmo se isso significasse que elas seriam apenas uma fada normal.

Aisha olhou para a tigela de água que ela não podia comandar e empurrou para a frente.

– A magia… não é fácil para mim. Eu tive de trabalhar muito duro para entrar nesta escola. E vou ter de trabalhar muito mais ainda para permanecer nela. Mas você…

– O quê? Você está dizendo que eu deveria ser grata? Eu nunca quis vir para cá. Queria ter ficado em casa.

– Estou dizendo que você deveria ser realista – Aisha disse.

Eu sabia que Aisha estava apenas tentando ajudar, tentando ser sensível a mim.

– Você faz ideia do que isso significa para mim, Aisha? Ser realista?

Encarei Aisha, completamente vulnerável, implorando a ela para me compreender.

– Significa que minha mãe verdadeira não me queria. Que ela olhou para mim quando eu era apenas um bebê e me abandonou. E se você imaginar que tenho pensado nisso todos os dias desde que descobri que sou uma Trocada…

Eu me esforcei para falar:

– Eu tenho de acreditar que tem algo mais. Eu tenho de acreditar.

Dizendo isso, desabei na cama. Não consegui evitar mais as lágrimas. Aisha correu para mim e me enlaçou em um abraço caloroso. Eu me soltei e me deixei encostar nela, inclinando-me para o seu abraço apertado. Eu amava Aisha. Eu amava minha nova amiga. Eu realmente amava. Mas ela estava errada. Ela tinha de estar errada. Devia haver mais na história entre mim e Rosalind.

Conto de fadas n.º 4

Venham, fadas, tirem-me desta casa enfadonha!
Deixem-me ter toda a liberdade que perdi.
– W. B. Yeats

O coração envelhece

Farah Dowling, Saul Silva e Ben Harvey estavam em uma missão. Como nos velhos tempos. O secretário de Farah, Callum, tinha desaparecido. Isso era inquietante na melhor das hipóteses. Em um momento como este, com Queimados espreitando a floresta e Bloom fazendo perguntas sobre Rosalind, era ativamente alarmante. Eles tinham que descobrir o que aconteceu com ele.

Alguém tinha acessado a porta secreta de sua estante, mas ninguém havia alcançado o que estava no final da passagem secreta. Farah reiniciou o feitiço, uma armadilha preparada para qualquer um que encontrasse o portal, mas eles precisavam saber quem era. Seu secretário desaparecido Callum era o principal suspeito, mas se tinha sido ele, como escapara da armadilha, e onde estaria agora? Ele tivera ajuda para entrar pela porta? Ele tivera ajuda para fugir? Era hora de descobrir.

Ben estava em sua estante, preparando uma solução de amálgama de urtiga em um tubo de ensaio. Derramou a solução em um incensário de cerâmica, selou o incensário e então acendeu a chama abaixo dela. Depois de um momento, a névoa vazou para fora do incensário e perto da estante, algo começou a ganhar forma. Uma forma incompleta e amontoada que um dia fora um corpo. O rosto de Callum se materializou novamente. Sua expressão era um grito de dor e seus olhos expressavam o terror experimentado no momento de sua morte. Ah, então Callum não tinha fugido, afinal. – Callum – disse Farah com pesar. Sim. Ela não amava Callum, mas sentia-se responsável por ele. Como fazia com todos em Alfea.

– Ele foi assassinado. Com magia – disse Ben. Cada centímetro dele copiava os modos do professor Harvey agora. Ben sacou um frasco de amostra com pedras do Vaso até metade. Ele raspou o conteúdo do frasco sobre o rosto materializado de Callum, coletando uma amostra. Em seguida, fechou a tampa do frasco com o remanescente do secretário de Farah desaparecido.

– Pelo menos agora sabemos para onde ele foi – disse Farah. Ela e Saul trocaram um olhar de compreensão sombria.

– E que há um assassino em nossa escola – disse Saul.

Alguém tentou entrar, passando por todas as defesas de Farah, até o pior segredo que ela já guardou. Alguém letal. E não faz muito tempo, ela disse a Bloom que Rosalind estava morta. Eles tinham que encontrar o assassino de Callum.

Especialista

Riven tinha certeza de que Beatrix era realmente sua namorada. Ele nunca tinha tido uma de verdade antes, e isso era bom. Ela estava no dormitório de Riven, vestindo uma de suas camisetas. Eles tinham apenas começado a sair juntos, curtindo a companhia um do outro.

Enquanto ela olhava para uma imagem de Bloom, a Trocada esquisita no telefone dela, mas estava tudo bem. Riven tinha ouvido que as mulheres eram misteriosas.

– É sua culpa por espalhar que ela é uma Trocada – Beatrix disse a ele. – Ela agora é a pessoa mais interessante na escola.

O jeito de Riven mudou completamente, desconfortável com a culpa.

– As pessoas vão esquecer em mais alguns dias. Elas seguirão em frente.

– Eu não vou – afirmou Beatrix. Havia uma intensidade em seu comentário que não passou despercebida por Riven. Ele apenas não sabia o que aquilo significava.

– É como um daqueles filmes de obsessão, em que você tinge seu cabelo ruivo e assume o controle da vida dela e então, tipo, usa a pele dela, ou algo assim?

– Não seja nojento – disse Beatrix –, eu tenho uma pele muito melhor do que a dela.

O cabelo de Beatrix era atualmente castanho-escuro. Riven gostava dele assim mesmo. Ele sorriu e decidiu que não se importava com o que poderia ser essa obsessão dela. Ela era engraçada, exatamente no modo doce e má, mas sarcástica, do jeito que ele gostava. E era um desafio. Ele gostava dela e esperava que ela gostasse dele.

– Acho que terei de lutar por sua atenção, então… – Riven beijou a nuca de Beatrix.

Ela deixou, fechando seus olhos. Quando ele parou, ela suspirou.

– Não, não. Continue lutando. Um pouco para a esquerda.

Riven a beijou, e se perguntou por que ele sempre tinha que lutar tão duro por tudo que queria. Então, novamente, se não tivesse de lutar, será que ele ainda iria querer?

Fogo

Cruzei o pátio sob uma nuvem. Literalmente, no fato de haver uma nuvem pairando sobre o castelo, mas também figurativamente, na medida em que eu estava sob a névoa escura de suspeita. Eu estava carregando o mais-que-necessário café e os complementos do café da manhã em embalagens para viagem.

Quando passei pelos grupos de alunos conversando, ouvi duas fadas fofocando. E eu sabia que o ponto alto da fofoca era eu. Uma fada disse "Estou lhe dizendo, ela ateou fogo no próprio berçário". A outra afirmou: "Não, foi o time de softbol. Queimou todo mundo em um jogo contra um time de fora. Seus pais humanos jamais teriam a chance de se salvar. Ela matou os dois ou apenas um deles?". – Nenhum dos dois – eu disse em voz alta. Quando eles se viraram, encolhendo-se de susto, eu sorri. Eles se encolheram mais ainda. Eu disse a eles: – Então, estou condenada por um ou dois assassinatos.

Eu girei sobre os calcanhares e levei os cafés até o escritório da senhorita Dowling. Na verdade, até a entrada do escritório dela. Aisha estava substituindo o secretário da senhorita Dowling, Callum, enquanto ele estivesse fora.

Enquanto ela estava lá, lhe pedi para fazer uma coisinha para mim. Sentei-me em frente a ela na mesa, servindo o café e os pães.

– Você não encontrou nada?

Aisha estava quase escondida por pilhas de arquivos de papel enquanto nós bebemos café e comemos os pães.

– Só estou na mesa de Callum há dois dias, Bloom. Além disso, meio que te fazendo um favor, então que tal você ser grata?

– Vamos, você não aceitou o trabalho de Callum por minha causa.

– Estranho, porque eu me lembro de você... me fazendo uma sugestão útil... me implorando para ser voluntária para que eu pudesse bisbilhotar informações sobre o seu passado – Aisha recordou.

– Isso parece algo que eu poderia ter feito. Mas também parece que você podia aproveitar a chance de ganhar pontos brownie com a senhorita Dowling. – Eu tossi e disse: – Puxa-saco!

– Puxa-saco? Sério?

De repente, perdi a capacidade de ler os arquivos.

– Espere. Você achou que eu disse puxa-saco? Esquisito. Eu na verdade... – e tossi de novo.

– Puxa-que-máximo! Ah, agora sim, e que é inteligente e bonita? Também gentil e...

O sorriso de Aisha enquanto me observava desvaneceu-se um pouco.

– Não tenho certeza se ela pode ajudar – ela completou suavemente. – Esses registros aqui só parecem retroceder até quando a senhorita Dowling assumiu o cargo de diretora. Todo o resto deve ter sido arquivado em outro lugar.

– Ou picado, porque Dowling adora reter informações.

Aisha lançou-me um olhar duro. Talvez eu não tenha feito um bom trabalho escondendo minha amargura na frente de Dowling.

– Mesmo que soubesse um pouco mais sobre Alfea naquela época, eu poderia entender por que Rosalind me mandou para o Primeiro Mundo...

Aisha suspirou.

– Vou continuar procurando, prometo. Tenho de ler cada arquivo neste lugar, de qualquer maneira. Não sei quem ensinou Callum como administrar um escritório, mas ele era péssimo nisso. E nem consigo ligar para ele para fazer perguntas.

– Por que não? – perguntei.

Aisha parecia em dúvida.

– Ele aparentemente partiu para cuidar de uma emergência na família. Dowling não queria incomodá-lo com essas “bobagens corriqueiras”.

Ela se virou para tomar o café.

– Obrigada por isso, aliás. Quer dizer, já que você está me usando como desculpa para não comer na cantina, é o mínimo que você poderia fazer.

– Não estou evitando a cantina – afirmei. Aisha apenas olhou para mim e eu fiz uma reverência. – Então todo mundo está falando de mim sobre eu ser uma Trocada? E daí? Isso é literalmente a coisa menos esquisita sobre mim.

– Verdade. Eles não sabem quanto você ronca...

Aisha lançou-me um sorriso. Joguei um pedaço de granola no rosto dela, enquanto sorria, também. Musa entrou nesse exato momento, com sua comida na mão. Ela sentou-se imediatamente no chão.

– E aí? – Seus olhos brilharam brevemente. – Bloom ainda está fingindo que não está chateada com a fofoca?

– E você ainda está fingindo que não está namorando o irmão da sua colega de quarto? – devolvi, na mesma medida.

Aisha deu uma risada quando Terra entrou com o seu café da manhã. Terra piscou.

– Quem está fingindo o quê? – ela continuou sorrindo. – Quero dizer, além de Stella fingir que não está temendo ser ofuscada por sua mãe o dia todo.

– Você poderia se aproveitar disso um pouco menos – disse Musa.

– Eu poderia mesmo? Acho que veremos isso na assembleia.

Enquanto Terra se lançava sobre sua comida, olhei em volta para minhas amigas da Suíte Winx, que haviam transformado aquele pequeno escritório em uma cantina. Por mim. Foi tão gentil, mas estavam exagerando. Elas já tinham feito muito, de verdade, por mim.

– Eu não preciso disso – falei, e foi tão alto que todas olharam para mim. – Não preciso que todas mudem seus planos de café da manhã para comer comigo, como se eu fosse uma perdedora, esquisita e problemática. Estou bem.

Ninguém parecia convencido. Eu me levantei e fui embora, resmungando desculpas sobre poções e papéis. Eu sabia, e elas sabiam, que estava tudo, menos bem.

Luz

– É só por um dia, Stella – disse o talvez-ainda-namorado de Stella –, metade do dia.

Stella suspirou.

– Só por meio dia, e todos a adorando como se ela fosse literalmente o sol.

– Ela é a Rainha da Luz – Sky a lembrou, com um pouco de ironia.

Muito charmoso. Stella sabia que não tinha sido tão boa com Sky ultimamente, mas estava certa de que poderia fazer melhor e consertar o que estava errado entre eles. Stella retribuiu seu esforço com um pequeno sorriso.

– Toda essa armação do Queimado que mamãe está fazendo... Eu sei que ela realmente está aqui para ver o meu progresso.

– Você disse às suas colegas de quarto que precisa de uma força? Aposto que Bloom poderia aproveitar essa distração agora...

Stella estava cansada de ouvir Sky falar sobre Bloom, ou se consumir pensando que ele poderia estar pensando em Bloom. Stella sabia que tinha agido errado com Bloom. Foi ela quem espalhou que Bloom era uma Trocada, mas não admitia isso. A culpa não a deixaria perguntar se Bloom estava bem. Em vez disso, deixou escapar:

– Eu não preciso delas. Eu tenho você.

Então Stella se conteve, percebendo que estava fazendo aquilo de novo. Apoiando-se muito em Sky, quando ela não dera o mesmo apoio para ele. Mas apesar do passado recente, Sky se aproximou colocando a mão em seu braço em um gesto reconfortante. Talvez não soubesse como parar de enfraquecê-la, assim como Stella não sabia como deixar sua fraqueza aflorar. Foi assim que eles sempre se relacionaram.

– Estarei a uma mensagem de distância. Mas você consegue lidar com isso. Você consegue lidar com ela.

Stella não tinha tanta certeza, mas agora era hora de descobrir. Dois SUVs pretos pararam no meio-fio. Entre eles havia um Rolls-Royce preto novo em folha. Sky lançou um olhar tranquilizador para ela e foi embora.

Sozinha, Stella respirou fundo e se recompôs para garantir que sua postura estivesse perfeita, assim como sua mãe a havia ensinado. Um guarda real solariano, com um arco embainhado nas costas, saiu de um dos SUVs e abriu a porta traseira do Rolls-Royce.

Um Louboutin com salto de dez centímetros e sola vermelha emergiu do SUV. Em seguida, veio o corpo ao qual estava anexado. A rainha Luna de Solaria saiu para o sol.

Stella costumava perguntar, quando criança, se ela seria tão equilibrada e poderosa quanto sua mãe quando ela crescesse. Ninguém nunca respondeu a ela. Eles ficavam ligeiramente envergonhados por Stella não ter percebido que isso jamais seria possível.

– Stella – disse a mãe –, você está deslumbrante.

Stella deu um passo à frente, tentando sorrir o suficiente para ofuscar o sol.

Especialista

Riven não apenas tinha conseguido uma namorada, mas uma gangue própria. Ele, Beatrix e Dane estavam saindo muito, os três sempre juntos. Enquanto Beatrix contava histórias sobre Trocadas perigosas para um Dane excessivamente crédulo.

– As Trocadas eram uma forma de fadas irritadas obterem vingança no Primeiro Mundo. Trocando uma fada por um bebê do Primeiro Mundo, era só esperar para começar a causar estragos.

– O que significa causar estragos? – Dane perguntou inocentemente. Beatrix olhou para Riven. Ele revirou os olhos para ela, mas Beatrix sorriu e continuou.

– Já ouviu falar do Grande Incêndio de Londres?

Enquanto Beatrix elaborava, o doce e ingênuo Dane estava de olhos arregalados e acreditando em cada palavra dela. Ele estava claramente prestes a pedir mais informações quando viu Terra caminhando na direção da estufa. Riven percebeu como Dane de repente ficou em alerta.

– Os Trocados são sempre más notícias. É por isso que continuamos bem ao lado deles – finalizou Beatrix.

– Ou pelo menos, tentamos... – disse Riven. Ele e Beatrix estavam realmente tentando? Se Bloom ouvisse como eles estavam conversando sobre o seu caso, ela estaria coberta de razão para incendiar seus cabelos por vingança. Isso seria tão ruim. Beatrix tinha um cabelo muito bonito. E o de Riven era ainda mais bonito.

Com os olhos na estufa, Dane murmurou:

– Eu encontro vocês dois na reunião.

Tanto faz, Dane. Terra não iria deixar isso passar. Ela não gostava tanto de Dane. E a garota estava orgulhosa. Dane poderia simplesmente se acostumar a não ter Terra em sua vida e se contentar com Riven e Beatrix. Dane correu em sua missão desesperada. Riven olhou para sua namorada para que eles pudessem compartilhar a piada.

– Não sei o que é mais trágico. Ele pensar que Terra vai perdoá-lo pelo vídeo ou que ele acredite em todo aquele lixo de Trocados com que você alimentou a curiosidade dele.

– Nem tudo é lixo. Essas Trocadas podem ser perigosas. Você fez um favor a todos...

Ele desejou que Beatrix parasse de agir como se tivesse sido Riven que espalhou a história de Bloom. Sim, Riven tinha espalhado e ele era um idiota. Mas não foi ele que envenenou Dane com essas histórias dos

Trocados. Mas não, estava tudo bem. Eles estavam nisso juntos. Isso era o que Beatrix desejava.

– Tecnicamente, Stella que soltou o veneno no ar. Mas o fato de que ninguém poderia rastreá-lo e chegar até nós era provavelmente uma boa coisa – observou Riven.

Ele não sabia quão intensa e desagradável a fofoca já tinha se espalhado. Todo o castelo fervilhava de boatos. Toda vez que Riven avistava Bloom, ela parecia preparada para novas más notícias. Era uma barra ser a pobre e ruiva Bloom. Se ela queimasse Alfea, Riven não a culparia.

Terra

Ah, um momento em família. O pai de Terra parecia preocupado com um projeto, enquanto Sam assediava Terra para saber se ela tinha terminado o seu dever de casa ou não.

"Não é do seu pecúlio, Sam!" Terra ainda estava tentando perceber no que o seu pai estava trabalhando. Ele tinha um frasco de amostra, e dentro dele estavam algumas pedras do Vaso. Ele as estava despejando disfarçadamente em um tubo de ensaio. Se Terra bem se lembrava, as Pedras do Vaso eram usadas para rastrear magia, então...

Sua linha de pensamento foi prejudicada por uma batida na porta. Os Harveys se viraram ao mesmo tempo para olhar para a porta e encarar Dane. Ele ficou nervoso na soleira da estufa.

– Oi, Terra – começou Dane –, nós podemos...

Imediatamente seu pai e seu irmão se levantaram. O professor de boas maneiras e o irmão geralmente descontraído de Terra se transformaram, ambos encarando Dane com seus rostos frios e furiosos.

Todos em Alfea tinham visto a história de Beatrix, ou ouvido sobre ela. Todos sabiam o que Dane havia dito sobre a Terra.

– Embora eu aprecie que a perspectiva histórica do patriarcado é que as mulheres precisam ser salvas de situações perturbadoras... – Terra disse a eles –, eu posso cuidar disso.

Ela deu a eles o olhar de "meninos fiquem quietos" e eles se sentaram de volta. Ainda assim, ela estava lutando contra um sorriso quando encontrou Dane na porta. Dane não importava, não realmente. Sua família, sim.

Dane parecia perdido, como um cãozinho abandonado, com aquele olhar que tinha chamado tanto a sua atenção de início.

– Você não respondeu às minhas mensagens.

– Eu estive ocupada.

Dane mal conseguia encarar seus olhos.

– Eu só queria dizer que sinto muito. Você tem sido ótima para mim, e...

Depois da dor, Terra sentiu principalmente espanto. Ele imaginava que poderiam ser amigos novamente, depois de sua zombaria e sessão de amassos com Riven e Beatrix? Ele possivelmente não poderia achar que ela fosse uma tarefa tão simples assim. Se ele achasse... Rapaz, como ele tinha se enganado.

– Eu sei que tenho – ela disse a ele –, porque sou uma boa pessoa, Dane. Eu acho que você também é. Não tenho certeza se ainda quero descobrir isso. Mas aqui vai um conselho. Tenha cuidado em quem você confia.

Ela fechou a porta na cara de Dane. Atrás dela, Sam disse:

– Eu ainda meio que quero socar esse sujeito – ela e seu irmão chato não costumavam compartilhar um sorriso, mas eles riram juntos agora. Terra meio que queria dar um soco em Dane ela mesma.

Água

No que Aisha se meteu? Ela não conseguia se achar no meio da papelada de Callum. Callum não parecia ser um jogador de equipe.

Ela estava fazendo isso por Bloom, mas queria fazer um bom trabalho para a diretora Dowling também. Talvez então ela se sentisse menos bisbilhoteira, menos como se estivesse fazendo algo errado.

A porta se abriu e a rainha entrou. O professor Harvey e o diretor Especialista Silva estavam com ela, mas a rainha Luna era o tipo de pessoa de quem você não conseguia desviar o olhar. Ela tinha muito mais presença do que qualquer foto poderia transmitir. Ela era a pessoa mais magnética que Aisha já tinha visto.

– Rainha Luna, se houver algo de que você precise durante a sua visita... – Aisha ofereceu.

– Tão doce, Aisha. Mas sou muito mais fácil de agradar do que você possa imaginar.

Uau, a rainha sabia o nome de Aisha. A senhorita Dowling entrou naquele momento, caminhando com atitude, como ela sempre fazia. Aisha admirou isso, embora ela não tivesse certeza se admirava a atitude da senhorita Dowling em relação à administração.

– Senhorita Dowling, tenho algumas perguntas sobre este processo de arquivamento, quando você tiver...

– Se você não consegue decifrar, crie um novo sistema.

O tom da senhorita Dowling era afiado. Aisha estremeceu, sentindo como se ela merecesse a reprimenda, embora ela não entendesse por quê. Ela assentiu e a porta se fechou atrás de Dowling e da rainha Luna. Aisha respirou fundo e decidiu se dedicar à sua tarefa.

Quando se virou, ela derrubou uma pilha de arquivos, desfazendo horas de trabalho. Horas de trabalho que ela assumiu para ajudar sua colega de quarto, mas Bloom estava mesmo grata? Aisha queria gritar, então ela fechou a gaveta do armário de arquivo muito forte. Um pedaço de acabamento caiu da parede.

– Perfeito – murmurou Aisha, e se curvou para corrigir o estrago. Só que o pedaço do acabamento não havia caído. Tinha sido cortado para criar um compartimento secreto. Havia um anel de metal dentro do compartimento, não maior que uma moeda, e assim que Aisha estendeu a mão e o tocou, o anel se encheu com eletricidade estática crepitante. Ela o ergueu contra a luz. Nada. Então Aisha o levou ao ouvido.

Instantaneamente a voz da rainha Luna, soando totalmente diferente e muito menos calorosa, rosnou:

– Seu assistente morreu aqui. No seu escritório. Você deve ter ao menos uma teoria sobre o que aconteceu.

Fogo

Eu estava andando pelo pátio, tentando manter minha cabeça baixa, enquanto as outras pessoas não conseguiam disfarçar suas fofocas, quando Aisha correu até mim. Aisha, que normalmente não se agitava, estava passando por momentos difíceis para manter seu tom de voz mais baixo.

– Bloom – ela disse –, você não vai acreditar no que eu encontrei na minha mesa!

Eu fiquei tensa.

– Arquivos?

– Um anel que funciona como um dispositivo de escuta! – Aisha quase gritou –, deve ter sido de Callum. A rainha Luna entrou no escritório, ela se parece com Stella, exceto que era ainda mais intimidante, e derrubei alguns papéis. Eu só queria guardar as coisas. Então encontrei um anel de metal em uma mesa e o peguei e só pude ouvir um pouco de estática. Então coloquei o anel no ouvido. E, juro que é verdade, a voz da rainha Luna em meu ouvido disse: “Seu assistente morreu aqui. No seu escritório. Você deve ter uma teoria sobre o que aconteceu”.

– Espere – eu disse –, Callum não está visitando a família? Callum está morto?

Aisha e eu continuamos caminhando, com Aisha em pleno modo ativo de narração de histórias.

– E Dowling me disse que ele partiu para uma emergência familiar. Então... ah, a senhorita Dowling foi a pior. Eu não podia acreditar que sempre confiei nela. Não conseguia acreditar que eu um dia quisesse acreditar.

– Mentiras. Chocante. Então, algo aconteceu com Callum. O que você fez com a coisa de ouvir?

– Coloquei de volta – Aisha disse.

Encarei minha pobre, doce e inocente colega de quarto.

– Não me diga que você vai apenas colocar de volta e esquecer sobre isso?

– Isso é exatamente o que vou fazer.

Senti que isso estava errado.

– Callum claramente não concordaria. O que você acha que ele estava procurando?

Aisha me lançou um olhar significativo.

– Talvez ele tivesse um amigo que precisava dele para espionar Dowling também? – Eu ignorei o sarcasmo.

– Ou ele descobriu um dos segredos de Dowling e queria saber mais. Callum sempre foi quieto e discreto. Se eu apenas descobrisse algo sobre ele antes que fosse tarde demais.

Talvez ele pudesse ter me ajudado. Ele foi morto no escritório de Dowling. Quem poderia ter feito isso? O único aluno que eu conhecia que ficava se esgueirando no escritório de Dowling era eu, que não era a assassina. Embora, sem dúvida, todos em Alfea estariam prontos para acreditar que eu fosse.

Conforme Aisha e eu caminhávamos, os olhares aumentavam de intensidade e o zumbido da conversa aumentava. Eu abaixei a voz para que outras pessoas não ouvissem Aisha e eu conversando sobre assassinato e espionagem.

– Você tem certeza de que ela não destruiu aqueles registros antigos...

Aisha parecia confusa com esta curva fechada à esquerda no diálogo.

– O quê?

– Os registros de Alfea anteriores a ela – lembrei Aisha –, você não acha que ela os destruiu?

– Você está de brincadeira? Essa mulher adora papel. Eu ofereci digitalizar os arquivos para o sistema do computador, e ela olhou para mim como se eu tivesse duas cabeças. Os registros estão em algum lugar.

Parei de andar. Esse foi o momento que Aisha visivelmente tomou consciência de que um desastre estava para acontecer.

– Bloom – disse Aisha –, a assembleia é obrigatória.

– O que significa que todos estarão distraídos.

– Bloom...

– Eu não estou pedindo que você venha – eu assegurei a ela.

– É uma má ideia!

– Uma má ideia é ir àquela assembleia onde todos irão olhar para mim como se eu fosse uma aberração – fiz uma pausa, tentando organizar meus argumentos –, eu não posso sentar e ouvir as pessoas inventando coisas sobre mim. Especialmente quando nem eu mesma conheço a verdade.

Aisha abriu a boca para protestar mais, e então viu minha expressão. Talvez ela tenha percebido como eu estava falando sério. Ela suspirou.

– Está bem. Você teve uma terrível enxaqueca. Mal conseguiu ficar de pé. Combinadas assim?

Sorri.

Fogo

Tive uma ideia de onde procurar os registros perdidos. Onde melhor do que o lugar onde eles armazenavam a foto de Rosalind, onde eles tinham todos os antigos artefatos de guerra escondidos? Voltei para a Ala Leste abandonada.

Não esperava que a Ala Leste fosse assustadora, mas era um milhão de vezes mais assustadora quando estava vazia de gente festeira e música. Sem as fogueiras acesas, estava escuro ali, e os corredores pareciam mais estreitos e sinuosos. Como um labirinto. Avancei com cautela nas curvas.

Eu me movi em direção a uma porta e tentei a maçaneta, apenas para descobrir que estava destrancada. É um bom lugar para começar. Sorri e abri a porta. Em seguida, uma mão bateu a porta. Eu sacudi para trás, apavorada, e olhei para cima para encarar alguém que não parecia feliz em me ver.

– O que você está fazendo aqui? – perguntou Sky.

Especialista

Riven estava indo para a assembleia da rainha Lunática, quando viu Beatrix deslizando de uma sombra para a outra com o ar de uma mulher em uma missão. Riven deslizou ao lado dela com um sorriso diabólico.

– Para onde nós vamos?

– Olhe-se no espelho, grudento. Assembleia obrigatória é assembleia abandonada.

Por um momento, o bom humor de Riven vacilou. Havia uma expressão estranhamente hostil no rosto de sua namorada, como se ela não o quisesse por perto, ou planejasse fazer algo desagradável para ele, se insistisse em ficar. Ela deu um sorriso sexy.

– Então... você vem ou não?

Ela girou e foi para a Ala Leste, caminhando rápido. Foi uma boa ideia. Eles poderiam ter um pouco de privacidade ali.

"Que mulher!" Riven rapidamente a seguiu.

Mente

Stella sentou-se na primeira fila, longe de suas companheiras da Suíte Winx. Dois guardas solarianos estavam de cada lado dela. Ao olhar para ela, qualquer um pensaria que Stella estava gloriosa finalmente colocada em seu devido lugar como princesa, mas Musa estava sentindo alguma vibração de outra coisa. Ela tentou não dar acesso àquela sensação.

Uma assembleia era um lugar lotado. Deixe alguém entrar em sintonia e ela logo estaria sobrecarregada de emoções. Dowling, Silva e Harvey estavam caminhando entre os alunos, monitorando seu comportamento. Só então todo mundo silenciou quando, da lateral da sala de reuniões, a Rainha Luna se aproximou.

Seus olhos brilharam, e a iluminação mudou para uma luz de um tom que parecia subaquático, um silêncio imediatamente tomou conta da sala. Luna olhou ao redor:

– Isso é um pouco dramático, não é? – a rainha perguntou, parecendo bem-humorada. Seus olhos brilharam novamente, e uma luz quente e suave a iluminou. Ela deu uma batida, dominando o palco com facilidade e graça e desarmou a audiência com um sorriso do tipo "sou apenas igual a vocês".

"Políticos", pensou Musa.

Luna era claramente boa no que fazia, mas Musa não teve que usar seus poderes para não acreditar naquela encenação.

– Aqui estamos nós – declarou a Rainha Luna com satisfação, e então sua voz melodiosa deslizou para o modo de narrativa.

– Sempre tive uma relação de amor e ódio com as assembleias quando eu estava em Alfea. Amava matar as aulas. Odiava levar sermão...

Seu tom mudou para um modo mais sério.

– Mas não estou aqui para dar sermão. Estou aqui para tratá-los como os adultos que são. Para falar sobre os Queimados.

Musa estava sentada com Aisha, Terra e Sam. Terra e Sam pareciam estar se dando muito bem hoje, o que Musa achou encorajador. Menos encorajadora era a febre real por toda parte.

– Ainda não consigo acreditar que ela é a mãe de Stella – Aisha cochichou.

– Eu entendi direito? – Terra cochichou de volta.

– Fada extremamente poderosa. Ego zero. Objetivos de chefe. Aposto que deixa Stella louca.

Ao lado deles, Musa estava apenas meio prestando atenção no fã-clube. Ela estava lendo uma mensagem de Sam que dizia: "Estou começando a pensar que você realmente está metida em toda essa coisa de espionagem".

A Rainha Luna continuou sua palestra de desgraça e tristeza.

– Há anos que o último foi avistado, mas recentemente, como todos sabem, dois foram mortos.

Sam encostou a perna na de Musa. Ela lutou contra um sorriso, e deixou o braço dela roçar no dele. Ela o pegou sorrindo também.

– Musa – disse Terra. Musa saiu de seu torpor hormonal e percebeu que Terra estava olhando para ela.

– O quê? – O coração de Musa disparou. Será que Terra tinha visto o que estava acontecendo? Então...

– O que Stella está passando nesse momento? Ela está muito triste, não está?

Musa deu um suspiro de alívio. Ela faria o que Terra quisesse, desde que não suspeitasse. Ela reuniu seu poder, perseguindo a sugestão de estranheza no humor de Stella...

– Por favor, espere – ela murmurou para Terra.

– Cada soberano deste reino carregou a responsabilidade de defender nossa terra dessas criaturas. Esse dever agora é meu – entoou a rainha Luna.

Mas enquanto a magia de Musa funcionava, Dowling passou perto da cadeira de Stella e atraiu a atenção de Musa para si. As palavras brotaram da boca de Musa.

– Que diabos! – ela observou cuidadosamente enquanto Dowling caminhava ao redor da sala. Parecia que Dowling estava garantindo que seus alunos estavam prestando atenção. Mas havia um objeto escondido na sua mão, um cilindro de vidro de algum tipo.

Musa leu o que Dowling estava sentindo. Suspeita? Mas de quem? De repente tensa, Musa murmurou para os outros:

– Essa assembleia não é apenas sobre os Queimados. Alguma coisa a mais está em jogo.

Fogo

Sky silenciosamente percorreu o tesouro de retratos de Rosalind comigo. Ele não tinha falado muito desde que eu expliquei o que estava fazendo.

– Se você for me julgar – eu disse a ele –, por favor, junte-se ao resto dos estudantes e fofoque pelas minhas costas.

– Ninguém está julgando você – Sky falou gentilmente.

– Não sabia que você era cego. E surdo. Você deveria passar por um médico para ver isso – zombei.

Sky sorriu, no que parecia ser um reflexo. Como se ele estivesse irremediavelmente encantado por mim. Encantado com a Trocada. E isso lhe rendeu um reconhecimento. Se houvesse alguém em quem eu pudesse confiar de verdade, era Sky.

– Tentei muito ser legal. Deixar as pessoas sussurrarem quando eu passava e não gritar a toda hora que eles são uns idiotas – fiz uma pausa –, mas a verdade? É uma merda. Muito mesmo.

– As pessoas são umas idiotas, Bloom. Então, talvez você devesse mesmo gritar com elas.

Sua sinceridade quase fez meu coração doer, como se houvesse um ímã em meu peito querendo me atrair para o dele. Eu dei um passo à frente, me aproximando. Até que Sky deu um passo se afastando. Senti a perda de sua proximidade em meu peito também.

– Não sabia que isso existia – disse Sky.

Eu olhei para a foto. Rosalind estava bem no centro, uma general majestosa em seu comando total. Ela estava ladeada por uma Dowling mais nova, Silva, o pai de Terra, o professor Harvey, e um homem bonito com olhos que me lembravam os de Sky.

– Este é o seu pai?

Quando Sky acenou com a cabeça, perguntei ansiosamente:

– Ele conhecia Rosalind?

– Eu sabia que seu comandante era uma mulher, mas não estou certo de que já tenha ouvido o nome dela. Porque Dowling suprimiu qualquer conversa sobre Rosalind.

Balancei a cabeça e encarei a imagem por um tempo maior. Rosalind e o pai de Sky tinham os olhares mais intensos do que os de qualquer pessoa naquela foto. Eles pareciam formar um time poderoso apenas os dois.

– Você se parece muito com ele.

Sky imitou a voz de Silva:

– E agindo como ele, talvez um dia, se trabalhar duro o suficiente, poderá ser um guerreiro tão bom quanto ele foi - e encerrou a encenação.

– Desculpe. São só reflexões.

– É uma sensação estranha, como se todo mundo conhecesse mais seu pai do que você.

– Provavelmente não tão estranho quanto não saber nada de quem ele foi.

A voz de Sky era suave.

– Este lugar, Alfea, tem sido minha casa por toda a minha vida. Não consigo imaginar o que você está passando, Bloom. Como tudo isso deve parecer impossível.

Eu podia sentir sua compreensão e precisava dela. Então, mais do que eu deveria. Mais uma vez eu senti aquele puxão no meu peito, querendo estar perto dele. Não fazer nada de errado, mas me apoiar nele. Compartilhar forças, compartilhar entendimento. Compartilhar calor.

– Parece que não somos os únicos a fazer bobagem – murmurou Beatrix.

Sky e eu erguemos os olhos rapidamente. Beatrix e Riven estavam parados ali, presunçosos como gatos que acabaram de encontrar um viveiro cheio de canários.

Água

– Dowling está ansiosa – Musa murmurou para o grupo.

– Quero dizer – disse Aisha –, o assistente dela morreu.

Aisha também estava preocupada. Não era hora de ser irresponsável, no entanto ela deixou Bloom fugir novamente. Dowling estava confiando em Aisha, deixando-a atuar como sua secretária. E Aisha não era digna dessa confiança.

– Mas Silva está em alerta máximo também. Como se pudesse haver uma ameaça em algum lugar. E…

Musa parou. E Terra olhou para ela, tentando adivinhar o porquê.

– E meu pai?

– Ele está com medo. Tipo, superassustado.

Terra olhou para seu pai com respeito. Então os olhos dela escorregaram para Dowling, e o cilindro de vidro em sua mão. Terra não era boba. Ela estava claramente juntando algumas pistas.

– Ele estava fazendo algo mais cedo – ela disse lentamente –, com as pedras que eles usam para fabricar o Vaso. Elas podem rastrear a magia. E agora a senhorita Dowling tinha...

A voz da Rainha Luna cortou todas as outras vozes, o anúncio tocando pela sala como um sino.

– Estamos rastreando pelo menos cinco Queimados no entorno de Solaria. A ameaça é séria. E crescente.

Um ecoar de vozes percorreu a multidão. Os alunos estavam de repente lidando com a gravidade da situação. Aisha se perguntou se algum deles sentia como ela. Alguma parte dela vinha pensando em Alfea como um jogo no qual ela poderia se destacar, mas aquilo não era um jogo, de forma alguma. A rainha Luna continuou:

– Há um conflito no horizonte. No passado, Alfea foi o principal campo de treinamento para as fadas e para os Especialistas que lutaram contra os Queimados. Parece que será novamente. É hora de todos vocês prestarem muita atenção.

Especialista

"Isso era muito bom", Riven pensou. Ele e sua garota, seu melhor amigo e a amiga do seu melhor amigo... é complicado ser amigo de uma Trocada.

Eles estavam rondando pela Ala Leste em busca de aventura. Eles estavam cometendo um delito, embora Riven não tivesse realmente descoberto qual crime eles fariam ainda. Foi bom ver o Sky matando a assembleia e pirando um pouco também.

Riven e Beatrix estavam provocando Bloom e Sky sobre sua relação ilícita, mas pura. Riven estava feliz.

– Ah. Um caso emocional – Beatrix zombou dos definitivamente ainda não amantes sobre seu relacionamento.

– Isso é na verdade muito pior.

O rosto de Sky escureceu. Isso claramente tocava em um ponto sensível. Riven não queria que sua diversão fosse arruinada; então, antes que Sky pudesse reagir, Riven abriu uma porta do outro lado da sala. Um cadeado pesado sacudiu. O som chamou a atenção de Beatrix.

– Hummm, adoro uma porta trancada.

Riven vivia para entreter.

– O que será que tem atrás dela? – Riven perguntou. Como eles estavam invadindo, eles deveriam fazer um bom trabalho nisso.

– Não sei – disse Sky, sério. – Silva é o único que tem as chaves.

Bloom caminhou lentamente até a porta, parecendo intrigada. "Viu, sem ressentimentos sobre a fofoca dos Trocados." Riven estava ajudando com seu crime.

– Então, como vamos entrar? – perguntou Bloom.

– Nós não vamos – disse Sky.

Estraga-prazeres. Bloom também achou isso.

– E se houver mais coisas ali dentro? Essa é a razão pela qual eu vim até aqui e...

– Vou perguntar a Silva da próxima vez que o vir.

Sky estava tentando encerrar a conversa, mas Bloom teimosamente espiou pela porta. Estava se tornando uma batalha de vontades. "Sky", Riven refletiu, "realmente não conhecia as ruivas."

– Sky! – disse Bloom.

– Quanto mais você diz não, mais ela quer. Desista! – rosnou Riven.

– Será que precisamos conversar sobre consentimentos? – provocou Beatrix.

Eles precisavam conversar sobre duplo sentido? Porque Riven se recusou a desistir deles. Bloom se virou para enfrentar Beatrix e Riven.

– O que vocês dois estão fazendo aqui mesmo? – ela cobrou.

– Uau. Eles estavam apenas ajudando! Sky foi quem entrou no caminho.

– Estamos ao seu lado – respondeu Beatrix. O que era verdade: a namorada de Riven estava totalmente certa!

– Não preciso da ajuda de pessoas que postam vídeos zombando dos meus amigos.

Riven estremeceu internamente, mas se recusou a deixar isso transparecer.

– Olha, eu sei que o vídeo foi além, mas eu não disse nada sobre Terra. Eu fui só uma espectadora – Beatrix fez uma pausa, uma longa e refletida pausa. – Se você vai ficar brava com um de nós, pense sobre o idiota que está dizendo a todos que você é uma Trocada.

Sky e Bloom congelaram no meio do caminho. Ambos olharam para Riven. E de repente, Riven não se sentiu quente, ou incluído, ou de qualquer modo feliz.

– Não exatamente do jeito que eu pensei que você me ferraria hoje, Bea – disse ele com a voz gélida. Ele saiu furioso, recusando-se a ouvir o que o santo Sky tinha a dizer sobre a situação.

Ele não suportava ouvir mais nenhuma palavra de Beatrix. Ele não podia suportar a decepção no rosto de Sky. Ele não sabia se Sky tinha qualquer expectativa em relação a ele. Ele caminhou para o terreno, correndo sob o céu aberto, querendo nada além de fugir.

– É isso mesmo, você está fugindo de mim? – Sky cobrou. Riven respondeu à provocação. Ele se virou.

– Está bem. Estou pronto para ouvir que idiota eu sou.

– Você é – disse Sky sem rodeios, e Riven conteve sua reação instintiva. – Quero dizer, você sempre foi um. Mas desde então...

Sky hesitou. Claramente, o santo Sky estava preocupado com prejudicar os delicados sentimentos de Riven, embora Riven fosse horrível e Sky aparentemente sempre pensasse isso dele.

– Desde então o quê? – Riven criou coragem. – Mal posso esperar para ouvir.

– Certo, tudo bem. Você elevou seu jogo a novos níveis desde que começou a transar com Beatrix!

– Você nem faz ideia – Riven brincou.

Sky não pareceu divertido com a piada. E o que eles tinham ainda em comum, se Riven não estava fazendo Sky rir? Riven sabia que essa era a única razão pela qual Sky o manteve por perto.

– Leve algo a sério – disse Sky. Riven encontrou seus olhos.

– Eu estou – ele disse furiosamente –, eu gosto da Beatrix. E ela é a primeira pessoa nesta maldita escola que gosta de mim como eu sou.

Para Beatrix, ele não era um projeto, como era para o santo Sky. Não… o que quer que ele tenha sido para Terra. Não apenas um crush por um gatinho, como ele era para Dane. Beatrix havia escolhido Riven. Ela ia longe demais às vezes. Ele também. Estava tudo bem. Ela não tinha intenção disso. Riven entendeu. Eles tinham um ao outro.

– E o que isso me torna? – Sky disse baixinho.

– O cara que sempre pensa que é melhor do que eu! – Riven esperou que Sky negasse e soube que ele não o faria.

– E por que você joga isso tudo na minha cara? Você tem uma namorada. Talvez pare de assediar essa caloura enquanto você tem a princesa pendurada em você…

– Não é isso que está acontecendo! – Sky falou. Riven não queria machucar Sky. Mas ele o faria, porque ele era horrível. Porque ele estava cansado de tudo ser horrível quando ele fazia esse tipo de coisa, e perfeito quando era Sky.

– Tem certeza? – perguntou Riven. – Porque talvez seja isso o que todo mundo enxerga. Stella inclusive. Que, honestamente, talvez por isso que ela tenha me dito que Bloom era uma Trocada antes que todos soubessem.

Mente

Musa sabia que Terra estava preocupada com seu pai, e Dowling, e tudo o que estava acontecendo com eles. Ela também estava preocupada, mas tudo desapareceu quando Sam a beijou.

– Eu quero fazer isso em público –, disse Sam suavemente, beijando-a novamente. Ela adorou, mas o afastou.

– E eu gosto que tenhamos algo que é só nosso. Não é somente por causa de Terra. Se a escola inteira souber que estamos juntos, terei que sentir a reação de todos a isso. Boa ou ruim, positiva ou negativa.

Sam suspirou.

– Eu sei que você irá senti-los, mas você tem que se preocupar com o que eles pensam?

– Eu gostaria que fosse assim tão simples.

Musa gostaria de poder explicar como foi para ela, como cada pensamento sobre ela era como uma onda que poderia carregá-la para longe, ou afundá-la. Ela não sabia como.

Pela maneira como Sam estava olhando para ela, parecia que ele entendia como era difícil para ela se expressar.

– Sem ofensa, mas parece que ser um empata... tipo é uma merda.

– Namorar um empata não parece um passeio no parque, também.

Musa queria que fosse uma piada, mas saiu parecendo que era bem real. Sam disse suavemente:

– Vale a pena.

Ele dizia isso agora, mas Musa sabia que um dia ele ficaria chateado com ela. Terra ficaria com raiva dela. Quando as pessoas pensavam que você era alguém que sabia de tudo, elas esperavam que você contasse tudo para elas. Mas agora ela queria guardar isso para si mesma...

Fogo

Tentei a porta trancada novamente enquanto Beatrix preguiçosamente examinava as fotos que peguei de Rosalind.

– Então – disse Beatrix –, Rosalind. Deixe-me adivinhar. Você acha que foi ela quem trocou você no Primeiro Mundo.

Não respondi. Beatrix continuou a estudar as fotos.

– Ela parece tão feroz – comentou Beatrix.

Isso me deu um tempo para pensar e em seguida dizer, com cautela:

– Na festa você me disse que não sabia quem era ela.

Beatrix encolheu os ombros.

– Você foi cautelosa sobre o porquê, então eu fui cautelosa sobre o quem.

– Não importa, de qualquer maneira. Tudo o que encontrei são becos sem saída. Exceto isto. Parei, frustrada, em frente à porta trancada.

– Então vamos entrar – sugeriu Beatrix.

– Está trancada – apontei.

– E você é uma Fada do Fogo. Eu vi você na aula, Bloom. Eu sei que você é poderosa. Acho que minha pergunta é, quanto poderosa?

Tão poderosa quanto eu precisasse ser. Eu encontrei os olhos escuros de Beatrix.

– Se eu quisesse, poderia passar por essa porta. Poderia colocar fogo em toda a escola no processo, mas a energia não é o meu principal problema.

Beatrix ronronou:

– É bom saber.

Meu telefone vibrou com uma mensagem de Sky que dizia: "Você ainda está por aqui?".

Considerei a porta, e então considerei a mensagem.

– Só não quero colocar Sky em uma situação difícil.

– Mas você quer respostas...

O que o tom de Beatrix insinuou foi: o que você mais deseja, Sky ou respostas? Mas é claro, eu queria respostas. E eu não poderia querer Sky.

Tomei uma decisão. Eu mandei uma mensagem de volta: "Não. Drama da suíte. Bate-papo fica para depois". Quando terminei, olhei para cima.

– Acha que posso fritar as dobradiças? – O rosto de Beatrix dizia que ela tinha ficado um pouco impressionada com a sugestão. Mas, então, ela ergueu a fechadura. Não estava mais na porta.

– Ou eu poderia simplesmente abrir a fechadura.

Isso não tinha me ocorrido. Achei que não operava no mesmo avião de menina má que Beatrix, mas pensei que poderia acompanhá-la.

– Assim isso fica muito mais limpo – eu admiti. Entramos juntos pela porta.

Luz

Um feixe de luz branca fluía das mãos de Stella enquanto ela estava no escritório da diretora. Ela praticou isso com Dowling uma centena de vezes, mas agora ela tinha sua mãe observando. O rosto da rainha Luna estava impenetrável. Dowling perguntou:

– O que você quer que a luz faça?

Stella reuniu toda a sua determinação e magia. Então esse feixe único se separou em sete fios de luz branca.

– Lembre-se de sua intenção – disse Dowling –, você tem controle sobre a luz. Ela não controla você.

Stella moveu a mão, dobrando os sete fios. O resultado foi o mesmo que passar a luz por um prisma. Os feixes formavam um arco-íris perfeitamente colorido.

– Muito bem-feito – disse Dowling em sua voz grave. Stella se sentia como se estivesse brilhando, mesmo quando a luz desapareceu. Até que sua mãe disse:

– Por favor, me diga que isso foi uma piada.

A rainha Luna olhou para Dowling friamente:

– Você a instruiu a fazer um arco-íris. Para exibir seus poderes.

Esta era a voz e o rosto doméstico de sua mãe, muito diferente do que ela exibia em público durante o dia todo. Stella queria se encolher e desaparecer. Dowling disse com firmeza:

– Discutimos isso no final do último bimestre. Reabilitar a magia é um processo.

– Não mandei minha filha de volta para Alfea para um processo. Eu a mandei de volta porque você prometeu consertá-la após o incidente com Ricki – a rainha retrucou:

A menção do nome de Ricki. Do jeito que sua mãe estava falando sobre Stella como se ela fosse um brinquedo quebrado. Ambos foram golpes diretos em Stella, mas ela se esforçou para não agir como se tivesse sentido a dor. Dowling disse, com um fio de aço na voz:

– Um incidente que ocorreu porque seu treinamento anterior focava exclusivamente em resultados.

A mãe de Stella olhou para Dowling com altivez real glacial. Dowling olhou para Stella, e seu tom mudou de volta para totalmente natural.

– Quando ela estiver pronta, passaremos para a magia mais forte. Isso vai demorar.

– Devo recitar a lista de ameaças que enfrentamos enquanto você leva tempo? – a rainha Luna exigiu.

– Mãe... – Stella sussurrou. Os olhos da rainha Luna dispararam contra Stella. Ela não alterou o tom de voz, enquanto dizia a Stella:

– Não fale enquanto eu estiver falando.

Ela voltou sua atenção de volta para Dowling.

– Solaria é o reino mais forte do Outro Mundo. Ela é sua herdeira, uma extensão dessa força.

Stella não queria discutir, mas ela estava lutando por sua vida.

– Mas o que ela está fazendo está funcionando. Meu poder aumentou bastante...

A rainha Luna disse, em um tom mais áspero:

– Não fale enquanto estou falando!

Stella se lembrou do que tinha feito na clareira, para proteger Bloom. Ela estava orgulhosa disso. Ela poderia tirar coragem daquele episódio.

– Ceguei um Queimado – anunciou ela.

– E fez isso com precisão e habilidade, devo ressaltar – Dowling disse.

– E você acha que isso é poder? – a mãe de Stella perguntou.

Os olhos da rainha ficaram repentinamente amarelos e abrasadores. A luz parecia capturar a sala, e sua mãe desapareceu. Stella se virou para ver que Dowling havia desaparecido também. A respiração de Stella ficou apertada. Ela fechou os olhos. Quando ela os abriu, ela não estava mais no escritório, ela estava agora na escuridão. Sozinha. Sentindo-se tão pequena e assustada como era quando criança.

Ela sabia que não era real, mas ainda assim estava apavorada. Ela falou muito baixinho. Implorando.

– Por favor, pare.

Ela fechou os olhos com força. De repente, felizmente, ela estava de volta ao escritório da diretora, onde se sentiu segura. Sua mãe parou bem na frente de Stella. Ela não era mais uma criatura feita de luz do sol. Ela era um ser de gelo e fogo, estonteante e terrivelmente frio.

– Quando você controla a luz – disse a rainha Luna –, você controla o que as pessoas veem. E apesar do que qualquer pessoa diz ser importante nesta vida, as aparências são tudo.

Stella não conseguia parar de tremer. A mãe dela chicoteava ao redor e mudou seu foco para Dowling.

– Você sabe disso melhor do que ninguém, Farah. Especialmente dados meus esforços para ajudá-la a manter as aparências.

– Sim, nós duas fizemos muito para preservar a reputação da cidade de Solaria – admitiu Dowling. Stella não tinha ideia do que isso significava, mas ela poderia dizer que havia mais entre sua mãe e a diretora do que ela jamais havia percebido. Talvez Dowling não estivesse do lado dela. Talvez as duas estivessem contra ela.

– Stella – disse Dowling secamente –, você fez um excelente trabalho. Você está dispensada.

Stella tropeçou sobre Aisha quando ela saiu. Aisha estava tateando em sua mesa em busca de algo. Stella só podia esperar que Aisha não perceberia como ela estava abalada.

Terra

Terra pegou seu pai xingando o cilindro de vidro cheio de Pedras de Vaso na estufa.

– Algo deu errado com o seu projeto? Eu posso ajudar – ela ofereceu instantaneamente. – Apenas…

– Essa não é uma boa hora – seu pai retrucou. Terra recuou. Seu pai nunca havia falado com ela assim, e ela viu o arrependimento em seu rosto imediatamente.

– Sinto muito, amor – disse o pai dela, usando a sua voz de "você é minha garotinha" –, mas estou bem. Obrigado mesmo assim.

Ela não se sentiu nada segura.

– Se houvesse algo acontecendo, você me diria, não é? – Terra perguntou desesperadamente.

– Claro que sim – seu pai disse. Ela olhou para ele, tentando esconder seu coração partido.

Então ela correu de volta o mais rápido que pôde para a Suíte Winx, onde encontrou Aisha e Musa. Ela disse a elas:

– Ele mentiu na minha cara. Por que estão todos mentindo para nós?

– Talvez eles precisem.

Aisha parecia perturbada, como se soubesse de algo que eles não sabiam.

– Ela parece meio cheia de segredos. – Musa lançou um olhar particularmente penetrante para Aisha.

Aisha continuou:

– O que quer que esteja acontecendo, tenho certeza de que eles pensam que o que estão fazendo é o certo.

Musa disse, muito séria:

– Eles sempre fazem isso.

– Então diga "Eu não posso te dizer, Terra". Não minta para mim!

Terra estava a ponto de torcer as mãos. Musa desviou o olhar, como se estivesse se sentindo mal por algum motivo. Aisha, como de costume, tentava resolver o problema.

– Ele fez para a senhorita Dowling uma mistura com Pedras de Vaso, certo? E o objetivo dessas pedras é ler magia, que é o que eles estavam fazendo na assembleia.

Todos se entreolharam. Fazendo os cálculos. Aisha continuou:

– Então, o cadáver. Adultos preocupados...

– E se eles pensam que uma fada matou Callum? – Musa perguntou. Aisha disse:

– Uma fada que estaria naquela assembleia. Os professores estavam procurando no corpo discente por um suspeito de assassinato.

– Eles ainda estavam nervosos depois – disse Musa, e Terra acenou com a cabeça, lembrando de seu pai brincando com o cilindro na estufa.

– Então eles claramente não o encontraram.

A porta se abriu e Sky entrou na sala, interrompendo totalmente o trabalho de detetive.

– Bloom está aqui?

Aisha ignorou a pergunta dele e lançou uma dela:

– Silva te contou algo? Sobre o que estava acontecendo hoje? Ele deve ter dito algo.

Sky franziu a testa.

– É este o drama da suíte de que Bloom estava falando?

– Hã? – disse Musa –, não há nenhum drama na suíte.

Sky franziu a testa.

– Ok, estou tão perdido agora...

Terra sabia como era estar perdido. Além disso, ela estava farta de segredos, e ela confiava em Sky. Se ele era bom para Riven, ele seria bom para qualquer um. Então ela falou.

– O assistente de Dowling morreu e o corpo docente pensa que uma fada fez isso, e eles estavam usando a assembleia para encontrar a tal fada, mas eles não o fizeram porque ele ou ela claramente não estava lá, e agora não acreditamos nem confiamos literalmente em ninguém...

Sky pragucjou.

– Beatrix.

Por um momento, Terra ficou simplesmente confusa. Sky tinha vindo aqui procurando por Bloom. O que a namorada nerd legal de Riven tinha a ver com Bloom?

Fogo

Dentro da sala não mais trancada, havia mapas espalhados por toda parte. Relíquias militares repousavam nos cantos. Havia caixas de arquivos. E pousada sobre tudo a poeira de uma sala que não era aberta havia anos.

No centro do chão havia um círculo coberto com areia, que era muito estranho.

– Eu sabia que Alfea tinha um passado militar, mas ainda é uma escola. Esse lugar? É como uma... sala de guerra, – eu disse, perturbada.

Beatrix fez alguma coisa, eu não tinha certeza do quê. De repente, a textura da areia parecia mudar, fluindo em linhas e círculos. Eu olhei para baixo para ver um grande mapa do Outro Mundo formando no centro da sala.

– Não é como uma sala de guerra. É uma sala de guerra. Um lugar onde pessoas poderosas e obscuras decidem quem vive e quem morre.

Não sabia o que fazer com isso, então fui para os arquivos. O que eu precisava era de evidências sólidas. Beatrix apenas ficou olhando enquanto eu vasculhava as caixas. Logo eu tinha papéis dispostos em cima dos armários. Eu estava montando uma linha do tempo.

– Parece que Rosalind mal estava na escola em 2004.

– Ah, não diga? – falou Beatrix. – Ela estava liderando a cruzada contra os Queimados.

– Eu preciso descobrir onde ela estava em dezembro. Isso é quando eu nasci.

Isso pareceu interessar a Beatrix, embora eu não tivesse ideia porque a data de meu nascimento era motivo de preocupação para ela. Eu estava mais ocupada por uma descoberta que acabei de fazer entre as caixas.

– Eu acho que este pode ser o diário de Rosalind daquele ano.

Meu telefone vibrou novamente. Então de novo. E de novo.

– Isso é um tanto chato – comentou Beatrix. Peguei meu telefone, olhando para as mensagens. Realmente não as vendo.

– O fio interminável do grupo da suíte. Eu cuido disso mais tarde.

Eu coloquei meu telefone na mesa e trouxe o diário para uma das prateleiras. Tentando juntar as peças. O olhar de Beatrix não deixou meu telefone quando ele zumbiu novamente. Devia estar irritando-a. Tentei fazer com que ela se concentrasse nas coisas importantes.

– Parece que Rosalind estava em um lugar chamado Aster Dell.

Beatrix se aproximou do meu telefone. Daí em diante, ele parou de zumbir inteiramente. Isso foi ótimo. E eu continuei, animada:

– E se meus pais biológicos não fossem alunos? E se eles forem deste tal lugar Aster Dell?

Beatrix olhou para mim em um tom agradável.

– Você disse Aster Dell?

– Sim. Você pode fazer aquele mapa funcionar de novo? Pode ser que eu possa encontrar.

Um sorriso apareceu no rosto de Beatrix.

– Não tem necessidade. Eu na verdade sei onde fica. Quer ir?

Eu queria respostas, mas de repente quando me ofereceram essas respostas, eu me senti tonta.

– O quê? Agora?

– Fica a algumas horas daqui – provocou Beatrix. Hesitei, sem saber como responder. Beatrix insistiu:

– Você abandonou a assembleia, mentiu para a Sky, e invadiu uma sala de guerra secreta. Agora você vai desistir?

Ela tinha razão. Mas eu não podia deixar de imaginar como Aisha ficaria horrorizada se soubesse o que eu estava fazendo. Então talvez eu não devesse fazer isso.

– Estou dizendo que está ficando tarde, e talvez eu não queira deixar a escola com alguém que mal conheço.

– Você sabe que te ajudei a ir mais longe do que ninguém até agora. E que também estou abandonando a escola com alguém que mal conheço.

Outro bom ponto, bem colocado. Mas ainda assim, eu confiava em Aisha mais do que em Beatrix, e a voz de Aisha na minha cabeça dizia não. A voz de Beatrix, em bom som, ficou suave e insinuante:

– Mas talvez a senhorita Dowling vá arrancar suas tripas agora que você encontrou o quarto que ela mantém trancado à chave. Para prevenir que as pessoas saibam de certas coisas.

Eu conhecia a senhorita Dowling muito bem agora. Ela iria manter seus segredos. Ela nunca me diria nada. Eu respirei fundo e dei um salto de boa-fé.

– Como vamos conseguir chegar até lá?

Especialista

Riven estava deitado em sua cama, zapeando seu telefone, quando Sky invadiu exigindo saber onde Beatrix estava. Riven não conseguia acreditar na atitude de Sky.

"O que, Sky queria as três mulheres agora?"

– Beatrix não está cirurgicamente ligada a mim. Então a resposta é, eu não sei. Por que você precisa dela?

– Estou procurando Bloom! – Sky disse. Muito alto, meu Deus.

Vamos, Sky, Riven queria viver. Riven tentou sinalizar para Sky calar a boca com as sobrancelhas e com toda a força de sua mente, mas Sky não viu as dicas completamente e continuou seu discurso suicida.

– Ninguém mais ouviu falar dela, e Beatrix foi a última pessoa que eu sei que estava com ela...

A porta do banheiro se abriu e Stella saiu. Riven tentou sinalizar para Sky que ela estava ouvindo! Stella era uma torre de fúria loira.

– É sério isso? Eu te mandei algo como umas vinte mensagens, e você está correndo procurando por Bloom?

Parecia que era hora de cegar outra colega de quarto!

– Sim, divirtam-se com isso – anunciou Riven.

Riven lançou a Sky um olhar de "eu te avisei" enquanto ele se levantou e saiu da sala, fechando a porta no drama dos dois. Ele tinha sua própria namorada para encontrar.

Terra

Terra marchou com Aisha e Musa até o escritório da diretora, onde enfrentariam Dowling e o pai de Terra. Aisha, a sensata, explicou suas suspeitas sobre Beatrix, e como ela esteve sozinha com Bloom na Ala Leste. Terra não conseguia acreditar que Dowling estava realmente tentando manter sua superioridade.

– E por que Bloom estava ali?

– Isso é o mais importante para você? – Musa perguntou.

– O que importa é que Beatrix não estava na assembleia – Aisha disse, com força silenciosa. Dowling e Harvey trocaram um olhar, ainda mantendo a boca fechada. Terra não conseguiu se controlar por mais um momento. Todo mundo tinha que parar com os segredos, ou alguém iria acabar se machucando.

– Meu Deus. Nós sabemos! Que alguém matou Callum. E que foi uma fada. E sabemos que você estava usando a assembleia para descobrir quem foi. Então você pode simplesmente parar com essa merda?

O pai dela começou:

– Terra, não!

– Não venha tentar me calar. E se algo acontecer a Bloom porque você escondeu isso de nós...

Musa estendeu a mão e pousou-a suavemente no braço de Terra. Ah, isso foi tão bom. Certo, elas eram o Winx Club, e iriam ficar juntas e resolver isso. Terra acenou com a cabeça para a sua doce colega de quarto e se controlou.

– Não temos notícias de Bloom há horas. E ninguém viu Beatrix – disse Aisha com urgência.

Eles foram interrompidos pelo senhor Silva entrando pela porta, quase vibrando com o que era obviamente uma notícia vital. Ele se controlou, lançando para o Winx Club um olhar duvidoso.

Terra se sentiu prestes a explodir de indignação novamente. Nada de esconder mais coisas delas! Mas Dowling concordou.

– Eles sabem.

– Um dos guardas da Rainha estava desacordado. Seu SUV desapareceu – Silva disse secamente

Terra trocou olhares com os outros, de repente apavorada. Beatrix estava desmaiando guardas e roubando SUVs? Para onde ela teria ido? Para onde ela estava levando Bloom? De repente, Terra não tinha tanta certeza de que ela e suas companheiras de quarto poderiam lidar com isso. Ela se sentia como uma criança assustada, querendo ouvir que tudo ficaria bem. Mas não se isso fosse mentira.

– Nós a encontraremos – disse Dowling, e Terra agarrou-se ao som autoritário de sua voz.

– Eu prometo.

Luz

Stella atravessou a sala em direção a Sky.

– Eu preciso de você.

Pela primeira vez, as palavras não pareciam ter nenhum efeito em Sky. Ele olhou para ela como se não a conhecesse e seus problemas não fossem da conta dele.

– Bloom sumiu – disse ele, como se isso fosse a coisa mais importante no mundo.

– Eu não sei se ela está em perigo ou apenas se escondendo, mas seja o que for, provavelmente pode ter tido origem no fato de que todos estão sabendo que ela é uma Trocada. Graças a você.

A culpa a atingiu e Stella ficou sem palavras. Ela não tinha ideia do que dizer, porque não havia uma boa desculpa pelo que ela fez, e Sky claramente não aceitaria uma qualquer. Ele sempre foi o protetor, mas agora ele não estava mais protegendo. Ele a via como alguém de quem os outros precisavam ser protegidos. Se todos pensavam nela dessa forma, até mesmo Sky, talvez eles estivessem certos.

Finalmente, Stella vacilou.

– Eu não queria machucá-la...

Sky a interrompeu.

– Você me diz que não quer ser como sua mãe. Mas tudo que eu vejo é alguém que trata as outras pessoas exatamente como Luna trata você.

Foi como um tapa na cara. Mas Sky não tinha terminado.

– Estou farto disso, Stel – anunciou ele –, completamente farto. Adeus.

Sky foi até a porta. Ela ficou pensando que ele iria se virar e ver como ela estava chateada, ceder e colocar seus braços em torno dela, como ele sempre fez de outras vezes. Mas ele saiu, deixando Stella totalmente sozinha.

Fogo

Quando paramos no penhasco, eu ainda estava me perguntando onde Beatrix tinha conseguido aquele SUV. Talvez ela tenha falado docemente com alguém que a deixou pegá-lo emprestado.

Minha dúvida foi interrompida quando saí do carro e olhei ao redor para o espaço aberto.

– Aster Dell é uma cidade, certo? Tem certeza de que este é o lugar correto?

– Tenho certeza – Beatrix disse.

Caminhamos alguns passos, que foi quando toda a paisagem se revelou. Estávamos no topo de uma montanha íngreme, com tojo amarelo no granito e os campos tão afastados de nós que eles pareciam confusos, como uma névoa verde. Eu estava momentaneamente atordoada, mas sabia que tinha que continuar investigando. Eu precisava ter uma noção de onde estava.

Será que nasci aqui? Beatrix subiu até o pico, assumindo uma posição acima de mim.

– Como uma cidade pode ser marcada em um mapa ao lado de uma montanha? – perguntei.

Enquanto eu continuava vagando, pisei em algo que rachou no chão. Eu olhei para baixo. Então me ajoelhei para ter uma melhor visão do que era. Era a parte de um crânio.

Meu estômago embrulhou, doente, quando de repente percebi que algo mais estava acontecendo ali.

– Que diabos é este lugar?

Acima de mim, os olhos de Beatrix brilhavam cinza. E Beatrix fechou as mãos em punho ao lado do corpo. Invocando sua magia. Eu vi a eletricidade crepitando nas mãos de Beatrix. Seus olhos estavam cada vez mais brilhantes. E devagar, Beatrix levantou as mãos ao lado do corpo. Invocando uma tempestade.

– O que você está fazendo?

– Você não é a única fada poderosa em Alfea.

Alarmada, convoquei fios de fogo de minhas mãos. Mas era tarde demais. Beatrix levantou ambas as mãos, e das nuvens um raio caiu. Diretamente sobre mim. O mundo ficou branco e brilhante.

Pensei que aquele branco seria a última coisa que eu iria ver, mas o brilho dissipou como neblina. Beatrix disse:

– Bem-vinda a Aster Dell.

Eu me virei, atordoada. Onde havia apenas uma montanha vazia, havia agora um assentamento em ruínas. Em todo lugar em que eu olhasse havia paredes desmoronadas ou telhados afundados, destruídos por alguma força implacável. Beatrix continuou:

– Era um lugar lindo. Cheio de pessoas tentando viver suas vidas. Até que em um inverno, Queimados cercaram o assentamento. E uma unidade militar de Alfea decidiu que destruir as criaturas era mais importante do que a vida das pessoas inocentes daqui.

Cambaleei alguns passos em direção às ruínas.

– Isso não é real. Você está fazendo isso acontecer de alguma forma.

– Estou simplesmente perfurando o véu mágico que a rainha Luna colocou para esconder a atrocidade que aconteceu aqui. Pense nisso: o líder de nosso reino tentando apagar um crime de guerra.

Beatrix olhou para mim e vi mais sinceridade do que eu poderia ter imaginado que fosse possível naquele rosto. Beatrix caminhou até mim e olhou para Aster Dell.

– Nasci aqui. E minha família morreu aqui. Em 10 de dezembro de 2004. Dois dias antes do seu aniversário no Primeiro Mundo.

Percebi agora por que ela se importava com minha data de nascimento.

– Você... você acha que minha família foi morta aqui.

– Não acho – disse Beatrix. Sei. Porque todos aqui morreram. Exceto eu. E você.

– Não entendo. Como você poderia saber disso?

– Porque eu vi. Vi a morte. Os corpos. Mas alguém me resgatou. Me carregou para longe. Mas eu os vi enquanto corríamos. Caminhando pela carnificina como heróis conquistadores.

Eu não tinha certeza se queria saber a resposta, mas perguntei.

– Quem você viu? – Beatrix pronunciou os nomes como se estivesse julgando.

– Dowling, Silva e Harvey.

Não. Isso não fazia sentido.

– Isso é... você era um bebê. Como você sabe se o que você viu foi real? Que você se lembra da verdade?

– Porque a mulher que me salvou usou sua magia para gravar a memória em minha mente – Beatrix disse com intensidade.

Eu sabia agora de quem Beatrix estava falando. Porque a mesma coisa aconteceu comigo.

– Rosalind… – sussurrei –, ela resgatou você.

– Ela nos resgatou – corrigiu Beatrix –, ela teve uma crise de consciência. Não conseguiu admitir destruir uma aldeia, não importa quantos Queimados eles poderiam matar no processo. Mas seus aliados mais confiáveis se voltaram contra ela. Eles ensaiaram um golpe e completaram a missão.

Minha cabeça estava girando. Eu não pude deixar de pensar na primeira vez que vi Dowling, rodeada de luz. Quanta esperança eu tinha, quanto eu queria confiar nela.

– Eu sei que eles mentiram para mim. Mas eles não são… monstros.

Beatrix se virou para mim. Eu podia ouvir o ódio por trás de cada palavra que ela proferia.

– Então por que eles estão encobrindo isso?

Eu não tinha respostas para esse fato. O véu mágico que o relâmpago tinha golpeado lentamente começou a retornar, obscurecendo o assentamento, deixando apenas a encosta da montanha, e o vazio de devastação e confusão. Eu balancei a cabeça e fui para o SUV; eu queria voltar para Alfea. Queria perguntar a Dowling sobre tudo isso eu mesma. E ainda não sabia no que acreditar, e Beatrix continuava a me pressionar.

– Por que eu inventaria uma história sobre nossos professores serem assassinos? – Beatrix perguntou enquanto dirigíamos –, onde está o ganho nisso?

– Eu não sei. Eu não sei o que fazer com nada disso. Eu devo apenas confiar em você? Confiar na memória de alguma fada morta…

Parei. Se eu duvidasse da lembrança de Beatrix sobre Rosalind, eu teria que duvidar da minha própria. Então eu não teria nenhuma resposta.

– Você não poderia confiar em mim até que eu me provasse confiável. É isso que os professores esperam. E eu não sou nada como eles. Você precisa de respostas.

Eu queria respostas tão desesperadamente. Beatrix estava dizendo todas as coisas certas, mas foi por isso que não confiei em sua oferta. Ela estava prometendo demais.

– De uma mulher que morreu e não deixou nada além de mensagens enigmáticas e meias verdades. Precisamos de mais – eu disse a ela. Beatrix começou a sorrir, lentamente.

– E nós vamos conseguir. Porque Rosalind está viva.

Eu me senti como atingida por um raio novamente.

– Dowling me disse que ela estava morta!

– Dowling a aprisionou – Beatrix parecia muito satisfeita consigo mesma –, estou em Alfea para libertá-la.

Mas antes que ela pudesse me dizer qualquer outra coisa, um estalo alto interrompeu nossa conversa. O carro derrapou, assustando a nós duas. Então Beatrix o estabilizou.

– Temos um pneu furado? – perguntei. Houve três sons rápidos e suaves do lado de fora. Um por um, senti os outros três pneus furarem.

– Não – disse Beatrix. Ela pisou no freio. Nós duas olhamos ao redor, perguntando o que diabos aconteceu.

Nós duas pulamos para fora assim que nossos olhos encontraram o diretor Especialista Silva. Ele estava armado com um arco, parado no meio da estrada. Não pude deixar de pensar na história de Beatrix sobre ele despejando destruição sobre Aster Dell.

Claramente, Beatrix estava pensando a mesma coisa que eu. Ela praguejou, saltou do carro e fugiu. Mas Beatrix mal deu alguns passos antes de o asfalto da estrada se transformar em um líquido negro sob ela, e suas pernas ficarem presas no alcatrão. Ela estava presa.

Desesperada, olhei para a direita e encontrei o professor Harvey, seus olhos de um verde vivo. O pai gentil de Terra estava fazendo aquilo para uma aluna. Em sua mão havia um cilindro de vidro cheio de pedras.

Quando ele se aproximou de Beatrix, as pedras de dentro se iluminaram. Dowling caminhou em direção a Beatrix, seu rosto sério como se as pedras iluminadas tivessem confirmado algo para ela. As mãos de Beatrix ainda estavam livres, e eu podia vê-la freneticamente tentando invocar sua magia.

– Hoje não – retrucou Dowling.

Dowling colocou pulseiras de metal estranhamente entalhadas nos pulsos de Beatrix. O raio de Beatrix estalou por um segundo, e então desapareceu quando as bordas de metal das pulseiras se cravaram na pele de Beatrix como dentes.

Sangrando, lutando, Beatrix gritou para Dowling:

– O que são essas coisas? Por que não consigo?... Isso dói.

Superei meu horror congelado e me mexi para fora do carro, horrorizada com a dor que Beatrix sentia.

– Parem! – gritei. Tentei correr para a Beatrix, mas Silva me agarrou por trás. Lutei, mas não consegui me livrar do seu aperto inflexível. Silva, o homem que Sky amava como um pai, ofegava duramente em meu ouvido:

– Isso não diz respeito a você.

Terra

Terra estava com Aisha e Musa na entrada de Alfea com o resto dos alunos, em uma multidão ansiosa sussurrando sobre assassinato e segredos. Então o SUV parou e o pai de Terra e Bloom saíram. Bloom, pálida e abalada, mas segura e ilesa.

Terra, Aisha e Musa avançaram como um bloco único. Bloom se afastou bruscamente do pai de Terra e se jogou nos braços das amigas. Terra ignorou seu pai enquanto abraçava Bloom apertada embora ela tenha visto o raio de dor em seu rosto enquanto elas saíam dali.

Ele não deveria ter mentido para ela se queria um abraço. Bloom estava tremendo nos braços de Terra.

– Estávamos tão preocupadas com você – murmurou Aisha.

Musa confirmou:

– Quase enlouquecendo, de verdade.

– O que Beatrix fez com você? – Terra perguntou.

Com uma voz estranhamente tensa, Bloom respondeu:

– Ela não fez nada. Ela não é um monstro.

Isso foi surpreendente para todas, dados os fatos. Bloom não deveria saber ainda.

– Bloom – disse Terra –, ela matou Callum.

– Quem te disse isso? – Musa piscou.

– A Dowling, o Silva e Harvey. Se as pedras do Vaso acenderam para Beatrix, isso provava que ela tinha matado Callum.

Terra esperava que Bloom ficasse instantaneamente horrorizada, mas o rosto de Bloom ficou ainda mais tenso.

– Eles têm provas? – ela perguntou. O rosto de Aisha ficou ainda mais preocupado.

– Bloom, por que eles diriam isso se não fosse verdade?

– Você nunca sabe por que as pessoas realmente fazem as coisas. – Bloom disse com certo distanciamento. Isso fez com que todas se sentissem péssimas, incluindo Terra. Todo esse tempo muito preocupada com Bloom, e ela estava agindo como se Beatrix fosse sua única amiga, cruelmente arrancada de perto dela.

– Talvez devêssemos apenas descansar um pouco – Aisha sugeriu.

Sim! Aisha estava tão certa. Bloom devia estar em choque. Ela precisava de um cobertor. Terra iria encontrar um cobertor.

Assim que o olhar de Bloom as deixou, e estava preso em Sky, que se aproximava.

– Vocês podem ir agora – ela murmurou, e se moveu em direção a Sky como se fossem dois ímãs se encaixando.

Terra desviou os olhos educadamente do que estava acontecendo ali, fosse o que fosse. Ela esperava que Stella não estivesse por perto para ver aquilo. Bloom já teve o suficiente acontecendo com ela por um dia, sem a ameaça de ser cegada por ciúmes.

Sussurros surgiram da multidão sobre assassinato, Callum, Beatrix e uma espiã entre eles. Riven estava parado ao lado no escuro, sozinho e parecendo totalmente destruído. Enquanto Beatrix era levada, Terra viu Dane caminhando até ele.

– O que diabos aconteceu? – Dane perguntou com sua voz afinando de angústia. Dane deve ter gostado muito de Beatrix, Terra pensou com uma pontada distante. Mas ela já estava desviando o olhar de Dane, de volta para Riven.

A resposta de Riven ao apelo de Dane foi afastar Dane dali em um ataque explosivo de raiva. Ela não sabia o porquê de sua raiva, mas suspeitava que fosse tanto de si mesmo como de Beatrix. Em tudo.

Dane cambaleou para trás, olhando para Riven em estado de choque, mas Terra pensou que pudesse entender. Ela sabia o que era ser traída. Por Dane, e por seu pai. Terra quase podia sentir pena. Até mesmo de Riven.

Fogo

Eu me movi em direção a Sky, cujo rosto bonito estava torcido pelo sofrimento.

– Sinto muito – disse ele, assim que cheguei mais perto. – Não deveria ter deixado você sozinha com ela. Ela…

Eu sabia que a preocupação era genuína, mas não podia suportar outra rodada de audição dizendo que Beatrix era um monstro.

– Ela não me sequestrou, Sky. Estou bem. Prometo.

Evitei os olhos dele, mas Sky abaixou a cabeça e me fez encarar seu olhar. Assim que o fiz, senti o primeiro alívio que experimentei desde que vi Aster Dell.

– O que quer que tenha acontecido lá... você pode me dizer – ele disse gentilmente. Houve um momento de silêncio e conexão entre nós. Queria me abrir para ele. Talvez eu pudesse.

Então, com o canto do olho, vi a senhorita Dowling, juntamente com Silva, levando Beatrix embora. Fiquei rígida e ele notou.

– Quando você estiver pronta – ele me assegurou. – Só estou feliz que você voltou.

Sky me puxou para um abraço, aparentemente sem se importar com quem pudesse nos ver. Podia sentir seu alívio, como se seus braços fortes estivessem me engolfando. Senti o mesmo. Queria me agarrar a ele e sussurrar tudo que descobri em seu ouvido.

Então a voz de Silva ordenou:

– Sky.

E Sky me deixou ir. Ele se dirigiu para Silva, o homem que comandava sua lealdade, e Beatrix, a prisioneira que podia ter as respostas que procurava. As respostas que me levariam para casa.

Mente

Enquanto Musa voltava para a Suíte Winx com Terra e Aisha, o humor de Terra foi escurecendo a cada passo até que Musa se sentiu como se estivessem sob uma nuvem negra dentro de casa. Ela levou cerca de vinte passos para começar.

– Terra – Musa perguntou desesperadamente –, você pode, por favor, deixar isso sair? Você está me matando agora.

Terra respirou fundo.

– Meu pai mentiu para mim hoje. Mentiu descaradamente, e quando o cobrei sobre isso ele tentou agir como se fosse para o meu próprio bem. Todos eles mentiram.

Aisha, parecendo preocupada, disse:

– Eles tinham boas intenções.

A voz de Terra era dura.

– Eles podem justificar tudo que quiserem, mas você não mente para as pessoas de quem gosta. Não se realmente se importarem.

A magia de Musa se transformou em culpa quando Terra involuntariamente a chamou para fora. E no momento parecia que havia apenas uma coisa a fazer. Musa engoliu em seco.

– Tenho que te contar uma coisa.

Aisha e Terra pararam. Musa não se atreveu a olhar para cima e encarar o rosto de Terra. Ela apenas deixou as palavras saírem.

– Há um tempo conheci esse cara e gosto dele, tipo muito, mas não sabia como você reagiria se te contasse, então não te disse, e agora já se passaram semanas e... Estou namorando seu irmão.

De Aisha houve apenas a surpresa de Musa ter confessado. Musa finalmente olhou para Terra, temendo o ataque de sentimentos que ela estava prestes a experimentar. Mas então Terra riu alto. Às gargalhadas.

– Obrigada por me dizer a verdade – disse Terra finalmente, com a voz fraca de tanto rir –, eu realmente precisava disso. Mesmo que você tenha um péssimo gosto. Sam é...

Musa já estava começando a se sentir insultada no lugar do seu namorado.

– Objetivamente atraente! – os olhos de Terra dançaram. – A cara do meu pai na idade dele. E acho que seu cabelo caiu aos 18 anos. Talvez 19? Adolescentes carecas. Muito legal. Divirta-se com isso.

Todas as três riram e, por um momento, todo o estresse foi liberado. Mesmo assim, no fundo Musa pensou que todas sentiram que hoje era apenas o começo de algo maior do que elas poderiam imaginar.

Então o olhar de Musa percebeu um movimento, afastando-se de sua suíte. Ela bateu nos braços das outras garotas enquanto elas se viraram para olhar para os guardas, carregando malas elegantes.

Elas correram para a Suíte Winx, mas as coisas de Stella já tinham sido levadas.

Luz

Stella estava sentada em silêncio no Rolls-Royce, esperando para sair.

– Esta escola mudou desde que entrei – sua mãe observou –, em casa posso te ensinar tudo o que você precisa saber.

Era mais uma ameaça do que uma promessa. Stella abafou um estremecimento. Todo o seu corpo ansiava pelo calor de familiaridade com a Suíte Winx e as garotas com quem ela tinha se incomodado de ter que conviver. Não deixou mover um músculo. Em voz baixa e ressentida, Stella murmurou:

– Você poderia ter-me deixado dizer adeus às minhas amigas.

Sua mãe parecia calma e divertida. A rainha, sempre no controle.

– Elas não são suas amigas, Stella. Se fossem, elas estariam aqui.

Fogo

Encontrei a senhorita Dowling em sua mesa, assinando formulários. Sem olhar para mim, ela disse:

– Não se esconda.

Hesitei, e então passei pela porta do escritório. A senhorita Dowling interrompeu o trabalho e ergueu os olhos.

– Posso te ajudar? – ela perguntou educadamente, como se fosse apenas mais um dia normal.

Uma equipe militar, assim Beatrix havia chamado Silva, a senhorita Dowling e o professor Harvey. Uma força de ataque que destruiu Aster Dell. Era assim que eles pareciam quando a capturaram.

– O que eram aqueles... braceletes? – perguntei.

– Limitadores rúnicos. Eles impedem uma fada de usar sua magia.

– Eles são muito bárbaros – eu disse categoricamente –, rasgaram a pele dela.

Obviamente, a senhorita Dowling não ficou surpresa com essa informação. Seu estoicismo era assustador. Ela não traiu o menor sentimento de culpa. Não estava recuando, mas não iria recuar também.

– Você tem certeza de que não está ferida? – perguntou a senhorita Dowling.

– Estou bem. Ela não me machucou.

– Mesmo assim, você esteve com Beatrix por um bom tempo. O que vocês duas conversaram todo esse tempo?

Pensei sobre isso por um longo e difícil momento, e então encolhi os ombros.

– Rapazes. Roupas. Quem conseguia dirigir mais rápido. Foi um passeio divertido, senhorita Dowling. Isso é tudo.

A senhorita Dowling me estudou. Não sei dizer se ela engoliu ou não. Por fim, disse:

– Bem, talvez da próxima vez você escolha suas companhias com mais sabedoria.

Encarei o olhar da senhorita Dowling e disse a ela:

– Você pode contar com isso.

Especialista

Sky observou Silva fechar a porta da cela de uma garota obviamente com muitas dores. Que também era uma assassina, e poderia ter desejado algum mal para Bloom. Ele gostaria de saber o que fazer. E temeu que já tivesse feito algo errado.

Enquanto ele e Silva saíam da prisão de Beatrix e passavam por um corredor em direção ao pátio do castelo, Sky disse:

– Depois da festa dos Especialistas, você me disse: "Fique perto de Bloom. Gostaríamos de saber mais sobre ela". Isso não é a mesma coisa que "Bloom pode estar em perigo por causa de um assassino".

Silva estava calado. Sky tentou não se deixar ser abatido pela frustração, mas Silva o conhecia muito bem.

– O que você está fazendo é importante, Sky. Você tem que confiar em mim.

– Confio – disse Sky –, você sabe que confio.

Ele confiava em Silva com sua vida. Isso era diferente de confiar em Silva pela vida de Bloom. Sky ergueu o queixo.

– Mas preciso saber toda a verdade. Uma das lições que você deve aprender nesta escola é que às vezes um soldado só precisa receber ordens.

O tom de Silva perdeu até mesmo o menor indício de suavidade quando ele mudou para uma voz de comando.

– Então vou reiterar. Você deve ganhar a confiança de Bloom. Aprenda tudo o que puder, incluindo o que aconteceu nessa viagem. E então deve me dizer. Nisso reside a sua lealdade. Para mim. Para Alfea. E ninguém mais.

Conto de fadas n.º 5

Durante todos os dias de mentiras na minha juventude
Balancei minhas folhas e flores ao sol;
Agora, permita-me murchar na verdade.

– W. B. Yeats

Fogo

As torres da Ala Leste eram como lâminas gêmeas esperando por mim no escuro. Havia dois especialistas guardando a cela de Beatrix, os rostos de adolescentes que eu conhecia viraram repentinamente sombrios, soldados que cortariam qualquer um que ousasse tentar entrar.

Soldados que pareciam ligeiramente em pânico pela situação em que se encontravam. Sabia como eles se sentiam. Eu observava das sombras. A senhorita Dowling e Silva estavam ali, interrogando Beatrix. Os outros alunos sussurravam que eles a torturavam todas as noites. Que nossa diretora estava obcecada pelo desejo de vingança.

A senhorita Dowling e Silva deixaram a Ala Leste enquanto eu vigiava. O rosto dela estava frio. Ela não parecia uma mulher obcecada por vingança. Mas também não parecia uma mulher satisfeita pelas respostas que recebeu.

Aposto que Beatrix estava sendo teimosa. Beatrix me ofereceu respostas. E as queria a qualquer custo. Fiz anotações no meu telefone: 0h:15min. Senhorita Dowling e Silva.

Então, a vigilância concluída para a noite, guardei meu telefone e me virei para sair quando uma silhueta apareceu na escuridão e veio até mim. "Fui pega!"

Mas então a figura emergiu das sombras, e vi Dane em seu uniforme de Especialista, claramente montando guarda. Assim como os outros guardas, ele parecia subitamente mais velho.

– Passeio da madrugada? – Dane perguntou.

– Precisava de um pouco de ar – afirmei.

– Este ar em particular? O ar do lugar em que eles prenderam Beatrix? Eu sei o que você está fazendo.

Dei uma risada aguda e não convincente e comecei a me afastar.

– Você não sabe de nada.

– Você quer falar com ela, não é? – Dane perguntou.

"Apenas saia, Bloom", disse a mim mesma. Então ele me chamou:

– Posso te ajudar.

Isso adiou a minha volta. Virei-me para encará-lo.

– Meu turno de guarda é amanhã à noite. Talvez você precise de ar amanhã também.

Dane se afastou, deixando que eu olhasse para trás, para a Ala Leste. As respostas estavam esperando ali, com Beatrix. Mas, para chegar a amanhã à noite, eu tinha que passar pelo dia de amanhã.

Fogo

As paredes do labirinto de sebes eram altas e verdes ao meu redor e de Sky, paredes tão altas que não havia nada além de verde em volta de mim e o céu acima. Até que um Queimado surgiu à vista e começou um ataque mortal para onde estávamos, juntos no final de um longo braço do labirinto. Lado a lado.

Sky empunhou sua espada e eu concentrei minha magia, enquanto o Queimado se aproximava. Senti minha magia aumentar. O Queimado pegou fogo. Mas ele não parou. Não vacilou, mas veio até nós como uma bola de fogo sobre pernas. Sky tentou desviar os golpes que seus punhos de fogo derramavam.

Assim que o Queimado estava prestes a acertar um golpe, um apito soou, e a criatura desapareceu em pó. Um cristal, todo facetado e brilhante com a magia, caiu no chão onde o monstro estava.

Tentei me reagrupar e ajudei um frustrado Sky a se erguer. Quando ele se levantou, notei um corte em seu rosto.

– Você está sangrando – murmurei.

– Foi muito feio?

– Não. Quer que eu...

Acenei meus dedos com um sorriso. Ele concordou com a cabeça, então coloquei a ponta dos dedos de leve sobre sua face. Minha magia se espalhou por dentro quando o toquei, como uma pequena faísca se acendendo, e a ferida fechou quando minha magia a cauterizou em uma pequena cicatriz, que desapareceu como um suspiro.

– Novo em folha – falei, aliviada.

Ficamos olhando um para o outro por um momento que durou um pouco demais. Parecia que Stella e Sky tinham terminado, mas talvez fosse apenas porque sua mãe tinha levado Stella embora. Eu ainda não queria entrar no meio de uma situação complicada.

Deixei cair minha mão e me virei para onde o Queimado estivera. Peguei o cristal.

– Gostaria que eles apenas nos dissessem como lutar contra essas coisas. Gostaria que eles nos contassem várias coisas.

– Acho que isso faz parte da diversão – comentou Sky.

– Nós não sabermos é muito adequado para o corpo docente do Alfea – eu disse amargamente.

Sky era um soldado em ação, olhando ao redor, e não parecia registrar minha amargura.

– O professor Harvey? – ele perguntou.

– Podemos começar de novo?

Agora estávamos nos movendo em direção à saída do labirinto, e o pai de Terra se movia pelo campo em nossa direção.

– Cada falha o traz mais perto do sucesso.

Ele deveria fazer biscoitos da sorte. Lancei a ele um sorriso alegre.

– Uma boa lição, professor. Como sempre.

Sky me olhou de lado, mas o ignorei firmemente. O professor Harvey pegou o cristal, parecendo animado para compartilhar a maravilha do conhecimento.

– A magia do fogo é eficaz, se usada corretamente. Dentro de cada Queimado existe um núcleo mágico chamado Cinder. Com tempo e precisão, sua magia pode extingui-lo e destruí-lo.

– Entendi – eu disse.

Eu poderia fazer isso sozinha. Tudo que precisava era conhecer um pouco mais. Como se ele pudesse ouvir meus pensamentos, o professor Harvey disse:

– A chave é a confiança mútua. Você deve confiar no seu Especialista para segurar o Queimado enquanto você controla o canal da magia. E você deve confiar em sua fada para fazer o trabalho.

Quando Harvey foi embora, brinquei:

– Acho que essa é a pergunta, então... Posso confiar em você?

Eu queria ser engraçada, mas Sky olhou para o outro lado do campo, para a figura distante de Silva. Às vezes, tenho a sensação de que Sky estava escondendo segredos de mim.

– Meio que quero te perguntar a mesma coisa – Sky disse.

Ele podia estar desertando, mas estava certo. Eu estava escondendo coisas dele também. Confiança mútua? Não muito.

– Uma boa lição, professor, como de costume – Sky disse, em uma voz que definitivamente não soava como a minha. – Quem era aquela garota?

Depois da minha viagem com Beatrix, eles ainda estavam me observando como falcões. Essa era a verdade, até onde ela podia chegar. Quando deixamos o labirinto completamente para trás, o amplo dia de treinamento foi espalhado como um banquete em frente ao castelo.

Pude ver a senhorita Dowling e Silva caminhando por pares de fadas e Especialistas, lutando com os assistentes fornecidos para o dia. As Fadas da Água tiravam água do lago. Fadas da Terra os prendiam com as vinhas. As Fadas do Fogo os atingiram com chamas. Olhei disfarçadamente para a senhorita Dowling. Ela já tinha o olhar fixado em mim. Aisha e Musa estavam caminhando com a senhorita Dowling, diligentemente tomando notas como os bons assistentes. Musa definitivamente nunca me pareceu o tipo de ajudante.

Aisha fez uma cara de "eu odeio essa cara" e sorri de volta para ela. O mesmo sorriso brilhante e falso que tinha dado ao professor Harvey. Apenas Sky tinha visto através do sorriso. Sky me conhecia bem o suficiente para isso. Parecia que eu sempre poderia encontrar conforto com Sky.

– Tenho que mostrar a elas que não sou uma delas... maldade... cúmplices – expliquei para ele.

Sky esboçou um sorriso.

– Por que Beatrix é uma vilã de James Bond?

Eu me arrependi.

– Uma escolha ruim de palavras.

– Você vai ajudá-la a esculpir seu nome na Lua com um laser? – perguntou Sky.

– Cale a boca – respondi. Ele era muito fofo. Sky sorriu como se soubesse disso.

– Roubar a Torre Eiffel?

– Podemos ir de novo, por favor?! – gritei. Sorrindo juntos, Sky e eu voltamos para o labirinto de treinamento. Confiança mútua? Talvez algum dia.

Mente

Musa caminhou pelo campo de combate, ao lado de Aisha e da diretora, a senhorita Dowling. Aisha olhava para sua prancheta de uma maneira altamente profissional.

– Essa será a tentativa cinco para Sky e Bloom – Aisha anotou.

A senhorita Dowling se dirigiu a Musa.

– E?

Musa disse, cansada:

– Ele está um pouco ofegante. Ela está... frustrada? Mas nenhum deles está cansado.

– Ótimo – disse a senhorita Dowling. A diretora olhou para Aisha, que rapidamente tomou nota. A própria Musa estava cansada. E confusa. E ciumenta dos outros, cuja tarefa era relativamente tão mais simples.

– Sei que eles sabem que eu os estou lendo, mas ainda parece meio invasivo. Não posso usar minha magia contra um inimigo real?

– Nem toda magia de fadas é adequada para as funções de combate – a senhorita Dowling observou com precisão –, o suporte é igualmente, se não mais, importante. Sua magia pode nos ajudar a avaliar estados mentais frágeis ou descobrir inimigos ocultos.

A voz dela soava aguda. Musa trocou um rápido olhar de alarme com Aisha. A senhorita Dowling estava falando sobre Bloom? Rapidamente Aisha acrescentou:

– Como Beatrix?

A senhorita Dowling hesitou, mas respondeu:

– Exatamente.

Musa arriscou dirigir um pouco de sua magia para a senhorita Dowling.

– Como ela está, aliás? Você descobriu o porquê de ela ter... matado Callum?

As paredes da senhorita Dowling eram mais altas do que as paredes da cerca viva do labirinto.

– Vamos nos manter concentrados – disse a diretora com firmeza.

– Quem é o próximo?

Terra

Terra cambaleou em direção aos bancos Bastion, mal conseguindo caminhar após sua sessão de treinamento. Seu caminho para descansar foi cortado por seu próprio pai.

– Você está bem aí, amor? – Terra não se dignou a dar uma resposta. – Fiz picolés antes, se você...

Terra assentiu secamente. Ela não estava aceitando suborno de picolés para perdoá-lo por mentir para ela.

– Estou bem... mas obrigada.

Seu pai acenou com a cabeça, mensagem recebida, e a deixou sozinha. Por fim, Terra alcançou os bancos e agarrou sua garrafa de água. Ela estava com tanto calor e sede, e se sentia supernojenta. Tinha certeza de que seu rosto estava da cor de um tomate maduro, o tipo de tomate que faz todo mundo se perguntar como um tomate conseguiu chegar a um estado tão terrível.

Magra, musculosa e quase sem aparentar cansaço, uma Especialista chamada Kat agarrou sua bolsa ao lado de Terra. Terra a odiava profundamente.

– Esse movimento restritivo com as videiras não é tão ruim, Ter.

Na verdade, talvez Kat fosse legal. Talvez ela fosse incrível, e elas seriam amigas.

– Sim – Terra disse ansiosamente, mesmo enquanto ela engolia a água.

– É tudo uma questão de... resistência à tração... da celulose...

Kat devolveu um olhar vazio e se afastou dos bancos. Claramente, Kat não se importava com a resistência à tração. Ninguém se importava. Terra era tão burra. Ela deveria saber o que fazer para evitar falar assim novamente.

Terra fechou os olhos, desejando esfriar. Quando ela os abriu, Riven estava sentado ao lado dela. Terra quase saltou de sua pele. Riven não a tinha visto ali? Terra foi informada que ela não era difícil de detectar.

Riven parecia absolutamente destruído, sua habitual arrogância não estava mais à vista. Seus olhos estavam vazios pela falta de horas de sono. Ele parecia ter perdido sua escova de cabelo, e seu cabelo parecia um bosque de tojo inteiramente selvagem e necessitado de poda urgente.

Enquanto Terra estudava o rosto cansado e triste de Riven, ela acidentalmente fez contato visual. Terra rapidamente desviou o olhar e saltou para juntar suas coisas. Riven olhou para a frente.

– Resistência à tração? – disse Riven calmamente. – Sexy!

Ele ofereceu a ela um pequeno sorriso, que desapareceu assim que foi visto.

– Ela está certa, você sabe. Você é uma força lá fora.

Terra ficou surpresa. O que foram esses elogios? Riven estava se sentindo bem? Mas um olhar para ele revelaria a qualquer um que ele não estava.

– Você também – ela lhe disse suavemente. Riven descartou isso com um palavrão.

– Eu fui uma merda. Depois de duas tentativas comigo, Aisha saiu do combate e mudou para o Apoio.

Era totalmente natural que Riven não estivesse no seu melhor, depois de todos os eventos traumáticos. "Ele era bom normalmente", Terra pensou. Talvez não tão bom quanto Sky ainda, mas ele tinha potencial. Riven devia estar solitário.

Terra estava um pouco solitária com a saída de Stella, seu Winx Club sem um membro-chave, pois Stella tinha acabado de sair com sua mãe. Stella não era uma assassina.

– Tem tido uma semana estranha – ela o tranquilizou. – Você... me desculpe. Sei que você e Beatrix eram próximos. Isto deve ser muito difícil.

Riven engoliu em seco e olhou para ela. Desta vez Terra não desviou o olhar. Seus olhos encontraram os dela e um verdadeiro sorriso começou a curvar sua boca, iluminando seu rosto incomensuravelmente.

Ela pensou que ele estava prestes a dizer algo importante, então Dane se aproximou e os interrompeu. Deus, se Terra apenas pudesse atingir o belo rosto de Dane com um melão.

– Doces movimentos, Riv – Dane zombou. – Nunca vi alguém morrer de tantas maneiras diferentes tão rapidamente. Você deveria se inscrever no programa *Got Talent* de Alfea.

Riven balançou a cabeça, tentando ignorar Dane. Terra pensou que era a atitude certa a tomar! Dane zombou e foi embora, mas o dano estava feito. Os ombros de Riven caíram. Ele não estava mais sorrindo.

– Hum... o que foi isso? – Terra perguntou a Riven.

Ela pensou que Dane e Riven fossem amigos. É claro, ela uma vez pensou que Dane fosse mais doce. Riven disse, cansado:

– Aquilo foi uma queimadura do calouro monstro que eu criei. Ou que Beatrix criou. Ele ainda tem uma queda por ela. Como uma coisa gay esquisita?

"Espera, gay?" Terra pensou. Ela tinha imaginado que o story do Instagram era apenas uma libertinagem moderninha entre fadas. Oh não, Riven pensava que Dane gostava dele? Não admira que Riven tenha protegido Dane.

Riven gostava quando as pessoas gostavam dele. E dificilmente isso acontecia, porque Riven era o pior. Ele pensou que Dane gostava dele, e é claro que acreditava que sua namorada gostava dele. Estava errado nas duas pontas. Ah, Riven...

– Ele é mesmo gay? Eu não sei mais nada.

Riven deu um suspiro derrotado e depois pareceu cansado olhando ao redor, como se se perguntasse onde estava. Lentamente ele se levantou e caminhou para longe.

Teria sido a ação de um maníaco correr atrás da pior pessoa de Alfea e pegar um cobertor para ele e uma escova de cabelo, obviamente necessária. Então Terra apenas observou Riven partir. Sem nenhuma razão específica, ela sentiu seu coração partir um pouco.

Mente

Tudo estava em paz no quarto de Musa e Terra. Bem, tão pacífico quanto sempre foi.

– Na sua mente, eu apenas me sento na minha cama ouvindo o grunge dos anos 1990, meio que fazendo meu dever de casa de runas e enviando mensagens sexy para o seu irmão, não é? – Musa perguntou, escondendo seu telefone.

Terra considerou o assunto, então visivelmente decidiu que não iria entrar naquele assunto e pegou outro vaso de plantas.

– Só mais algumas plantas e não vai parecer tão... fantasmagórico aqui dentro – ela anunciou, decididamente animada.

– Um exorcismo de planta para Stella?

– Uma sala vazia me assusta! Já faz uma semana. Nós precisamos aceitar que ela não vai voltar. Não importa quanto nos perguntamos como ela está ou mandamos uma mensagem de texto, ligamos ou olhamos seu Insta, Snapchat, Tumblr, Pinterest.

Bem, essa não foi uma sensação inesperada, mas estava brotando de Terra em ondas. Não admira que Dane acabou por se tornar um patife. Terra realmente gostava de pessoas horríveis.

– Espere. Você... sente falta de Stella?

– Não! – disse Terra –, ela era má e insultante e saiu sem se despedir, o que é realmente o pior...

– Você quer que eu te insulte? – Musa perguntou. – Será que isso vai te deixar melhor?

– O quê? Não! – Terra fez uma pausa. – Talvez apenas... se você puder criticar as minhas roupas.

Só então um estrondo soou no quarto de Stella, e Terra correu para remediar a situação. Terra deve ter colocado a décima oitava planta em uma posição instável.

Com a porta aberta, Musa podia ouvir Aisha tentando arduamente ter uma conversa franca com Bloom. Muito drama de companheiras de quarto. Musa nunca pensou que se sentiria assim, mas ela estava realmente feliz por ter Terra como colega de quarto. Terra era a melhor. Além disso, tinha aquele irmão gostoso.

– Bloom – disse Aisha –, você sabe que estou aqui se você quiser conversar, não é? Eu sei, depois de tudo... você se sente como se não pudesse confiar na senhorita Dowling, mas eu nunca confiaria... Você pode falar comigo sobre qualquer coisa. E vai ficar entre nós.

"Sim ou não", Musa pensou. Ela preferia que Terra tivesse fechado a porta.

– Eu sei. Não tenho nada para falar. Quero focar no treinamento esta semana. Passei muito tempo me concentrando em tudo menos na escola, e...

O som do toque de um telefone cortou as desculpas esfarrapadas de Bloom.

– Preciso atender essa.

Bloom saiu da suíte. Assim que a porta se fechou atrás dela, Aisha saiu correndo de seu quarto e entrou no de Musa e Terra.

– Precisamos conversar sobre a Bloom! – ela anunciou. – Ela está obcecada sobre seus pais biológicos e Rosalind há semanas. Devemos realmente acreditar que ela... superou isso?

Terra acenou com a cabeça, reconhecendo quão improvável este cenário era, e largou as plantas, em sinal de rendição.

– Ela disse alguma coisa sobre o que aconteceu naquele dia com Beatrix?

– Nada – respondeu Aisha. Então Aisha e Terra se viraram para olhar para Musa com suspeita crescente.

– Todas as piadas sobre transmitir sentimentos, e vocês acham que eu ia contar que Bloom está uma confusão ambulante? Era assunto dela – argumentou Musa.

Aisha e Terra compartilharam um olhar, como se dissessem: "Bom ponto esse".

– Sei que ela está escondendo algo de nós. Apenas não sei o que é. Tipo, por que ela estaria mandando mensagens para Dane? – perguntou Aisha.

– Ela estava mandando uma mensagem para Dane? – Terra perguntou. Musa foi atingida por uma onda de emoções de Terra. Medo. Traição. Ansiedade. Algo sobre melões.

– Isso está associado a mais alarme do que parece apropriado – ela comentou. Terra e Aisha se viraram para Musa, assustadas. Ela olhou de volta, dando de ombros mentalmente. "Pessoas. Não posso deixar de ler suas emoções, não posso impedi-las de ficarem chateadas com isso. Não posso vencer."

Terra tomou uma decisão.

– Sim... eu o vi hoje. Riven disse que ainda é do Time Beatrix.

Musa não precisava ler as emoções para saber que estavam todas alarmadas com esta informação.

Fogo

Meu coração bateu rápido quando recusei a ligação de meus pais e tomei o rumo da Ala Leste, onde estava a prisão de Beatrix. Não pude encará-los, sabendo tão pouco, com a consciência de que sabia ainda menos. Só poderia falar com minha mãe novamente quando soubesse quem eu realmente era.

Dane estava de guarda, como havia prometido. Ao lado dele, aparentemente dormindo em uma cadeira, estava outro Especialista.

– Está tudo bem – disse Dane –, ele está apagado. Dane mostrou um saquinho de pó.

Fiquei alarmada com a possibilidade de ser veneno ou drogas pesadas. Dane suspirou.

– Relaxa. É um sedativo leve. Ele vai acordar em uma hora. Ela está esperando.

Aventurei-me perto das grades da cela para ver Beatrix enrolada no canto. Ela ergueu os olhos quando me viu. Pensei que era um sorriso verdadeiro, mas havia um toque de tigresa naquela garota.

– Alguém demorou muito – Beatrix ronronou, levantando-se quando cheguei mais perto. Mas eu não tinha energia para qualquer lixo usual de Beatrix.

– Você matou Callum? – perguntei.

– Direto ao ponto, então. Boa menina – disse Beatrix.

– Você matou? – pressionei.

– Resposta curta: sim.

Isso foi bastante honesto. Tão honesto que fiquei chocada.

– Você quer saber a resposta mais longa? Que tal a média? – Beatrix sugeriu. – Callum não era um assistente idiota. Ele queria a mesma coisa que quero.

O entendimento desceu sobre mim.

– Ele estava aqui para libertar Rosalind?

– É um pouco mais complicado do que "a malvada Beatrix mata assistente infeliz". Essa é a história que o corpo docente está contando, certo? Quer dizer, entendo. Quem quer lidar com nuances?

Demorou um pouco para absorver. Então eu disse os nomes daqueles que Beatrix estava descartando como "o corpo docente".

– Senhorita Dowling, Harvey, Silva... Eles não me disseram a verdade sobre muitas coisas. Mas só porque eles não fizeram isso não significa que você tenha feito diferente.

A voz de Beatrix ficou tensa.

– Você ainda não acredita em mim que eles incendiaram Aster Dell?

– Se eles fizeram... se eles mataram meus pais biológicos. Não sei o que eu faria. Tenho que saber o que realmente aconteceu naquele dia.

Quase cantando, Beatrix disse:

– Conheço alguém que pode te dizer.

Ela não precisava dizer o nome. Rosalind.

– Onde eles a estão mantendo?

– Posso te mostrar – Beatrix prometeu. – Onde Rosalind está, como chegar até ela. Tudo isso e muito mais pode ser seu.

– O que você quer?

Beatrix indicou as algemas mágicas que eu sabia que se chamavam limitadores rúnicos.

– Esses adoráveis acessórios que a senhorita Dowling me deu doem como o inferno. Na saída, Dane lhe dará uma bugiganga que pode me ajudar a me livrar deles. Pense nisso como uma bateria de fadas. Se você usar sua magia para carregá-la no círculo de pedra...

– Quer que eu te liberte? – perguntei. Fiquei sem palavras com sua audácia. Ela tinha acabado de admitir que assassinou alguém! Mas Beatrix não pressionou muito. Ela apenas acenou com uma cenoura.

– Você não confia em mim. Você não deveria. Não deve confiar no corpo docente. Não deve confiar em seus amigos. A única pessoa em quem você deve confiar é Rosalind. E, se você quiser vê-la, esta é a sua única opção.

Saí da cela sem mais uma palavra, lutando com a decisão difícil. Eu ainda estava lutando quando Dane se aproximou e me entregou um livro. Olhei para ele. Ele era uma peça da engrenagem, mas não era um assassino. Até onde eu sabia. Ainda em dúvida, comecei:

– Sei que você e Beatrix eram amigas, mas...

– Por que a estou ajudando? Fácil. Ela é a única pessoa aqui que me deixou sentir que ser diferente era uma coisa boa. As probabilidades estão contra os forasteiros em Alfea. – Dane fez uma pausa importante. – Não é por isso que você está aqui?

Mente

Musa ficou na área de treinamento do Bastion e testou o equilíbrio de uma equipe. Ela se perguntou se empunhar uma arma por algum tempo tiraria sua mente das coisas.

– Você gosta de segurar esse bastão? – perguntou Riven, o amigo irritante de Sky. Musa girou o bastão, parando com sua arma colocada a centímetros de sua cabeça. Ela ficou assim uns instantes até que surgiu um sorriso malicioso no rosto de Riven.

– Acho que é um sim – murmurou Riven, em um resmungo baixo.

Ah, esse cara. Ele parecia uma bagunça. E sua cabeça era uma bagunça ainda maior.

– Acho que acabei de vomitar – zombou Musa. Essa foi a atitude certa a tomar com Riven. Havia um brilho em seus olhos de repente. Bem, talvez não um brilho completo. Talvez uma faísca. Acendeu algo dentro de Musa também.

– Vi você nas rodadas de Apoio com a diretora no treinamento. Não esperaria que uma Fada da Mente tivesse movimentos tão bons.

Com o sangue ainda quente, Musa admitiu:

– Eu era uma dançarina. Sinto falta de uma atividade mais física, utilizando meu corpo.

Musa se amaldiçoou por ter dado essa abertura para Riven. Riven apenas parecia tranquilo. Aparentemente, ele só queria ser insinuante, quando viu que podia estar prestes a apanhar.

– Que pena. Você é uma fada. Eles não se importam com o que você quer ser nesse lugar. Apenas com o que eles querem que você seja.

Os olhos de Musa se apertaram enquanto sua magia aumentava. Ela ficou desesperada, desejando ser, querendo estar... em algum lugar fora dali. Com outra pessoa.

– Você realmente odeia isto aqui, não é? – o rosto de Riven se contorceu de horror e desgosto de si mesmo. Xingando, ele saiu furioso e alertou Sam sobre Musa enquanto ele avançava. Sam se aproximou. E de repente Musa pôde pensar em outra maneira de lidar com seus sentimentos reprimidos.

– Você quer voltar para a suíte? – Musa sugeriu.

Ela praticamente atacou Sam quando eles chegaram lá.

– Isso está ficando quente – Sam ofegou contra sua boca –, você é gostosa.

– Mais gostosa sem os comentários – Musa respirou. Ela o beijou com mais força, tentando impedir as palavras e os sentimentos, mas sentiu a boca de Sam esboçar um protesto.

– Certo. Ok. É que... não quis dizer agressiva...

– Sam – Musa murmurou –, prometi que encontraria Terra e Aisha, então vamos só… ter um momento. Para nós.

Ela queria se perder nos beijos, mas Sam se afastou.

– Não acredito que estou sendo esse cara, mas só porque não sou um empata não significa que não tenha empatia. O que está acontecendo?

Ela considerou seu rosto doce e preocupado. Não tinha muita prática em se abrir.

– Só estou aborrecida com o treino. Em me sentar nas beiradas e não ser capaz de fazer nada.

Sam disse em um tom pacificador:

– Musa, as Fadas da Mente são algumas das fadas mais poderosas…

– Isso é bobagem. Ficamos impotentes quando as coisas realmente dão errado.

Ela se lembrou da época em que as coisas ficaram piores do que ruins. Sua resposta foi muito aguda. O olhar de Sam para ela foi bem afiado também.

– Sim, isso é muito mais do que sobre o treinamento. Aconteceu alguma coisa?

– Não. Quer dizer, sim, mas foi há muito tempo. Problemas de família. E todo esse treinamento, é só… – e ela desistiu.

– Não é nada demais. Estou apenas frustrada. E se eu fosse você, me aproveitaria dessa frustração enquanto você ainda pode.

O bom Sam obviamente queria forçar, mas ele a deixou tomar seu rumo no momento.

– É justo. Fique você frustrado. Sábia decisão, Sam.

Ele sorriu, e ela o empurrou para a cama. Ela tirou a camisa e viu sua expressão de espanto. Enquanto Musa engatinhava para cima dele, um vaso caiu da cômoda e se espatifou. Sam soltou um pequeno grito, assustado. Ao ruído de angústia, a magia de Musa instintivamente desapareceu, e então ela sentiu uma onda de autoconsciência de Sam.

– Por favor, não me julgue com base na minha legitimidade e meu medo completamente masculino de fantasmas, que são objetivamente assustadores e...

Musa sorriu para ele e deu-lhe um beijo rápido.

– O momento já passou. Eu provavelmente deveria me trocar e me encontrar com elas. Ele deu outro beijo nela, e ela o acompanhou para fora do quarto. Depois que Musa ouviu a porta da suíte se fechando atrás de Sam, ela se virou e olhou para a sala vazia. Investigou o espaço cuidadosamente, em seguida estendeu a mão com sua magia e afundou de volta na cama. Sabia o que havia sentido. Quem ela tinha sentido ali.

– Quer sair agora? – Musa perguntou suavemente. Houve silêncio por um longo momento. E então o espaço vazio na frente de Musa estremeceu, revelando Stella.

– Nova magia? Nada mal – Musa disse o mais calmamente que pôde.

– Obrigada.

Stella estava fazendo o possível para parecer indiferente.

– Tenho praticado um pouco.

– Há quanto tempo você está se escondendo aqui? Alguns dias?

Stella parecia não ter certeza. Ela estava sem maquiagem, vestindo roupas largas, com o cabelo preso em um coque. Musa nunca tinha visto Stella parecendo realmente vulnerável antes.

– Quer conversar sobre isso? – perguntou Musa. Stella não respondeu. "Ela parecia quase com medo", Musa pensou. Quando Musa estendeu a mão com seu poder, percebeu que Stella estava sentindo terror.

Fogo

Raios de luz perfuraram a névoa da manhã, fazendo o círculo de pedra parecer ainda mais mágico do que o normal. Fiquei de pé olhando ao redor inquieta, segurando o livro que Dane tinha me dado. Quando tive certeza de que a barra estava limpa, abri o livro e tirei o disco de metal. Ele era minuciosamente ornamentado com runas que eu não conseguia nem adivinhar o significado.

Quando chamei minha magia para mim, nas bordas do disco, o metal forjado brilhava vermelho como uma brasa. Meu poder parecia uma faísca acendendo um fusível. Enquanto eu deixava minha própria magia fluir, o brilho permaneceu. Conectei o disco em uma fonte de poder e agora ele estava atraindo magia do círculo de pedra. O fogo lentamente traçou seu caminho através do metal.

Eu observava o delicado rendilhado, hipnotizada, até que um som indesejável me tirou do meu torpor. A voz de Sky soou no ar da manhã.

– É aqui que os superdotados se encontram?

Rapidamente coloquei o disco atrás da minha mochila e me virei para ver Sky se aproximar. Seu olhar foi direto para o livro.

– Fica meio barulhento na suíte – eu disse, tão casualmente quanto consegui. Não saberia dizer se ele acreditou na encenação. Sky perguntou:

– O que é isso?

Eu arregalei os olhos:

– Chama-se livro? Fico um pouco preocupada que você nunca tenha visto um, mas...

O rosto de Sky se contorceu como se ele tivesse atingido um ponto de ruptura.

– Não quero fazer isso, Bloom – ele explodiu –, não quero mentiras entre nós. Não quero jogar nenhum jogo.

Mas continuei jogando.

– Não há jogo nenhum.

Sky estava claramente lutando, tentando forçar as palavras a saírem. Como se cada palavra fosse proibida, estivesse quebrando uma ordem direta.

– Silva queria que... eu vigiasse você. Eu disse a ele que era loucura! Que não havia nada de estranho acontecendo. Aquela chama? Você estava frustrada, mas...

– Você está me espionando? – perguntei. Mesmo que ele tivesse acabado de confessar que estava me espionando, aparentemente ouvir-me reiterar aquilo o surpreendeu. Como se ele tivesse tanta certeza de que era um cara bom, que não poderia ter feito o que fez. Eu fui tão tola.

– Eu deveria ter esperado isso. E você apenas cegamente fez o que eles disseram...

– Ele me deu uma ordem – Sky me disse, impotente.

– Que ele poderia ter dado a qualquer um! Mas ele escolheu você. Usou nossa amizade. Mas sou a garota má, certo?

Em resposta, Sky agarrou minha bolsa, revelando o disco e o fato de que não fui exatamente franca.

– O que é isso, Bloom? – ele demandou. Hesitei por um longo momento de culpa. Sky demorou para se recompor.

– Quero estar do seu lado aqui, mas você está tornando isso bem difícil. Diga-me – ele pediu, suave, insistente –, você pode confiar em mim.

Ele tinha acabado de provar que eu não podia. Ou ele podia? Pelo menos, tinha me contado a verdade. Talvez eu devesse tentar dizer-lhe algo. Respirei fundo e comecei a contar a verdade sobre Aster Dell.

Luz

Stella não estava procurando se relacionar com suas colegas de quarto. Elas eram calouras e, além disso, sempre soube que Terra contaria sobre o que havia acontecido com Ricki, e todas a julgariam pelo que acreditavam que ela tinha feito. Julgá-la e odiá-la. Então ela as julgou e odiou primeiro.

Ela odiava Terra, por dizer o que ela acreditava ser a verdade, e ainda pelo gosto horrível de Terra para blusas. Bloom, talvez por ser a garota dos sonhos de Sky; Aisha, por sempre tentar fazer a coisa certa; e Musa, por seu terrível poder de ver dentro da alma de Stella.

Ela temia a magia de Musa. Agora, porém, ela achava o poder de Musa quase libertador. Stella foi literalmente forçada a ser invisível. Ela estava cansada de manter as aparências. Musa já conhecia os sentimentos mais íntimos das pessoas. Stella poderia derramar tudo, derramar todo o seu coração, e não teria nenhum problema.

– Fugi dias atrás. Tenho certeza de que minha mãe colocou todo o exército atrás de mim. Mas você não vai ouvir nada sobre isso.

– E ela não vai te procurar aqui? – Musa perguntou, em dúvida.

– Não no começo. Para fazer isso, ela teria de admitir que tinha perdido o controle sobre algo. Isso nunca vai acontecer.

Os olhos de Musa brilharam, e Stella sabia que Musa estava sentindo a convicção de Stella sobre isso. Sentindo-se exatamente como Stella era intimidada por sua mãe, como o desejo de ser amada e o desejo de agradar sua mãe foram superados pelo medo absoluto.

Stella estava feliz. Stella queria que Musa a visse. Ela se sentiu como se tivesse ficado invisível por muito mais tempo do que alguns dias. A voz de Stella sublinhou seus sentimentos:

– Projete força e poder. Nunca mostre fraqueza. É tudo com que ela se importa. E sou uma extensão de sua força. Minha magia tem que ser poderosa a qualquer custo. Isso é o que ela me ensinou. Minha mãe me ensinou enquanto crescia. Quando emoções positivas não funcionavam, ela ia direto para o negativo. Difícil. Minha magia é errática... por causa dela. – Stella engoliu em seco, à beira da revelação mais importante. Era fácil dizer essas coisas para Musa, porque ela sabia que Stella realmente sentia isso. Ninguém mais iria acreditar em como Stella lamentava.

– Ricki era minha melhor amiga. Eu não queria machucá-la – Stella sussurrou, e esperava que a verdade e o arrependimento ressoassem pelos ossos de Musa enquanto a dor ecoava nos ossos de Stella –, mas perdi o controle, e era melhor… para minha mãe… se as pessoas pensassem que eu tinha feito de propósito. Porque pelo menos eu seria uma vaca raivosa, ou um monstro, e não uma fraca.

– Isso é confuso, Stel – Musa disse suavemente. Stella estava tão exausta que nem conseguia sentir vergonha. – Conte-me sobre isso.

E no segundo que cheguei em casa começou novamente. Então aqui estou. Até descobrir o que fazer em seguida. Por favor, não conte a ninguém.

Sua mãe a criou para ser orgulhosa, a ser real, e ali estava ela implorando. Ela esperou, com todos os músculos tensos, por Musa zombar dela por ter sido criada assim. Stella estava só. Sempre estivera sozinha, realmente. O roxo havia desaparecido do olhar de Musa. Enquanto Musa olhava para Stella, seus olhos eram suaves de simpatia.

– Você não precisa se esconder – Musa prometeu –, as outras meninas na suíte ficarão bem com você aqui.

Por um momento Stella sentiu como se quase pudesse acreditar em Musa. Como se sua mãe estivesse errada e ela tivesse amigas, afinal.

Terra

Dane bebeu de uma grande garrafa de água ao terminar o almoço e, em seguida, olhou ao redor, no que Terra descobriu ser uma maneira suspeita. Ele se afastou da multidão do pátio para uma área tranquila nos fundos, onde não seria observado.

Terra se esgueirou atrás dele, bem a tempo de vê-lo sacar um baseado e acendê-lo. Terra sentiu que precisava falar agora.

– No meio do pátio? "Porque isso é inteligente."

Terra se aproximou. Dane deu outra tragada.

– Sim. Quer um pouco?

Dane exalou fumaça agressivamente em seu rosto. Terra abanou com a mão, sacudindo a fumaça para fora do caminho.

– O que há de errado com você?

– Oh, você se preocupa comigo de novo? – Dane perguntou amargamente. Essa era a última coisa que Terra esperava ouvir. Nunca lhe ocorreu que Dane pudesse realmente sentir sua falta.

Ela hesitou:

– Sempre me preocupei com você.

O tom de Dane era selvagem:

– Sério? Porque parecia que eu tinha feito uma coisa ruim e você me cortou.

– Então você é totalmente a favor de Beatrix agora? – Terra perguntou.

– Ela definitivamente nunca fez nada para me fazer sentir mal.

Terra retrucou:

– Não, ela acabou de matar alguém, Dane.

E se Dane tivesse zombado de Beatrix na internet como ele zombou de Terra, Beatrix poderia matá-lo. Exatamente agora Terra sentiu que teria servido bem a Dane. Por que Dane achava que seus sentimentos feridos eram mais importantes do que a vida de alguém? Dane revirou os olhos e Terra sentiu até sua última gota de simpatia se evaporar.

– Terminei por aqui – anunciou Dane. Ele se moveu para se levantar. Mas não conseguiu. Olhou para baixo e viu uma videira, enrolando-se em suas pernas, prendendo-o à cadeira.

– Só que você não está tão pronto para sair – Terra sinalizou. Dane riu, sem se incomodar. Ele levou outro golpe desafiador, mas então um minúsculo jato de água o apagou. Aisha se aproximou.

– O que está acontecendo com você e Bloom?

Dane olhou para a frente e para trás entre elas com um olhar cuidadosamente sem expressão no rosto. Terra perdeu a paciência e ordenou:

– Diga logo. Ou...

– O quê? Você não vai me machucar.

Terra disse evasivamente:

– Depende da sua definição de machucar. Pode não ser dor física, não. Mas não pense que estou acima de deixá-lo nessa cadeira pelo tempo necessário até você falar. E aquela... – ela gesticulou significativamente – parece uma garrafa de água bem grande. Espero que você possa segurá-la. Caso contrário, que vergonha vai ser.

Dane finalmente pareceu perceber que estava preso. Terra cruzou os braços e esperou. Dane podia estar se sentindo ferido por ela ter deixado de ser sua amiga, mas isso era pouco, diante do que ele tinha falado de Terra para divertir Riven e Beatrix, e ele não tinha feito esforço algum para se desculpar por aquilo.

Não havia tentado nada, na verdade. Não pensou que ela valesse a pena. Terra queria ajudar Bloom. Mas ela estaria mentindo se dissesse que não estava gostando de se vingar um pouco por si mesma.

Fogo

Tudo ficou em silêncio no círculo de pedra depois que contei minha história.

– Morei em Alfea minha vida inteira. Silva me criou – Sky disse, entorpecido, por fim. Entendi que era difícil para ele acreditar, mas ele tinha que saber a verdade.

– Vi Aster Dell com meus próprios olhos.

Sky claramente ainda estava focado em Silva. Se tivesse sido meu pai, eu teria me sentido da mesma maneira.

– Ele nunca teria ajudado a massacrar uma aldeia inteira!

– Nem mesmo se ele pensasse que estava matando os Queimados? Se ele pensasse que salvaria mais vidas no futuro?

Sky abriu a boca e depois fechou. Sim, foi o que pensei também.

– Não acho que eles sejam maus, Sky. Só acho que eles são... complicados – eu disse impotente –, eles acham que estão protegendo este lugar. Mas eles também estão se protegendo. Então, seja qual for a verdade, não importa o que tenha acontecido naquele dia? Eles não vão me contar.

Ele se moveu em minha direção quando notou o desespero em minha voz. Talvez ele pudesse sentir aonde o desespero poderia me levar.

– Eu sei quão difícil é não conhecer seus pais, Bloom, mas...

– Você sabe? Pelo menos você foi criado por pessoas que conheciam seus pais. Você ouviu histórias. Viu fotos.

Olhei para as colinas verdes além da pedra, tentando não chorar enquanto a paisagem vazia embaçou em minha visão. O vento aumentou, enviando calafrios por todo o meu corpo.

– Você está com frio? – Sky perguntou, repentinamente preocupado. Peguei minha garrafa de água, voltando-me para ver que Sky havia tirado sua jaqueta e a estava oferecendo para mim.

– Isso é fofo, mas... Fada do Fogo.

Seis fogueiras acenderam ao nosso redor. Aquecendo-nos, como um círculo de estrelas para acompanhar nosso círculo de pedras. Sky olhou em volta, e todas as chamas dançantes captavam o brilho de seus olhos.

– Certo – Sky zombou um pouco –, porque você nunca precisa de ajuda.

Eu ofereci minha água para Sky. Enquanto ele pegava e bebia, tentei ignorar suas palavras.

– É parte do meu charme.

Sky me lançou um olhar que dizia que ele não poderia ser ignorado.

– Charme frustrante.

– Porque você é um consertador. E não preciso ser consertada.

Sky se afastou de mim ligeiramente. Eu me perguntei se tinha sido mais dura do que pretendia, mas então ele falou, com dificuldade, e percebi que ele estava apenas tentando pronunciar as palavras.

– Ouvi mais histórias sobre Andreas do que posso contar. Como se ele ainda estivesse vivo. Exceto que ele não está. Ele é um ideal. Um vácuo. Um fantasma impossível. Você sabe quão difícil é viver com isso? Até Silva... é como se ele estivesse desempenhando algum papel por puro senso de dever. Tudo que realmente quero é um pai.

Aproximei-me dele e coloquei a mão em seu braço.

– Sky...

Ele disse desesperadamente:

– Sou um consertador porque devo ser. Porque tenho que ser. Porque, quando conserto outras pessoas, não tenho que pensar sobre como estou quebrado por dentro.

Ele se virou para mim. Foi como vê-lo pela primeira vez sem a máscara cuidadosa do dever.

– Estamos todos quebrados, Bloom. Todos nós precisamos ser consertados. Há charme nisso também.

Seu rosto estava tão perto do meu, e mais uma vez senti aquele desejo me empurrando em direção a ele. Desta vez não resisti. Desta vez, não consegui. Nossos lábios se encontraram e eu finalmente entendi por que sempre me senti tão atraída por ele. Nós nos encaixamos como duas peças quebradas que formavam um todo.

Então, contra a escuridão atrás dos meus olhos, vi o brilho quando a magia iluminou o disco que Dane me deu. Sky e eu nos separamos, ambos olhando para a luz. Hesitei e depois peguei o disco. Sky me alcançou e colocou sua mão sobre a minha.

– Você não me disse para que serve. Você ainda não confia em mim?

Eu olhei para sua mão sobre a minha. Apenas essa visão, nós nos tocando tão simplesmente, me encheu de tristeza.

– Eu confio, de verdade. Mas também sei que, se te contar, você vai me impedir.

Sky parecia pronto para discutir o ponto, mas então o que eu estava esperando aconteceu. Sky cambaleou, olhos desfocados, e agarrou-se ao banco enquanto caía para o chão. Foi de partir o coração assistir Sky com sua graça de soldado perdida quando seu corpo o traiu. Porque eu o traí.

– O que está acontecendo?... – perguntou Sky, mas pude ver que ele já sabia. Ele simplesmente não queria acreditar. Queria acreditar em mim.

Coloquei o disco de volta na minha bolsa, ao lado do saquinho de pó que Dane tinha me dado. Os olhos de Sky já estavam deslizando para fechar. Ele dormiria um pouco

– Dane disse que não duraria muito – eu disse ao corpo inconsciente de Sky –, sinto muito.

Apaguei as chamas dançantes que nos cercavam, sabendo que o fogo entre nós já estava perdido.

Especialista

Silva havia enviado um texto em grupo para os especialistas dizendo para se aprontarem. Riven não tinha ideia do que queria, mas ele escalou morosamente em sua armadura. Provavelmente era outro exercício. Ele talvez se sentiria melhor se batesse em alguém. Talvez pudesse decepar a cabeça de Dane em um acidente infeliz de treinamento. Ele saiu de seu quarto, afivelando a espada e sacudindo a cabeça, tentando se recompor.

Então Terra veio atacando pelo corredor dos Especialistas, e foi direto para Riven. Ela agarrou o braço dele.

– Ei! Preciso de ajuda.

Riven alcançou sua espada.

– O que você precisa?

Havia pedaços de videiras no cabelo de Terra e uma aparência selvagem em seus olhos.

– Bloom está prestes a fazer algo absolutamente insano, então tenho que encontrar Sky.

– Você tem que encontrar Sky – disse Riven categoricamente.

– Para ajudar.

– Sim, obviamente!

– Você já conversou seriamente com Sky?

– Nós temos conversas!

Terra protestou.

– Diálogos múltiplos. Enfim, todo mundo sabe que ele é um cara legal, e acho que ele realmente se preocupa com Bloom. Espero que Stella não...

– A cegue – murmurou Riven.

– Estive preocupada sobre isso também. Cegar alguém é muito preocupante! – disse Terra –, mas esse não é o problema agora. O problema é este: Dane é um traidor. Ele é um patife com cara de patife. Você percebeu isso?

– Isso chamou minha atenção.

Isso não o incomodou. Ele pensou que era algo que ele e Dane tinham em comum. Terra apontou um dedo acusador.

– E ainda assim, você meio que transou com ele!

– E você só queria dar uns amassos com ele também – Riven atirou de volta.

– Isso não é importante neste momento! Dane estava tramando algo sórdido, então eu o amarrei em uma cadeira com vinhas e ameacei mantê-lo amarrado ali para sempre...

– Desculpe, você fez o quê? – Riven olhou para Terra escandalizado.

– Terra, ocorreu a você que tem algum problema de gerenciamento com as videiras?

Terra acenou, sem dar importância ao comentário.

– Quer dizer, não para sempre, mas não o deixei fazer xixi. Eu tinha que extrair informações dele de alguma forma, você deveria ter visto isso!

Riven praguejou.

– Você sacudiu suas vinhas nele de uma forma ameaçadora e disse: "Temos maneiras de fazer você falar?".

– Não, Riven. Seja razoável. Por que eu faria isso? – Terra balançou a cabeça e acenou com um objeto para ele. Riven semicerrou os olhos.

– Esse é o celular de Dane?

– Sim. Por favor, concentre-se!

– Queira ser claro – disse Riven –, você está assaltando pessoas agora...

Terra estava realmente desabrochando. Em uma flor maníaca e criminosa.

– Bloom e Dane estão planejando um resgate de presos de sua ex-namorada louca e assassina – Terra anunciou. – Dane deu a Bloom algum tipo de chave mágica.

– Eles eram o quê? Dane tinha feito o quê?

– Nós não terminamos tecnicamente – ressaltou Riven.

– Assassinato significa separação – disse Terra. Riven assentiu.

– Sim, isso é justo.

– Então, preciso desesperadamente de ajuda e preciso encontrar Sky! Quem mais poderia me ajudar?

Riven deu-lhe um sorriso irônico:

– Certamente não eu.

– Ninguém jamais pediria sua ajuda – Terra concordou distraidamente.

– Sky pode colocar algum bom senso em Bloom! Você tem alguma ideia de onde ele esteja?

– Pensei que ele tinha saído para encontrar Bloom, para ser honesto.

– Ah, não... – os olhos de Terra estavam arregalados –, e se Bloom já o eliminou? O quê, Terra suspeitou de outro assassinato?

Cegar. Assassinar. Sequestrar e escravizar com vinhas. Por que ninguém se contentava em ser um delinquente discreto como Riven era?

– Não acho que Bloom iria matar Sky – Riven decidiu –, ela é quente demais para colocá-lo no gelo permanentemente dessa forma.

Terra deu um soco no braço de Riven. Foi um soco bem forte.

– Bloom é minha amiga! Ela nunca mataria ninguém.

– Você acabou de dizer que ela iria fazer a libertação de uma assassina!

– Isso não é a mesma coisa – Terra disse a ele severamente.

– Tenho certeza de que ela amarrou Sky e o escondeu em algum lugar seguro. Tudo bem, eu cuido da Bloom. Você provavelmente deveria ir procurar Sky.

– Isso é tudo que você quer que eu faça?

– Bah – disse Terra –, acho que você também poderia desamarrar Dane.

Riven sentiu suas sobrancelhas atingirem a linha do cabelo.

– Você não o desamarrou ainda?

– Não, Riven – Terra disse –, Dane poderia ter se metido no meu caminho.

Ela se virou e saiu em disparada.

Bem, isso tinha sido uma interação desequilibrada. Aparentemente Terra era uma espiã do reino agora. Riven olhou para Terra e murmurou:

– Francamente, não penso que Dane ousaria. – Ele balançou a cabeça e saiu em direção ao pátio quando Silva passou por ele. A mandíbula de Silva, sempre definida, agora parecia feita de granito, de tão decepcionado com o mundo.

– Bom que você se paramentou. Onde está Sky? – perguntou Silva.

– Fico feliz que ninguém mais esteja se incomodando com "ei, Riven" – resmungou o próprio.

– Vamos direto ao assunto, pessoal.

Algo profundamente militar estava para acontecer com Riven; ele podia sentir isso. Por que tinha que ser atormentado assim? Silva soltou as palavras.

– Há pelo menos seis Queimados massacrando pessoas do outro lado da Barreira. A equipe de Marco já caiu. É nosso trabalho detê-los.

Riven olhou para Silva com a boca aberta. Ele odiava apontar o óbvio, mas se toda uma equipe de Especialistas adultos treinados foi abatida, os estagiários em Alfea iriam simplesmente ser massacrados. Ele tentou encontrar alguma forma não insubordinada de perguntar:

– Qual é a minha motivação para ser massacrado?

– Não faça perguntas – Silva rosnou –, encontre Sky.

Ok, Riven entendeu. Todo mundo queria Sky. Era obrigação de Riven ir buscá-lo. Já que os Queimados iriam matar todos eles, era melhor se apressar e desamarrar Dane também.

Fogo

Eu me dirigi para o portão, e então parei quando vi um guarda estranho. Rapidamente, enviei uma mensagem para Dane dizendo que eu tinha a chave.

"Onde você está?"

A voz de Terra atrás de mim disse simplesmente:

– Ele não vem.

Eu me virei para ver Terra e Aisha. Terra segurou o celular de Dane. Aisha estava quase vibrando de decepção e raiva.

– Que diabos você está fazendo, Bloom, deixando Beatrix fugir?

Cada justificativa que eu poderia pensar em oferecer parecia fraca sob seus olhares furiosos. Mas minhas amigas não eram soldadas. Elas me ajudaram antes. Talvez se elas soubessem a verdade sobre Aster Dell, elas iriam me ajudar novamente.

– A senhorita Dowling está mentindo para mim. Todo mundo aqui está mentindo. Vocês não sabem o que sei.

– Nós sabemos – Aisha disse categoricamente –, Dane nos contou sobre Aster Dell.

A voz de Terra soou com fúria justa.

– Meu pai jamais faria aquilo, Bloom. Beatrix é uma mentirosa. E uma assassina.

Eu olhei para a frente e para trás.

– É claro. Você é filha dele, e você é a pequena auxiliar da senhorita Dowling. Nunca vou convencer nenhuma de vocês. Assim como Sky.

Tentei passar por elas. Mas Aisha entrou na minha frente bloqueando o caminho.

– Não sou a ajudante da senhorita Dowling – disse ela –, tenho espionado aquela mulher. Por dias. Para você.

Terra parecia desconcertada.

– Você o quê?

Aisha acenou com desdém.

– O que quero dizer é que tudo o que vi é como ela está tentando, todos eles estão tentando, nos manter seguros. A senhorita Dowling estava tentando muito esconder a verdade. Eu sabia disso. Eu nunca poderia perdoá-la por isso.

– Eles mentiram sobre uma mulher estar morta há dezesseis anos. Sobre um crime de guerra. Sei que você quer acreditar neles, mas eles são destrutivos. Talvez perigosos...

– Escute a si mesma! – Terra estrilou –, você parece literalmente como uma pessoa louca.

A fúria me estimulou a tentar me livrar de Aisha. Ela bloqueou meu caminho de novo, como se eu estivesse em um time inimigo e ela nunca me deixaria marcar o gol. Os movimentos do corpo de Aisha eram certeiros, mas sua voz estava vacilante e desesperada.

– Não dissemos a ninguém o que você está fazendo. Se nos der a chave, não o faremos. Mas se você... não quero ver você na cela ao lado dela.

Fiquei ali, furiosa, me sentindo um animal encurralado. Só que eu tinha uma arma melhor do que dentes. Eu podia sentir minha magia enrolando quente dentro de mim, querendo saltar. A tentação de usar magia em minhas amigas era muito real.

Aisha deu um passo para trás e não havia medo em seu rosto. Apenas preocupação. E dor.

– Bloom – Aisha disse. Só isso.

A expressão no rosto de Aisha me tirou do sério. Perdi o controle da minha magia, e um arrependimento doentio fez meu estômago embrulhar. "O que eu quase fiz?"

Isso me matou, mas alcancei minha bolsa e tirei o disco. Minha última chance de respostas. Eu o entreguei. Aisha levou embora.

– Sei como isso deve ser difícil – Aisha sussurrou.

– Não – eu disse a Aisha. Amando-a, odiando-a, esperando que um dia eu deixasse de me ressentir com ela por isso.

– Você não sabe.

Mente

Stella se inclinou sobre o telefone de Musa, lendo uma enxurrada de mensagens de Aisha sobre Dane. O tom de Stella ficou ríspido.

– Simplesmente não consigo acreditar que todos estão dando ouvidos a Aisha como se ela soubesse de tudo. Vocês não têm ideia de como tem sido difícil manter minha boca fechada enquanto a suíte fica descontrolada. Não posso suportar tanto.

As sobrancelhas de Musa se ergueram.

– Então você é a razão pela qual as coisas continuam caindo e quebrando e...

– Eu tenho opiniões – disse Stella com dignidade –, e se não posso expressá-las verbalmente, não poderia deixar de agir como poltergeist para me comunicar.

Só então a porta se abriu, e Aisha e Terra entraram. Assim que a porta se moveu, Stella desapareceu. Terra já estava a todo vapor.

– Só me pergunto o que mais nós podemos fazer...

– Podemos deixar tudo isso para trás e… – Aisha parou, olhando para Musa. – Onde você esteve? Você não entendeu as minhas mensagens?

Musa não sabia se deveria contar os segredos de Stella.

– Sim. Desculpe. Estava… ocupada. Sam estava aqui e…

Terra fez uma careta.

– Espere, não no nosso quarto, certo?

Aisha a ignorou, segurando um disco rúnico.

– Está tudo bem. Paramos Bloom. Acho que ela está perdendo o controle. Sei que disse que nós não o faríamos, mas me pergunto se temos de contar à senhorita Dowling.

Uma onda de irritação fez Musa pular. Não era apenas a sua irritação. Ela olhou para a prateleira, onde um suporte de vasos tremeu. Ele começou a se mover sozinho em direção à borda. Musa apontou para o espaço vazio.

– Não se atreva!

Aisha, assumindo naturalmente que Musa estava falando sobre ela, disse:

– Não. Acho que devemos contar a ela.

O vaso se moveu mais um centímetro. Na verdade, Musa estava cheia daquilo, ela se sentia totalmente pronta para revelar os segredos de Stella:

– Stella tem uma opinião sobre isso – declarou ela.

– O quê? – disse Terra.

– Hã? – perguntou Aisha.

– Eu me recuso a continuar limpando essa bagunça – Musa informou sobre a ação oculta de Stella. Era só dizer a elas.

Suas colegas de quarto olharam para Musa como se ela tivesse perdido o juízo. Até que Stella apareceu ao lado do vaso. Ela olhou para Musa com um olhar irritado, e então se virou para Terra e Aisha.

– Tenho uma opinião – anunciou Stella.

As meninas ficaram perplexas. Terra começou a falar, mas o tom de Stella não aceitaria comentários:

– Todas nesta suíte são tão pretas ou brancas. Por acaso ocorreu a vocês como, alguma vez, se há algum lugar intermediário possível?

Stella olhou para Musa. Novo entendimento aconteceu entre elas. Foi lindo.

– Bloom é um pé no saco – disse Stella, que era menos bonita –, mas ela merece saber quem ela é. Mesmo. Não as histórias que o corpo docente está contando para ela. Portanto, podemos nos preocupar com estarmos certas, ou podemos ajudar nossa amiga. O que vai ser?

Fogo

Encontrei a senhorita Dowling na frente de uma cômoda aberta, olhando para uma roupa que parecia quase roupa de Especialista. A roupa que ela havia usado nas fotos antigas. Ela se virou com o barulho da porta batendo atrás de mim.

– Pois não? – a senhorita Dowling disse fracamente.

– Quero vê-la – respondi.

– Rosalind.

– Eu disse a você, ela está…

Minha voz foi outra porta batida.

– Sei que ela está viva! Então não minta para mim de novo.

Tinha havido muitas mentiras. Eu não tinha certeza se poderia suportar ouvir outra.

– Não tenho tempo para isso agora, Bloom. – A senhorita Dowling caminhou em minha direção para passar por mim.

– Sou de Aster Dell.

Eu joguei as palavras para ela, e elas a detiveram de repente.

– Sim. É onde nasci. E era lá que meus pais biológicos viviam. Isso até você, o senhor Silva e o professor Harvey a destruírem.

Por um momento a senhorita Dowling não falou. Ela nem mesmo precisava responder. Eu podia ver a culpa em seu rosto. Com a voz trêmula, sussurrei:

– Então é verdade.

Eu não tinha percebido quanto eu esperava que não fosse. Ela era a mulher que veio de Outro Mundo para me resgatar, cercada pela luz. A mulher que mentiu para mim repetidamente. Eu me agarrei à raiva, porque parecia mais seguro.

– Como você pôde fazer aquilo? Como matar os Queimados poderia ser mais importante para você do que a vida das pessoas? Do que meus... pais?

A expressão da senhorita Dowling mudou.

– Você acha que fizemos isso de propósito?

– Isso é o que Beatrix disse – vacilei –, que Rosalind teve uma crise de consciência, mas você foi até o fim, de qualquer maneira. Diga que não é verdade.

"Não", pensei. "Eu não queria que ela contasse o que eu queria ouvir. Queria a verdade."

A senhorita Dowling balançou a cabeça.

– Rosalind. Ela ainda está manipulando pessoas depois de todos esses anos.

– O que isso significa? – exigi. – Diga-me o que aconteceu naquele dia.

Houve um silêncio longo e terrível. Eu vi a senhorita Dowling tomar fôlego e rezei para que ela não mentisse para mim novamente.

– Naquele dia – disse a senhorita Dowling – cometi um erro.

E a dor e determinação no rosto da senhorita Dowling me permitiram, finalmente, acreditar.

– Rosalind foi minha mentora. A fada mais poderosa em Alfea. Temida, mas respeitada. Nunca duvidei dela. Nunca a questionei. Então, quando ouvimos sobre os Queimados em Aster Dell, nós a seguimos.

Enquanto a senhorita Dowling falava, quase pude ver a imagem da Equipe de Rosalind ganhar vida e caminhar pela floresta verde. Antes da devastação de Aster Dell. A senhorita Dowling, Silva, o pai de Terra, o pai de Sky e Rosalind, a líder confiável. Sendo uma equipe, tentando fazer um bom trabalho. Como tudo foi dar tão errado?

– A magia que desencadeamos naquele dia foi imensamente poderosa. Até então não sabíamos que as fadas poderiam combinar seus poderes de magia. Era um segredo que Rosalind guardava. Não foi o primeiro. Mesmo assim, nós nunca a questionamos. Ela nos disse que tinha cuidado de evacuar a aldeia. Ela nos disse que apenas os Queimados seriam mortos na explosão.

Lembrei-me da visão que Beatrix me mostrou. Tanta devastação. Quantas pessoas morreram nos destroços da vila. Meus pais não eram Queimados. O rosto da senhorita Dowling estava cheio de pesar. Tudo que ela tinha a dizer era:

– Devíamos ter questionado as ordens.

Então foi culpa de Rosalind? Beatrix sabia disso? Quem estaria mentindo? Talvez todos eles estivessem mentindo.

– Quando percebemos o que ela tinha feito, o que nós tínhamos feito? Esse dia viveu em minha mente por dezesseis anos.

A voz da senhorita Dowling era áspera.

– Se Aster Dell é o lugar de onde você veio, não há palavras que eu pudesse dizer que reparassem o dano que causei a você.

– Por que Rosalind faria isso? Mentir? – sussurrei. – Por que todo mundo mentiu? Estava tão cansada disso.

– Ela era uma fanática. Ela queria todos os Queimados mortos, não importava o custo. Tenho certeza de que ela pensou que se nos contasse que não poderia esvaziar a aldeia, diríamos que não. E ela estava certa.

Tentei decifrar, desvendar toda a infeliz bagunça.

– Mas e quanto a mim? Por que ela me resgatou? Por que ela me colocou no mundo humano? Por que ela me disse para encontrá-la?

O cansaço parecia superar a senhorita Dowling, ali dentro daquele escritório escuro, com as portas de seu passado abertas diante de nós.

– Isso não sei, Bloom. Rosalind escondeu muitos segredos de mim.

A esperança flamejou em mim.

– É por isso que quero vê-la. Sei que você a prendeu. Beatrix me disse que ela está sob a escola.

A senhorita Dowling se mexeu desconfortavelmente. Suspeitei de que ela não esperava que eu soubesse disso. Mas ela não negou.

– O que quer que ela tenha para lhe dar, não vale a pena trazê-la de volta ao mundo, Bloom. A senhorita Dowling se aproximou de mim. Mais aberta do que jamais tinha visto, como se ela pudesse estender a mão e pegar nas minhas. Derramar a verdade em minhas mãos em concha, a verdade de que precisava. Sobre meus pais biológicos.

– Vou ajudá-la a obter todas as respostas de que precisar – disse a senhorita Dowling –, eu te dou minha palavra.

Eu queria tanto acreditar nela, mas não queria ser uma tola de novo. E então Silva chegou. Ele exigiu a presença da senhorita Dowling. Havia algo mais importante do que encontrar minhas respostas. Sempre parecia haver algo mais importante. Para todos, exceto para mim.

Especialista

Quando Sky voltou a si no círculo de pedra, estava escuro e frio, e Bloom havia muito tinha partido. Ele ignorou todas as mensagens de texto em seu celular, cambaleou e voltou para o castelo. Antes de chegar lá, Riven o encontrou.

– Você parece lixo – disse Sky, o melhor amigo, sempre compreensivo.

– Estou com vontade. Então isso faz sentido.

Riven parecia sentir que deveria explicar sua presença fora dos portões.

– Terra, a superespiã, fez Dane se urinar todo. Ele disse que Bloom veio aqui para fazer algo com uma chave de magia e ninguém conseguiu encontrá-lo, então...

O amigo de Sky estava usando armadura completa, e ele estava segurando uma bolsa de equipamentos. Sky ficou tenso.

– Onde está Dane? Aquele traidor.

Sky iria fazê-lo pagar.

– Preparem-se.

– O quê? – exclamou Sky. – Por favor, diga que Beatrix...

– Ainda está trancada – Riven disse brevemente –, nós temos problemas maiores.

Ele jogou a bolsa de equipamentos para Sky. Riven sempre jogava bem forte, mas Sky sempre conseguia pegar o que quer que ele jogasse. Sky abriu o zíper da bolsa para revelar sua própria armadura e sua espada.

– Que diabos está acontecendo? – perguntou Sky lentamente.

– Silva precisa de nós na Barreira – disse Riven. Imediatamente a mão de Sky fechou em torno do punho de sua espada. Ele sabia o que isso significava. Os Queimados estavam atacando. O dever de Sky estava claro. Enquanto se dirigiam para a Barreira, Riven explicou a ele que os Queimados estavam vindo contra eles com força.

Havia um vídeo circulando com eles dizimando um time de Especialistas. A mente de Sky se afastou da ideia de tantos Queimados, de quanta destruição eles poderiam causar. Assim que a mente de Sky começou a divagar, ela foi para Bloom.

– Quando encontrarmos Silva – disse Sky –, você acha que nós poderíamos não mencionar...

Riven suspirou.

– Uma namorada maluca é um acidente que poderia acontecer a qualquer um. Duas já é um padrão. Você quer que eu não mencione que você foi drogado por uma ruiva infernal, maníaca em libertar assassinos da prisão?

– Ah – disse Sky –, isso mesmo.

Riven encolheu os ombros.

– Tanto faz, cara, não julgo o seu gosto pervertido. "Ai, que dia! Espero que Terra destrua o telefone de Dane." Ele se iluminou, como se fosse um pensamento agradável.

Sky franziu a testa.

– Por que Terra roubou o telefone de Dane?

Riven balançou a cabeça.

– Muito crime para explicar de uma vez. Vamos, cara. Temos que correr logo para não sermos assassinados.

Fogo

Sentei-me no chão e olhei através da Barreira. Outro Mundo além era lindo e estranho, e nada parecido com meu lar. Eu não conseguia ver nem mesmo um lampejo de esperança nessa paisagem inteira.

Então, com um som suave, algo pequeno e brilhante caiu na grama ao meu lado.

– Você precisa de respostas – disse Musa.

– As pessoas as mantiveram longe de você – disse Terra, para quem a verdade era tão importante –, não queremos ser esse tipo de pessoa também.

Eu me senti tão impossivelmente tocada, como se finalmente alguém tivesse me visto pela primeira vez em muito tempo. E essas foram "as alguéns" minhas amigas. Então percebi quem estava faltando.

– Onde está Aisha?

Terra fez uma careta.

– Você sabe que ela tem alguns princípios muito fortes e ela não concordou totalmente com o que estávamos pensando...

Musa disse simplesmente:

– Ela ficou na suíte.

– Acho… que isso é o melhor que eu poderia pedir – balancei a cabeça em agradecimento ao disco.

– Então você vai me deixar libertar Beatrix?

– Sim, então essa é a parte em que Aisha não conseguiu embarcar com você…

E, naquele momento, Stella emergiu da escuridão. Olhei, pasma. De onde diabos Stella tinha aparecido?

– Ela jamais gostou das minhas ideias, de qualquer maneira – Stella disse maliciosamente.

Água

O ruído dos Queimados encheu a floresta noturna como o som do farfalhar de folhas com dentes. A diretora senhorita Dowling, o professor Harvey e o diretor Especialista Silva, com os especialistas agrupados em torno deles, foram diante da barreira, prontos para lutar. O resto de suas companheiras de suíte tinha se juntado a Bloom. Era hora de Aisha escolher um time.

– Quantos deles existem? – ela perguntou. Os outros se viraram para olhar para ela. O amigo esquisito de Sky, Riven, olhou sério para Aisha, mas a diretora senhorita Dowling olhou para Aisha com simples preocupação.

– Volte para a escola. Você não deveria estar tão perto da Barreira.

– Vim porque… – Aisha só poderia oferecer o dispositivo que ela encontrou na mesa de Callum.

– Um dispositivo de escuta! – disse o professor Harvey. O rosto da senhorita Dowling estava severo, mas quase sempre estava assim. Mesmo assim, ela escolheu Aisha e confiou a Aisha algumas responsabilidades, e Aisha retribuiu enganando-a para ajudar Bloom. Agora vidas estavam em perigo, a senhorita Dowling logo enfrentaria criaturas de pesadelo para salvar seus alunos, e Bloom ainda estava empenhada em sua missão pessoal.

Era horrível pensar que ela estava traindo sua colega de quarto. Mas se Aisha não falasse agora, ela estaria traindo a senhorita Dowling e Alfea.

– Foi de Callum. Encontrei depois que ele foi... morto – Aisha confessou –, eu o tenho usado... parecia que havia todos esses segredos, e não sabia se confiava em você. Mas agora sei. Você está nos protegendo.

Silva retrucou:

– Você precisa voltar para a escola agora. Este não é o momento para crédito extra ou...

Aisha concordou. Não era hora de pensar em fazer o bem, de querer fazer amigos. Isso não era um jogo. Era hora de fazer o que ela acreditava ser certo. Desesperadamente decidida, Aisha interrompeu para dizer:

– Não estou procurando crédito extra. Estou aqui porque você precisa saber o que está acontecendo. O que Bloom vai fazer.

Riven agora estava lançando tantos olhares tortos para Aisha que havia até sobrancelhas tortas envolvidas. Sky lançou a Aisha um olhar que implorava para que ela não contasse. Aisha contou, mesmo assim.

Fogo

Eu marchei para a Ala Leste para libertar a prisioneira. Desta vez, com o apoio das minhas amigas.

– E aqui estava eu, duvidando de você – disse Beatrix enquanto ela colocava o disco rúnico sobre sua pulseira.

O disco funcionou rápido. A magia de Beatrix voltou mesmo rapidamente. Os olhos de Beatrix brilharam acinzentados e foi assustador ver a rapidez com que ela acessou seu poder. Ela colocou o dedo na porta trancada. Imediatamente, uma pequena faísca passou pelo metal e a porta se abriu.

– Lá vamos nós – anunciou Beatrix, como se estivéssemos embarcando em uma grande aventura. Enquanto Beatrix saía de sua cela e liderava o caminho em direção ao escritório da senhorita Dowling, havia uma mola em seus passos.

Assim que chegamos lá, ela me mostrou como desviar a estante de pedra para revelar uma porta oculta. Parei na mesa da senhorita Dowling enquanto Beatrix olhava cautelosamente através da porta.

– Assim que Dane chegar aqui, podemos lançá-lo para dentro – Beatrix me disse brilhantemente.

Aparentemente, era assim que funcionava.

– Parece meio duro, usá-lo para acionar a armadilha – eu disse casualmente.

– Ou ele está no jogo – Beatrix ponderou sobre isso – ou não está, e nós faremos de qualquer maneira!

– E você – perguntei –, você está no jogo?

Beatrix inclinou a cabeça em um gesto confuso como se fosse um pássaro. Ela estava me estudando. Nem teve tempo de reagir quando Stella apareceu bem ao seu lado e a empurrou com força pela porta.

Assim que Beatrix caiu no chão, seus olhos nublaram com magia, e ela ficou paralisada. Imagino que ela atacou Callum desse jeito. A reviravolta foi um jogo justo.

– Isso foi muito mais satisfatório do que derrubar vasos de flores – Stella comentou misteriosamente, tirando o pó das mãos.

Terra e Musa entraram pela porta do escritório da senhorita Dowling menos animadas do que Stella, mas parecendo determinadas. A leal Terra olhou para Beatrix com ressentimento.

– A propósito – ela disse –, Dane não estaria no jogo.

Estava claro que Stella desejava ser admirada imediatamente.

– Viram? Libertar a vilã para conseguir o que Bloom queria e, em seguida, prendê-la de novo. Simples. Minhas ideias são demais.

Musa olhou para Beatrix, seus próprios olhos brilhando.

– Caso alguém esteja se perguntando – Musa disse secamente –, ela não está feliz.

Eu não estava pensando. Estava olhando para a porta secreta, e pensando nas respostas que estariam além dela.

Terra

Os túneis além da porta secreta estavam escuros e apavorantes. Terra supôs que isso fazia sentido. Stella estava usando sua magia para iluminar seu caminho com um daqueles fios brilhantes que ela usava para tornar as suas fotos tão sensacionais. Terra ficou perto de Stella, embora ela parecesse assustadora e desagradável por causa daquela luz artificial. Também porque era bom ver Stella novamente. A suíte estava completa!

– Sinto que vou me arrepender disso, mas... você está bem? – Stella perguntou.

Havia tanto na mente de Terra, ela mal sabia o que dizer primeiro. Ela ficou tão aliviada que Stella perguntou. A expressão de Stella não parecia aliviada, mas era tarde demais! Terra já estava falando.

– Acabei de libertar um prisioneiro. Invadi o escritório da diretora.

Stella concordou com a cabeça. Sim, Terra supôs que Stella estava lá o tempo todo. Terra ouviu sua própria voz ganhar velocidade, sentimentos saindo.

– Desde que me lembro, quando estava com medo ou insegura, sempre recorria a uma pessoa para obter respostas. Sempre fui capaz de fechar meus olhos no escuro e saber que ele me guiaria no caminho certo. Mas não acho que ele iria me conduzir aqui embaixo.

Stella pareceu considerar sua resposta com cuidado antes de responder.

– Até os melhores pais estão fazendo o que acham que é melhor por nós. Em algum ponto teremos que assumir nossos próprios riscos.

Ela fez uma pausa e se concentrou. Os olhos de Stella brilharam como topázio, e outro raio de luz brilhante apareceu. Junto ao de Terra. Só para ela, iluminando seu caminho.

Terra olhou para sua luz mágica. Ela se sentiu tão tocada que poderia até chorar. Perguntou-se se Stella aceitaria um abraço.

– Ah, e por falar nisso, a sua roupa?

Stella olhou para ela de cima a baixo. Murchando sem dizer uma palavra. Terra sentiu uma pontada de humilhação totalmente normal, ali naquele túnel assustador. E ela sorriu. Amo minhas amigas burras e mesquinhas, pensou Terra. Eu amo o Winx Club.

Fogo

No final do túnel havia uma porta. Parei na frente dela, sabendo que era onde eu precisava estar. Mas fiquei parada, muito desesperada de medo e excitação para me mover.

Eu me senti como se pudesse ficar ali, esperando por respostas, minha vida inteira. Até que Musa se aproximou. Seus olhos não brilharam, mas senti como se ela pudesse ver meu coração, de qualquer maneira.

– Tudo o que tenho procurado está por trás daquela porta – sussurrei.

Ficamos juntas por um momento, na soleira.

– Estaremos aqui quando você sair – Musa disse firmemente.

Minhas amigas. Eu sabia que elas estariam.

Passei pela porta e vi uma barreira. Quase igual à barreira para a floresta, mas esta era uma treliça de magia brilhante.

Eu dei mais um passo em direção à luz.

Conto de fadas n.º 6

A maré turva de sangue é liberada, e em todos os lugares
A cerimônia da inocência é afogada;
Os melhores carecem de convicção, enquanto os piores
Estão cheios de intensidade apaixonada.

– W. B. Yeats

Fogo

Entrei em uma sala estranha e iluminada. As paredes estavam ondulando como feixes de luz na água. Presa em uma cela translúcida, Rosalind estava amarrada, suspensa.

Ela se parecia com a minha visão dela, como nas fotografias: uma mulher com tal força de personalidade, ela poderia ter incendiado o ar ao seu redor.

Eu toquei a luz ondulante entre nós, e um choque proibido de magia me fez pular de volta.

– Desculpe. Eu deveria ter te avisado.

Uma voz ecoou, mas apenas em minha mente. Pude ver os lábios de Rosalind, e eles não estavam se movendo.

– Rosalind? – sussurrei, da mesma forma.

– Eu só posso imaginar quantas perguntas você tem para mim – ela respondeu.

A voz de Rosalind em minha mente era calorosa, mas confiante. Fazia muito tempo que não me sentia confortável. Ouvir aquela voz quase trouxe uma lágrima aos meus olhos.

– Apenas algumas – admiti.

– Bem, eu só tenho uma para você. Você tem alguma ideia de quão especial você é?

Eu não esperava nada assim. A pergunta dela era áspera, mas doce. Honesta. A melhor parte era que ela parecia tão completamente diferente da senhorita Dowling. Não pude evitar um sorriso de surpresa. De brincadeira, Rosalind perguntou:

– Quer aprender um novo truque?

– Agora mesmo?

E isso era hora de truques?

– Acesse aquela chama dentro de você. Use a alegria que você está sentindo, porque você está prestes a obter respostas. Ou quão chateada você está comigo por deixá-la no Primeiro Mundo sem eles. Não vou ficar ofendida.

Fechei meus olhos e senti todas as emoções emaranhadas em mim faiscarem e depois pegarem fogo. Talvez agora fosse o momento exato para os truques. Rosalind me encorajou:

– Aí vem a parte divertida. Aquela chama? Seus instintos estão dizendo que isso vai queimar você. Seus instintos estão errados. Agarre-se a eles.

Parecia que o fogo estava me envolvendo, mas não me consumindo. Eu me engasguei, sentindo-me acender com o poder.

– Agora. Toque a barreira novamente.

Eu hesitei.

– Não seja covarde – Rosalind me disse –, você consegue. Faça isso.

Rosalind me dirigiu com uma autoridade tão fácil, e isso me fez obedecer naturalmente. Estendi a mão e toquei a barreira. Desta vez minha mão não foi soprada para trás. Quando minha visão clareou, a barreira havia sumido.

De pé no centro da sala estava Rosalind. Ela falou em voz alta agora. Sua voz áspera, mas cheia de personalidade.

– Dezesseis anos. Sem espelhos. Sem maquiagem. Como está a minha aparência agora? Não minta. Ok, minta só um pouco.

Ela abriu um sorriso intensamente desarmador. Então ela deu um passo e suas pernas fraquejaram. Corri para ela.

– Você precisa de comida. Água. Descanso.

– Não – disse Rosalind –, eu preciso de magia.

Terra

– Bloom está lá há um tempo – Terra se preocupou.

– O que elas poderiam estar falando – Stella olhou para elas com desdém –, uma vez que ouvi você falar sobre sujeira por duas horas? Sujeira. Duas horas.

– Solo – Terra corrigiu severamente. – Não confunda, Stella!

Essa era uma diferença importante.

– E deixamos Beatrix deitada lá. Quero ter certeza de que ela não está acordada, preparando três lâminas.

– Não seja ridícula. Ela usaria a mesma lâmina três vezes. Facada, facada, facada – disse Musa.

Oh, Terra amava Musa, mas sua colega de quarto não era uma pessoa reconfortante.

– Podemos apenas entrar para ver?

– Tudo bem, mas você está exagerando – disse Stella com um ar de superioridade.

Stella manteve a atitude durante todo o caminho através dos túneis, até que alcançaram a porta e foram confrontadas com o espaço vazio no chão, onde Beatrix estava deitada. Terra olhou acusadoramente para Stella. Musa olhou para a porta.

Perfeito! Elas tiveram que se reagrupar. Terra estava fazendo um plano.

– Gostaria de minhas desculpas por meio de uma carta manuscrita e perfumada, depois de a encontrarmos.

Musa murmurou:

– E vai ficando cada vez pior...

Na porta, a senhorita Dowling estava com Aisha. E, muito pior, com o pai de Terra.

– Vocês não têm ideia dos problemas que causaram. Você especialmente, Stella – disse a senhorita Dowling.

Ah, não. Stella deveria ser protegida.

– Nós estávamos só... – Terra começou valentemente. Seu pai a interrompeu. Ele nunca se dirigiu a Terra com sua voz pura de professor Harvey, mas a estava usando agora.

– Nem mais uma palavra. Venham comigo.

Enquanto o pai de Terra as conduzia para fora, Stella parou por Aisha.

– Espero que os pontos extras brownie que você está ganhando com isso te façam companhia, quando você não tiver mais amigas – disse ela docemente.

Mais uma vez, Terra se sentiu um pouco grata pela maldade de Stella.

Mente

Todo mundo estava tendo muitos sentimentos fortes, intensos e terríveis, e Musa odiava todos eles. Ela sentou-se em silêncio ao lado de Stella, enquanto o professor Harvey lia para elas a Lei do Motim, e tentou afundar no chão.

Terra estava de pé perto da porta, cada nervo dela estremecendo como sinos de vento na cabeça de Musa. Aisha sentou-se do outro lado da sala. Apenas assistindo. O professor Harvey disse:

– Insubordinação, arrombamento e invasão. Colocando em risco a vida de seus colegas de classe. E liberando Rosalind? Vocês têm alguma ideia do que fizeram?

Nenhuma delas disse uma palavra. O professor Harvey voltou-se para falar com Terra especificamente.

– Eu diria que estou decepcionado com você, mas isto vai muito além.

Harvey se moveu para sair, balançando a cabeça. O rosto de Terra era uma mistura de frustração e devastação. Mas então ela olhou direto para Stella. Stella acenou com a cabeça, incentivando o aumento da fúria em Terra como uma avalanche, e Terra encontrou sua voz:

– Você mentiu de novo!

Musa se perguntou quando as pessoas parariam de subestimar Terra. Ela respondia a todos os desafios como um touro reagindo a uma bandeira vermelha.

– Como é? – disse o professor Harvey.

– Sobre Rosalind. Sobre Aster Dell. Sobre tudo isso. E agora você está bravo? Comigo? – Terra corrigiu seu pai com um olhar severo e desapontado. – Você não pode me punir por não saber o que você não me disse. Isso não faz nenhum sentido lógico.

O professor Harvey claramente não teve um retorno, então ele recolheu o cartão pai/professor.

– Acho que todas vocês precisam se acalmar.

Ele saiu imediatamente, batendo a porta atrás de si. E quando Terra agarrou a maçaneta e tentou abri-la, a porta não se mexia.

– Ele usou sua magia para selar a porta! – ela sacudiu a maçaneta furiosamente –, eu o peguei em uma armadilha lógica, e ele usou sua magia para nos deixar de castigo!

– Isso significa que você venceu – disse Stella.

Terra não parecia confortada com essa informação. Musa tentou acalmar a frustração vinda de Terra em ondas.

– Ele está simplesmente sobrecarregado.

Mas Terra não estava ouvindo. Aisha aproveitou essa oportunidade para tentar esgueirar-se para o quarto dela, o que Musa considerou sábio, mas Stella a interceptou.

– E para onde você está indo? – Stella cobrou. – Eu sabia que você era a queridinha do professor. Só não sabia que o animalzinho de estimação dele era um rato.

– Estava planejando acalmar a situação, me esquivando dela, mas se você quiser atiçar os ânimos de novo...

Aisha se aproximou de Stella, claramente pronta para uma briga.

Ah, não! Dentes e sentimentos voariam por toda parte! Musa olhou desesperada ao redor.

– Vocês podem esperar trinta segundos, por favor? Pelo menos me deixem pegar meus fones de ouvido – ela implorou, pondo-se de pé e correndo até o seu quarto.

Musa fechou a porta atrás de si e respirou fundo, e então percebeu um puxão em sua magia, sentindo algo. Desta vez isso a fez sorrir. Ela se virou para ver Sam. Seu sorriso foi de alívio imediato.

Ela fez uma careta eloquentemente dolorida para ele, depois foi esconder a cabeça em seu peito. Ele a puxou. Ele era seu santuário.

– Que diabos está acontecendo lá fora?

Sam podia ouvir o que estava acontecendo por si mesmo. Além da porta, Aisha e Stella estavam em uma luta total. Pelo menos pareciam estar apenas gritando. Até o momento.

– Não importa o que aconteça, você pare de tagarelar –, Stella se enfureceu.

– Qualquer pessoa com mais de 5 anos sabe disso. Até Terra sabe disso.

A voz de Terra, a única que não estava gritando, disse:

– Ei. Quero dizer, sim, mas...

– Ei! – Aisha gritou, sua raiva enchendo a cabeça de Musa.

A porta não servia como uma barreira eficiente.

– Existem Queimados fora da barreira. Bloom está sendo egoísta. A última coisa que a senhorita Dowling precisa é ter que se preocupar com Rosalind!

Fogo

Eu observei enquanto a senhorita Dowling entrava no espaço místico do círculo de pedra. Ela ficou lá por um momento, os olhos procurando entre a grama e as pedras, e então começou a se afastar. Ela não podia me ver ou Rosalind paradas ali, os olhos de Rosalind brilharam fracamente na escuridão.

Enquanto assistia à senhorita Dowling partir, eu me virei para Rosalind.

– Pensei que você estivesse fraca. Que você não poderia fazer mágica. Mas você pode nos tornar invisíveis?

– No círculo de pedra, posso sacar a magia da terra – disse Rosalind –, é por isso que pedi que você me trouxesse aqui. Para que eu pudesse recarregar as velhas baterias.

Rosalind colocou a mão perto de uma das pedras. Gavinhas de luz mágica se estenderam, conectando mão e pedra. Ela se sentou, com um longo gemido de alívio.

– Se você está forte o suficiente para fazer mágica, você pode responder algumas perguntas. Arrisquei muito para te encontrar e te libertar. Por favor, diga-me apenas: o que aconteceu em Aster Dell?

Até eu fiquei surpresa com a força da minha exigência. Rosalind parecia ligeiramente impressionada.

– Tudo que Farah disse a você é verdade. Menti para eles. Disse que Aster Dell foi evacuada. E não foi.

"Farah", pensei, e então percebi que ela se referia à senhorita Dowling. Era quase impossível imaginar a senhorita Dowling como tendo um primeiro nome. Ela tentava tanto ser uma figura com autoridade como alguém que os alunos pudessem confiar.

Por um momento eu queria correr atrás da senhorita Dowling e contar tudo o que tinha conseguido a ela. Em vez disso, perguntei lentamente:

– Você matou aquelas pessoas inocentes?

– É aí – disse Rosalind – que a história se complica...

Os olhos de Rosalind brilharam por um instante. O luar parecia responder a ela, lançando sombras estranhas. Seis figuras encapuzadas derivaram de fora do círculo em nossa direção.

– Um dos princípios fundamentais do Outro Mundo é que apenas as fadas podem fazer mágica. Os colonos de Aster Dell eram uma exceção. Eles eram humanos que recorriam a sacrifícios e morte da mesma forma que retiramos dos elementos: Bruxas de Sangue. É magia perdida. Magia perigosa. Se alguém soubesse que era possível, isso abalaria a fundação do Outro Mundo. Então menti até para meus conselheiros mais confiáveis. Aquelas bruxas viviam nas sombras por séculos. Mas suas ações sugeriam que elas estavam ficando mais ousadas. Era só uma questão de tempo até elas fazerem um movimento.

As figuras pararam de se mover e se voltaram para o centro.

– Então, quando os Queimados caíram sobre eles, eu vi minha oportunidade. Um bando de pássaros, uma pedra poderosa.

As figuras desapareceram em um raio de luz, e os olhos de Rosalind voltaram ao normal. Fiz algumas contas mentais.

– Espere. Se os colonos de Aster Dell eram bruxas e meus pais biológicos eram fadas...

– Ela é rápida – Rosalind disse com aprovação –, bom, isso vai ser rápido. Você está certa. Seus pais não são de Aster Dell. Você foi sequestrada. Seus pais fadas não foram encontrados em lugar nenhum.

– Então eles ainda podem estar lá fora. Meus pais fadas poderiam ainda estar vivos! Por que você não tentou encontrá-los?

Os intensos olhos azuis de Rosalind estavam fixos em mim, totalmente absorvidos por mim, como se eu fosse algo maravilhoso.

– Você não estava segura no Outro Mundo. O poder dentro de você é muito forte. Eu soube no segundo em que coloquei os olhos em você. É por isso que as bruxas te queriam. Para usar seu poder. E porque os Queimados fora da Barreira também te querem, para se livrarem de você antes que teu poder possa ser usado contra eles.

Isso não era nada maravilhoso. Todos disseram que os Queimados não foram vistos por dezesseis anos. Agora, de repente, eles estavam aqui, perto de Alfea, matando pessoas. Machucando Silva, que era como o pai de Sky.

Ele iria me odiar, se soubesse que era tudo minha culpa? Meus amigos teriam medo de ficar perto de mim? Acreditei que, se fosse para Alfea, poderia manter meus pais seguros, mas talvez tenha trazido perigo, aonde quer que eu fosse. Para todos que amava. Não consegui reprimir o frio que percorreu meu corpo.

– Eles estiveram atrás de mim o tempo todo?

– É chato ser especial às vezes – Rosalind sorriu –, mas agora você me tem. E isso vai ser péssimo para os Queimados ainda mais. Pronta para o truque número dois?

Rosalind sorriu. Era estranhamente reconfortante. Pelo menos eu não estava nisso sozinha. Ela iria me ajudar. Ela me daria a resposta de que eu mais precisava: como manter aqueles que eu amava seguros.

Especialista

Eles estavam na borda da floresta, na calada da noite, e Riven tinha certeza de que todos iam morrer. Sky e Silva estavam à frente de seu pequeno grupo, sendo líderes unidos e destemidos. Riven estava escutando sua conversa descaradamente. Infelizmente, eles estavam examinando estoicamente o pálido vislumbre da Barreira, procurando na floresta além pelos sinais dos monstros. Ainda assim, Riven poderia dizer que ambos queriam quebrar sua reserva viril e revelar segredos.

Silva pigarreou quatro vezes. Por fim, perguntou:

– Eu deveria estar preocupado, pois ouvi de Aisha que Bloom drogou você. Aisha, a gatinha esportiva, apareceu, se jogou para a senhorita Dowling em uma explosão de amor de queridinha da diretora e tinha entregado algum tipo de dispositivo de escuta mágico superconveniente que ela estivera usando para espionar a senhorita Dowling. Então ela confessou tudo sobre a delinquência de Bloom, e ela, a senhorita Dowling e o pai de Terra tinham saído para possivelmente prender Bloom?

Riven não estava... ele não podia acreditar que a amiga confiável Aisha tinha conseguido, e ele, Riven, não. Ele definitivamente deveria ter gritado primeiro.

Ele tentou, mas a senhorita Dowling já havia marchado para impedir Bloom de libertar Beatrix, e Sky o acotovelou nas costelas quando Riven começou a tagarelar com Silva.

– Não sei.

Sky respondeu agora, muito quieto.

– Devo me preocupar por ter ouvido de Bloom o que aconteceu em Aster Dell?

O tom de Sky era quase ameaçador. "Ok, o que aconteceu em Aster Dell?" Riven se perguntou. "Aster Dell era, tipo, um clube de strip tease que Silva gostava de visitar?" Hilário. Ele sabia que provavelmente não era isso, mas estava pensando sobre suas mortes iminentes, e queria se animar um pouco.

Silva se preparou e ficou parado de forma suspeita. Parecia que era hora de liberar as informações sobre o clube de strip.

– Acho que acabamos por aqui – murmurou Kat.

"Uau, Kat." Riven estava tentando escutar; por que ela tinha que continuar sendo um supersoldado eficiente e focar no trabalho de ser morto?

– Discutiremos isso mais tarde – decidiu Silva.

Não haveria mais tarde, eles estavam prestes a ser assassinados! Riven queria ouvir sobre o clube de strip agora. Mas Silva e Sky já estavam voltando para o grupo, e Kat tinha focado seu olhar de supersoldado de aço em Riven.

– Olhe bem para esse telefone.

Riven pegou seu telefone e o entregou a Kat.

– Faça você, então.

Kat olhou para ele com desdém. Riven se defendeu. Não era culpa de Riven que todo mundo era um lunático sanguinário!

– É sinistro assistir alguém morrer! Não me olhe como se eu fosse um idiota por não querer ver isso.

Kat, uma lunática certificada com sede de sangue, revirou os olhos enquanto pegava o telefone. Quando ela observava o visor, Riven ouviu gritos na filmagem. Rasgando a carne. Ele reprimiu um estremecimento.

– Reconheço esse lugar. É perto do celeiro. Não é longe daqui – Kat falou.

– Vamos embora! – disse Silva.

Riven teve uma ideia melhor. "Não vamos!"

– Esperem. Sem fadas? Contamos pelo menos seis Queimados naquelas imagens. Isso é muito estúpido.

Sky olhou para Riven por fazer declarações insubordinadas, mas factuais.

– É uma ordem, Riv – Sky disse a ele sem simpatia.

– Chupe isso.

Riven se encolheu. Havia momentos na vida de um cara, quando ele tinha que se fazer as questões verdadeiras. Por que eu algum dia concordei em empunhar uma espada estúpida, e por que me tornei amigo desse censor idiota? Certo, porque Alfea não deixou outra escolha. E agora as regras de Alfea diziam a ele para ir e morrer. Silva dirigiu-se a toda a equipe:

– Eu entendo que isso é apavorante. Vocês tiveram a sorte de crescer em uma era de paz. Mas indo para uma floresta, contra todas as probabilidades, para lutar contra uma criatura que arrepia sua alma? Isso é ser um verdadeiro Especialista. E é o mínimo que espero de cada um de vocês.

"Grande discurso", Riven pensou, "exceto pelo fato de ser muito idiota. Por que não tentar equilibrar as chances para que..." – Riven estava apenas elucubrando aqui – "eles não tivessem que morrer todos?"

Então veio um som áspero e terrível, um som de lixa que soou como um trovão. Eles olharam em direção da floresta, onde seu inimigo deveria estar, mas havia algo errado ali. Sky foi quem percebeu primeiro.

– Isso não está vindo da floresta. Está vindo da escola.

Silva entrou em ação.

– Vamos nos dividir. Vamos para a escola. Encontrem o máximo de alunos que puderem e levem-nos ao pátio. Vamos. AGORA.

"Havia pessoas naquele castelo com quem ele se importava", pensou Riven, então se perguntou: "Quem?" A resposta veio a ele quase de uma vez: "Beatrix". Se Bloom não a tivesse libertado, Beatrix estaria presa e indefesa naquele castelo. Ele se viu correndo tão rápido quanto Sky.

Terra

"Era ótimo que Sam e Musa estivessem namorando", Terra percebeu, "porque agora eles eram seu público cativo e ela podia compartilhar muitos pensamentos com os dois."

Fora de seu quarto, era muito assustador. Tudo tinha ficado quieto, o que significava que Aisha e Stella tinham ido para seus quartos ou matado uma à outra. Terra não queria saber. Ela mexeu em suas plantas e conversou com Sam e Musa sobre papai, e isso a fez sofrer um pouco menos.

– Eu costumava pensar que ele nunca estava errado – disse ela com tristeza.

– Os pais ainda são gente, Ter. E as pessoas são imperfeitas. Quanto mais cedo você aprender isso, melhor.

Musa era tão sábia. Quando Musa e Sam se casarem, Terra pensou que Musa poderia ter uma influência muito calmante sobre toda a família.

Sam estudou Musa.

– Você nunca fala sobre seus pais.

– Há uma razão – Musa disse brevemente.

Seu irmão era irritante, mas também estava certo. Era hora de compartilhar todos os seus horríveis segredos de família e vínculo. Eles poderiam ajudar Musa. Terra ofereceu:

– Você pode, entende... falar sobre o que quer que tenha acontecido. Somos seus amigos. Quero dizer, Sam é mais do que isso, obviamente, mas para o bem desta discussão...

– Não é uma discussão – Musa disse categoricamente.

Antes que Terra pudesse forçar mais, as luzes piscaram. Ligaram e desligaram.

– Isso é estranho – murmurou Terra, e eles correram para a porta em um segundo.

Na sala comum, as luzes estavam piscando. Parecia que todo o castelo estava piscando. Stella e Aisha saíram de seus quartos, cada uma com a mesma expressão assustada no rosto. Iupi, Terra estava feliz por não terem se matado.

Mas isso ainda era muito esquisito.

– Estamos tendo uma... falta de energia? – perguntou Stella.

Aisha franziu a testa.

– Como isso poderia acontecer aqui?

Terra saltou para fornecer essa informação.

– Não deveria. Alfea é um posto avançado. A “eletricidade” que funciona é mágica. Por baixo da escola existem poços de energia que foram projetados por...

– Vou pular a aula de história e dar uma olhada – disse Sam, que nunca gostava quando Terra compartilhava alguma informação fascinante. Seu irmão chato passou pela porta da frente da suíte com sua magia. Parecia que ele estava desaparecendo longe na escuridão. Irmãos eram tão irritantes.

Ele foi embora, por que motivo? Então ele poderia encontrar alguns outros caras e eles poderiam dizer que foi estranho a energia ter acabado? O que eles deveriam fazer era analisar a situação e tomar medidas para corrigi-la. Terra continuou sua palestra. Ela tinha muito a dizer.

– Os poços, é claro, foram projetados em um espírito de cooperação entre as Fadas da Água e do Ar. E quando os poços se enchem com magia suficiente, é como uma bateria...

Sam irrompeu pela parede e desabou no chão da sala comum. Estava coberto de sangue. Havia muito sangue. O mundo parecia girar enquanto corriam para ele.

– Sam – disse Terra.

De repente, parecia que seu nome era a única palavra que ela conhecia. Sam se engasgou, molhado

– Há um Queimado na escola.

As luzes se apagaram completamente, deixando-os na escuridão.

Fogo

Eu estava no centro do círculo de pedra, Rosalind ao meu lado. As tochas ardiam à nossa volta, e minha magia era um fogo apagado dentro de mim.

– Cave mais fundo do que você fez antes – Rosalind pediu –, o que você fez para me libertar é apenas uma fração da magia de que você precisa.

As tochas se acenderam com suas palavras. A orientação de Rosalind ficou cada vez mais nítida. Quando a luz da tocha atingiu seu cabelo, ele queimou como ouro.

– Mais. Deixe o fogo consumir você.

Eu me senti da mesma forma que antes, como se houvesse muito poder dentro de mim que deveria derramar.

– Continue.

A questão era que eu queria. O poder fluía através der mim, e me senti tão doce. Mas foi bom incendiar minha casa também. Até o momento que não era mais, até eu machucar alguém.

– E se eu perder o controle? – perguntei.

– O controle limita você!

– Estou com medo – sussurrei.

– Ótimo – disse Rosalind –, o momento em que você aprender a desfrutar esse sentimento é o momento em que o mundo se abrirá para você. Uma fogueira selvagem queima dentro de você, Bloom. Com as pessoas certas em torno de você…

Que bom que eu estava com medo? Bom? A senhorita Dowling nunca quis que eu ficasse com medo. Deixei a magia crescente cair e me virei para encarar Rosalind.

– Você quer dizer, você? Com você perto de mim? Quer que eu ouça e confie em você e te deixe me guiar, mas acabei de conhecê-la. Você me escondeu da senhorita Dowling. Você nem mesmo disse a alguém que eu existo.

Eu não tinha pensado nisso antes, mas agora lembrei do fogo crepitando no quarto dos meus pais, e minha mãe no chão. Eu era um perigo para os meus pais, e Rosalind tinha me colocado lá!

– Quase matei meus pais porque você me deixou no Primeiro Mundo sem orientação e...

– A orientação de que você precisava era amor – Rosalind disse rispidamente. – Farah nunca poderia ter dado isso a você. Vanessa e Michael, sim.

A menção dos nomes dos meus pais me chocou. Mamãe e papai. Fiquei pensando nos meus pais, nos meus pais biológicos, em voltar para casa.

Como se de alguma forma eu tivesse todas as respostas, eu pudesse me transportar de volta no tempo antes de colocar fogo em minha casa e colocar minha mãe em perigo. Mas os pais não eram apenas um rótulo que eu poderia colocar em um par de pessoas quaisquer. O lar não era apenas uma ideia. Era um lugar real. Eu sabia quem eram meus pais. E Rosalind também.

– Você sabe o nome deles – eu disse baixinho.

– Eu os escolhi. Sabia que eles estavam prestes a perder uma filha. Dei a eles uma segunda chance. E te dei um esconderijo contra os monstros que queriam você morta. – A voz afiada de dar ordens suavizou. – Sempre vou cuidar de você, Bloom. E, quando isso acabar, vamos juntas encontrar seus pais biológicos.

Eu queria muito acreditar em sua promessa. Todas as respostas que recebi só serviram para me deixar mais confusa.

Enquanto tentava resolver as revelações em minha mente que girava, meu telefone tocou e olhei para ele distraidamente, e então ele parou. Era uma mensagem de Stella dizendo:

"Queimados dentro da escola. Presas na suíte."

– Eles estão na escola? – perguntei ao ar noturno. – Como?

Tentei freneticamente responder, mas não adiantou. Com a mente cheia de visões do que poderia estar acontecendo a meus amigos em Alfea, virei-me desesperadamente para Rosalind.

– Acabei de perder o sinal... tenho de ir. Você está carregada? Você pode ajudar?

– Não posso – respondeu Rosalind –, mas você não precisa disso.

Não havia mais tempo para perguntas ou respostas. Sem tempo para qualquer coisa, exceto agir. Corri em direção ao castelo.

Correndo para fora, eu quase o alcancei quando ouvi sussurros familiares. Na linha das árvores mais distantes, vi uma luz brilhante, transbordando como se o horizonte fosse uma xícara, inundando todo o céu visível. "Que diabos?"

Minha corrida louca parou, me movi em direção a esse brilho. Uma mão pousou no meu ombro. Uma voz disse:

– Aí está você – Eu me virei, sentindo o coração subir à garganta.

– Sky...

– Sim...

Não era uma batalha até a morte com um monstro, mas foi um momento muito estranho.

– Você parece... bem? – comecei.

– Eu estou. O que quer que você tenha me dado, acabou algumas horas atrás.

Ele continuou, de modo profissional:

– Vamos, temos que encontrar todos os outros.

Enquanto ele se afastava, olhei de novo para a fileira de árvores, mas o que quer que tenha estado lá tinha saído havia muito tempo.

Especialista

Kat e Riven entraram no castelo na escuridão. Eles carregavam tochas, e enquanto se moviam pelos corredores Riven ouviu o ranger de vigas acima. Houve um lampejo de luz vermelha ao longe.

– Olá? – chamou Kat.

Era como se Kat nunca tivesse visto um filme de terror em sua vida.

– O que você está fazendo? – Riven sussurrou –, e se for uma dessas coisas?

Uma fada do fogo que Riven não conhecia emergiu de um canto, e então várias fadas vieram tropeçando em direção aos Especialistas, correndo em direção ao resgate. Kat lançou a Riven um olhar francamente ofensivo.

– Por aqui, rapazes – ela disse a eles. A fada do fogo disse:

– Vi mais alunos na estufa.

Kat assentiu:

– Vou levá-los de volta. Você pega os retardatários da estufa.

– Espere… – Riven começou. Ele não queria se separar, era uma passagem só de ida para a cidade do assassinato! E ele não queria ficar sozinho. Mas Kat já estava se movendo pelo corredor. Riven foi dispensado. Então ele pensou… "alunos na estufa. Quem mais poderia ser?"

Riven entrou silenciosamente na estufa, iluminando com sua tocha em torno do espaço conhecido, as vinhas entrelaçadas de flores, os potes de terra cuidadosamente separados. "Não, de solo." Terra era muito severa com isso.

Riven gostava dali. Ele se sentia encantado e confortado. Até o holofote de sua tocha iluminou os "retardatários". Em uma das mesas, deitada inconsciente, estava Beatrix. Parado sobre ela como um cientista louco com uma espada estava Dane. Na frente de Dane estavam várias ervas e béqueres e outros equipamentos de laboratório.

Com um sentimento profundo, Riven disse:

– Que diabos?

Riven percebeu que a expressão no rosto de Dane era de pânico. As palavras saíram da boca de Dane.

– Ela disparou uma armadilha no escritório da senhorita Dowling. Algum tipo de paralisação. Ela me deu instruções de uma poção para anular o feitiço, mas…

Riven considerou a situação e, em seguida, tomou uma decisão executiva.

– Que merda para ela. Vamos.

– Não vou deixá-la! – disse Dane.

Riven poderia ter deixado Dane com Terra e não ter interferido. Dane estaria bem. Ele teria ficado feliz. E estaria seguro agora, e não desesperado aqui no escuro. O que aconteceu com Dane foi culpa de Riven.

Então Riven falou com toda a fúria nascida da traição de Beatrix. Ele falou com Dane como se Dane fosse Riven no início do ano, arrogante e prestes a cometer um erro terrível.

– Dane, ela não vale a pena.

– Ela se preocupa com você, e sei que você se preocupa com ela. Não aja como se você não ligasse. Por favor – Dane estava implorando, olhando para Riven como se confiasse que ele poderia e iria salvá-lo –, você tem que ajudar.

Riven olhou para a porta. Ele não queria sair de lá sozinho e enfrentar monstros que rasgavam as pessoas membro por membro. Ele não queria ficar sozinho de jeito nenhum.

Beatrix se importava com ele? Dane poderia estar certo? Ele olhou para Dane, com seus olhos de cachorrinho, e Beatrix deitada indefesa.

Aonde mais Riven iria? O que mais ele poderia fazer? Terra disse: "Ninguém jamais pediria sua ajuda". Dane estava pedindo. Ele parecia certo de que Riven faria isso, olhando como se Riven se importasse com ele.

Riven queria acreditar em Dane. E ele não queria ir de volta para fora. Já sabendo que isso era uma má ideia, Riven perguntou:

– O que as instruções dela dizem?

Fogo

Sky e eu caminhamos em direção à Suíte Winx. Nós tínhamos empurrado o fluxo de alunos indo para outra direção, empenhados em escapar.

No início, nosso silêncio parecia apenas o silêncio da urgência, mas rapidamente, mesmo neste tempo frenético e terrível, estava claro que era o silêncio de um profundo constrangimento. Quebrei primeiro o silêncio.

– Você poderia, por favor, dizer algo?

– O que há para dizer? – Sky perguntou, distante. – Você me beijou e então me drogou.

– Tecnicamente, te droguei primeiro – brinquei. O rosto de Sky ficou sério. Multidão resistente. Difícil e dopada. Isso era justo. Tentei ficar séria.

– Eu não sabia que íamos nos beijar quando dosei sua bebida. Então, eu me envolvi no momento, e...

– Um beijo parecia uma boa maneira de me distrair.

Obrigado pela recapitulação. Não. Isso não foi o que aconteceu. Como Sky poderia pensar isso? Ele deve saber o que sinto por ele.

– Eu não estava tentando distrair você! – parei. – Você teria me impedido, Sky.

Ele parou de andar também. Pensei que nada poderia parar meu menino soldado quando ele estava em uma missão. Aquelas eram uma dor e uma frustração genuínas em seu rosto.

– Eu me abri para você. Eu te contei coisas que nunca disse a ninguém, Bloom. Eu confiei em você, e...

– E você ainda teria me parado – terminei –, então você pode dizer que confia em mim, mas ainda vai me tratar como uma donzela que precisava ser protegida de si mesma. Desculpe. Mas isso não é confiança.

Sky disse diretamente:

– Você deixou um assassino sair da prisão para libertar uma ex-diretora maluca.

Bem, quando ele colocou dessa forma... Tive que mostrar um ponto de vista diferente.

– E se Rosalind não for maluca? E se ela tivesse um motivo para mentir? Quanto mais aprendo, mais acho que talvez todos façam somente o que acham certo.

Quando Sky me respondeu, ele estava usando sua voz de soldado de novo, vendo as coisas apenas em preto e branco.

– Só porque alguém pensa que o que fez foi certo, não significa que seja.

Ele marchou adiante.

Terra

Stella ainda estava tentando obter um sinal, andando de um lado para outro e no centro da sala, onde o resto deles estava amontoado. Aisha e Musa estavam ajudando Terra a segurar Sam enquanto seu corpo sofria espasmos. Os olhos de seu irmão estavam ficando pretos.

– A infecção vai mudar em breve. Ele ficará errático se não tomar Zanbaq. Temos que sair.

Terra saltou para a porta, mas então viu Musa estremecer quando Sam se contorceu.

– Musa, você está bem?

Musa sussurrou:

– Alguém faça alguma coisa.

Terra pretendia. De repente, houve uma batida na porta. Stella e Terra trocaram um olhar cauteloso e então recuaram. Houve outro mais estrondoso. "Se fosse um Queimado", Terra pensou, "eles teriam que lutar contra ele."

Ela esperava que Stella tivesse seu show de luzes pronto. Só então a madeira estilhaçou e os restos da porta se abriram, revelando Sky, que chutou a porta abaixo. Bloom estava ao lado dele. Houve uma fração de segundo de silêncio tenso quando Sky e Stella ficaram cara a cara. O olhar de Bloom gaguejou entre eles, mas o silêncio e a hesitação de Bloom não duraram muito. Sky disse suavemente

– Oi.

Stella disse:

– Ei.

– Precisamos de ajuda! – Terra disse.

Terra genuinamente não poderia ter-se importado menos com o lance deles. Seu irmão estava sangrando, com veneno nas veias. Foi quando Bloom e Sky olharam além de Terra e Stella e viram Sam no chão. Bloom sussurrou:

– Ah, não.

Sky praguejou e disse:

– Vamos levá-lo para o pátio. Todo mundo está lá.

Enquanto todos saíam da suíte, Bloom esperou por um minuto.

– O quê – disse Aisha –, você achou que não ia ter que encará-la?

Terra não ficou para ouvir o que Bloom respondeu. Ela não se preocupou com o triângulo amoroso de Aisha, Bloom e a senhorita Dowling mais do que ela se importava com o lance de Sky, Bloom e Stella.

Terra estava focada em seu irmão. "Segure firme, Sam", ela pensou enquanto desciam pelos corredores escuros com a respiração dolorida de seu irmão entrecortando seus ouvidos. "Segure as pontas até chegarmos ao papai." Ele vai consertar isso. Ele vai deixar tudo bem.

O pátio era agora o cenário de um castelo sitiado. Raios brilhantes de magia conjurados por Fadas das Luzes entrecortavam o ar noturno, dando-lhes iluminação suficiente para ver o que estava acontecendo, mas o que estava acontecendo era assustador.

A senhorita Dowling estava dando ordens às Fadas do Fogo para soldarem as portas por dentro. Silva estava emitindo comandos para Especialistas, todos se armando ainda mais pesadamente e ajudando fadas com as armaduras.

Terra viu Kat lubrificando uma espada, mas ela não viu Riven em lugar nenhum. Típico. Sam gemeu. Musa fez um pequeno som, como se seu gemido fosse um golpe para ela.

– Quase lá – Terra murmurou para Sam, e ficou feliz, ela não precisava mentir para o irmão.

A cantina do pátio onde almoçavam todos os dias era agora uma linha de montagem para a dispensação de ervas de cura. As fadas estavam podando Zanbaq e destilando óleo, preparando ataduras e cuidando de pacientes.

O pai dela estava no meio deles, envolvendo uma bandagem em torno da ferida de um Especialista e depois se virando e respirando antes que ele se dedicasse a outra tarefa.

Ele parecia a cada centímetro o professor que era, e o soldado que tinha sido. Totalmente calmo. No controle. Terra disse:

– Pai?

Seu pai olhou para cima para ver Terra e Musa, com seus braços ao redor de um Sam quase inconsciente. A cor sumiu de seu rosto. Sua boca se abriu, e por um segundo nenhuma palavra saiu. A confiança desesperada de Terra nele foi abalada. Seu pai se transformou em uma fada.

– Preciso de Zanbaq – seu pai disse –, agora!

Enquanto Terra e Musa gentilmente colocavam Sam em uma mesa vazia, seu pai fez uma inspeção preliminar. Sam estava tão pálido. Havia sangue por toda parte.

O pai dela se encolheu da visão das feridas de seu filho, e então se voltou para Terra. Seu rosnado ecoou contra as pedras do pátio, seu rosto familiar e confiável tão estranho para ela quanto sua escola.

– Ele perdeu muito sangue! Por que você não o trouxe aqui mais cedo?

Terra ainda esperava que eles fossem salvos pelos adultos, que, apesar de todas as evidências, seu pai era finalmente capaz e invencível. Agora, o resto de sua esperança se esvaiu. Ela enfrentou o olhar acusador do pai sem vacilar.

– Você nos deixou de castigo, pai. Lembra?

Fogo

Todas as fadas no pátio aplaudiram quando a senhorita Dowling fez um discurso anunciando que a rainha Luna estava a caminho com reforços. Mas eu não conseguia ficar na multidão. Precisava encontrar uma oportunidade de falar com ela a sós.

Tive a minha chance quando a Fada da Água que ela estava instruindo partiu. A senhorita Dowling me deu um olhar que anunciava a próxima era do gelo.

– Sei que você está brava – eu disse.

– Um eufemismo – respondeu a senhorita Dowling.

Depois que eu explicasse, ela entenderia. Então nós poderíamos todas trabalhar juntas.

– Rosalind não é o monstro que você pensa que ela é. Ela mentiu por um motivo. Os moradores de Aster Dell não eram inocentes. Eles eram Bruxas de Sangue. E meus pais biológicos não eram mesmo de lá. Meus pais biológicos podem estar vivos, e a senhorita Dowling poderia ter sua mentora de volta! Certamente a senhorita Dowling ficaria feliz.

A senhorita Dowling me lançou um olhar avaliador.

– Ela certamente tem uma maneira de conquistar as pessoas, não é?

Seu tom era um pouco condescendente. Ou talvez mais do que um pouco.

– Seu ego é tão frágil que você nem consegue considerar que pode estar errada sobre ela? – atirei de volta. Ela ficou em silêncio por um momento, como se eu tivesse acertado um nervo. Ainda assim, quando me respondeu, sua voz estava comedida.

– Rosalind deu a você apenas informações suficientes para amarrar você a ela. Ela está manipulando você, Bloom. Isso é o que ela faz.

– Então o que diabos você tem feito? – perguntei. – Foi você quem escondeu as coisas de mim. Não ela.

– E por que ela mesma não está me dizendo isso? Por que ela não está ao nosso lado ajudando na luta?

A pergunta da senhorita Dowling cortou o ar como um chicote.

– Onde ela está?

A senhorita Dowling ainda não entendia. Tive que defender Rosalind.

– Ela ainda está fraca. Não está carregada o suficiente. Mas ela disse que quando ela estiver...

– Então você estava no círculo de pedra? – a senhorita Dowling perguntou diretamente.

– Ela usou sua magia para nos esconder – expliquei. Isso levou um minuto para a senhorita Dowling absorver, e uma vez que ela o fez fiquei chocada com a emoção que transpareceu no rosto geralmente guardado. Entendi que ela estava brava por ter sido enganada, mas a fúria incandescente em seu rosto e sua voz me bateu de volta.

– O círculo de pedra é um canal para a magia da terra. Essa magia alimenta tudo em Alfea. Como nossa eletricidade. E a barreira.

Levei um segundo para reunir o que a senhorita Dowling estava dizendo. Esta noite o castelo tinha escurecido. A barreira também tinha caído, e os Queimados haviam passado. Quase não consegui forçar as palavras para fora.

– Você está me dizendo que Rosalind é a razão pela qual a Barreira estava fraca o suficiente para os Queimados passarem?

Ela estava dizendo que os Queimados tinham vindo atrás de mim, e libertei Rosalind e os ajudei a entrar aqui. Eu fiz isso. Arruinei tudo, duas vezes. O silêncio da senhorita Dowling era a única resposta de que precisava.

Eu mal tive a chance de processar antes do terrível som áspero de um Queimado ecoar fora dos portões. Um segundo som emitido de fora da cantina. Mais dois de cada lado.

A expressão da senhorita Dowling se transformou em uma que vi Sky usar com frequência: a determinação de um soldado. Eu tive que contar a ela.

– Eles estão atrás de mim, você sabe.

– Sim. Não percebi isso no começo. Mas agora sei.

A senhorita Dowling acendeu a força daquela determinação militar em mim.

– O que significa que é meu trabalho protegê-la.

Eu não queria ser protegida. Queria ajudar. Cerrei os dentes, olhando ao redor do castelo. Eu poderia consertar isso.

– Nós vamos lutar contra eles, certo? Rosalind me disse como lutar contra eles.

Os lábios da senhorita Dowling se curvaram.

– Suas ações são a razão pelas quais a escola está em perigo, Bloom. Eu diria que você já fez o suficiente.

Especialista

Os gritos dos Queimados ecoaram pela estufa. Riven reprimiu seu pânico crescente enquanto ele destilava os óleos. A destilação precisava ser feita com mão firme. Terra desmaiaria se visse quanto Dane estava moendo mal aquelas ervas.

Riven confiscou o pilão e o almofariz de Dane. Ele mesmo faria aquilo.

– Hum… como você é tão bom nisso? – Dane pareceu muito surpreso.

"Claro", Riven refletiu. "Dane realmente não sabia nada sobre ele. Ele só viu o que Riven estava tentando ser."

– Terra e eu costumávamos ficar um monte por aqui. Vou negar até a morte isso, mas… ela até que não é a pior – admitiu Riven. "Eu sou o pior. Ela estava certa sobre tudo."

– Posso ter levado você a se perder neste ano – ele pensou que este seria o seu ano. Que ele seria legal, e habilidoso, e rodeado de admiradores. Sem mais dúvidas sobre seu lugar, sem mais inseguranças.

Engraçado pensar que Riven estava muito mais feliz no ano passado. Na estufa, cercado por coisas em que ele realmente estava interessado, fazendo o que amava. Sim, isso foi muito engraçado.

Riven derramou o óleo no pó. Os vapores aumentaram, na cor correta. Terra ficaria orgulhosa dele. Ei, espere, obviamente ela não iria, porque ele era um criminoso vulgar.

Riven colocou a mistura ao lado do lindo rosto imóvel de Beatrix. Quando Riven olhou ao redor, viu Dane assistindo Beatrix inspirar com intensidade de adoração.

– Você não fez… – Dane respirou.

– Beatrix é especial.

Riven olhou para Dane, mais confuso do que qualquer coisa. Dane era gay, ele era hétero, ou ele apenas gostava de pessoas horríveis? Se Dane gostasse de garotas, talvez Riven pudesse encontrar alguma maneira de arranjá-lo com Terra. Dane estaria seguro então. Riven não poderia mais ser salvo.

Ninguém o queria de volta, mas talvez Dane pudesse ficar bem. O mundo estava de cabeça para baixo agora e os monstros estavam vindo para matar todos eles, e ele desejou ter pelo menos um fragmento de certeza.

Finalmente, ele apenas perguntou quem Dane queria, e não ficou terrivelmente surpreso quando Dane disse:

– Vá se foder!

Ele ficou muito surpreso quando Beatrix disse maliciosamente:

– Isso soa como uma resposta.

Ambos se viraram para ver Beatrix se mexendo, e se esticando enquanto ela se sentava. Isso lembrou Riven da maneira como ela acordava em sua cama, quando ele pensava que ela era sua namorada. Quando ele estava feliz. E iludido.

– Não há necessidade de me informar. Eu podia ouvir tudo – ela congelou os dois com seus olhos escuros, extraordinariamente sérios –, vocês dois fizeram a escolha certa. Quando tudo isso acabar, vocês vão querer estar do nosso lado.

Riven pensou, o pânico quebrando sua mente, "eu não fiz uma escolha!". Mas ele tinha feito, não tinha? Ajudou Dane. Tinha ajudado

Beatrix. Como de costume, ele fez a escolha errada. Uau, Terra deveria ter amarrado Riven com suas vinhas quando teve a chance.

Mente

Sam estava derramando suor e tremendo, as veias pretas correndo sob a superfície de sua pele. Musa assistia, Terra ao lado dela, enquanto o professor Harvey injetava o óleo diretamente no antebraço de Sam.

As veias retrocederam por apenas um instante, então voltaram como uma maré negra de óleo.

– Por que o Zanbaq não está funcionando? – Terra perguntou. A testa do professor Harvey estava franzida; Musa podia sentir sua concentração e sua preocupação.

– É uma ferida profunda. Pode haver outra coisa acontecendo.

Harvey puxou uma gaze ensanguentada do ferimento. Quando ele o fez, Sam gritou. Sua dor passou pela mente de Musa como um segundo grito, reforçando o primeiro.

– Ele está com dor. Ajudem-no.

– Estou fazendo tudo que posso – disse o professor Harvey. Ele voltou sua atenção para Musa. Ela sentiu o peso de sua especulação, junto com o peso de seus olhos.

– Mas há algo que você pode fazer. Você é uma Fada da Mente. Sentir emoções é apenas uma pequena parte da sua magia. Vocês têm uma conexão. Você pode aguentar um pouco da dor dele.

– O quê? – Musa gaguejou. – Como?

– Em vez de afastar a dor dele, traga um pouco para você. Tente.

Musa estendeu a mão e pegou a mão de Sam, focando a sua magia nele. Mas então Sam gritou. Tocar a mente dele era como tocar em um espinho. Musa puxou sua magia instintivamente de volta.

– Não consigo. Sinto muito.

– Você nem tentou! – Terra exclamou.

– Eu disse que não posso, ok? – rosnou Musa, dominada pela vergonha e terror por Sam e pavor por ela mesma. Ela não poderia fazer isso. Não aguentava. Ela desejou poder.

Quando Musa saiu cambaleando, viu Bloom observando com olhos arregalados de culpa, como se ela tivesse falhado.

Fogo

As outras fadas do fogo estavam reunidas nos portões, dizendo que a rainha Luna e seus reforços não conseguiriam chegar até ali no dia seguinte. Sam não duraria até a manhã. Se os portões não resistissem, nenhum de nós duraria.

Eu estava terrivelmente errada, mas se a senhorita Dowling pensasse que eu ia ficar parada e não fazer nada, quando isso era tudo minha culpa, ela estava errada também.

Mas aprendi minha lição sobre uma coisa. Afastei-me das Fadas do Fogo e fui procurar Sky. Ele estava tentando carregar um enorme e pesado pedaço de madeira sozinho, que era exatamente como costumava fazer. Ele parou em uma porta de barricada levantando um lado um pouco sem jeito, e agarrei a outra extremidade para mantê-la no lugar. É hora da verdade. Hora de ser real.

– Eu deveria ter contado a você o que estava fazendo no círculo de pedra. Deveria ter sido honesta com você como você foi comigo. Me desculpe.

– Obrigado – Sky disse.

Reforçamos a barricada juntos. Respirei profundamente. É hora de uma honestidade ainda mais assustadora.

– E aquele beijo Sky, se você pensasse que foi tudo menos verdadeiro...

– Está tudo bem, Bloom. O que quer que fosse...

Ele não terminou. Eu não o deixei. Em vez disso, puxei-o para outro beijo. Esse aqui estava quente até ficar fervendo, queimando como fogo, real como magia.

Depois que nos separamos, finalmente vi a fachada de menino soldado de Sky se abrir com um sorriso.

– E se eu disser que ainda não acredito em você... – disse Sky – você faria isso de novo?

Eu compartilhei aquele sorriso e me alegrei com a sensação de conexão restaurada entre nós. Mas não foi para isso que cheguei perto dele.

– O que é isso? Você pode me dizer.

– Posso?

Não era uma pergunta real, não desta vez. Agora mesmo, neste momento mais desesperador, todas as minhas dúvidas dolorosas sobre em quem podia confiar e a quem deveria contar pareciam resolvidas. Tudo parecia tão claro. Nossos sorrisos se tornaram risadas travessas, encrenqueiros juntos nisso.

– O que quer que você esteja pensando em fazer – disse Sky –, estou aqui.

Mas Sky não era o único criador de travessuras de que precisava na minha vida.

Fui procurar e encontrei Aisha e Stella sussurrando em um canto do pátio juntas. Eles estavam conversando sobre mim.

– Conheço Bloom – disse Aisha –, ela não vai se sentar e ficar sem fazer nada. Especialmente se pensa que é culpada de tudo isso.

Sorri. Ei, Aisha me conhecia de verdade.

– Se ao menos sua amiga e colega de quarto não tivesse se virado contra ela... – Stella disse com pesarosa malícia.

– Sério, você ainda está fazendo isso? – Aisha suspirou.

– Eu me sinto mal, ok? É isso que você quer que eu diga? Percebi o fato de que eu estava vindo para você, de todas as pessoas, eu diria que sinto muito. O que mais você quer?

Stella parecia considerar o que queria.

– Suponha que eu estivesse só curtindo o terreno elevado da amizade por algum tempo – ela admitiu –, não é uma visão que tenho normalmente. Certo, então. O que você acha que ela vai fazer? Decidi tornar minha presença conhecida.

– Provavelmente algo imprudente e um pouco maluco – admiti.

As duas se viraram para me ver, parada diante delas, não fugindo sozinha.

– Mas pela primeira vez – disse às minhas amigas – não vou fazer isso sozinha.

Especialista

Sky conversou com a auxiliar da lanchonete sobre a mistura de ervas enquanto Bloom, Aisha e Stella se esgueiravam para fora pela cozinha. Ele acenou para Bloom enquanto ela ia, seu cabelo era a coisa mais brilhante na noite escura.

Ele esperava que o aceno transmitisse: "Boa sorte, namorada!". Bem, talvez namorada. Ele adivinhou que eles poderiam determinar o relacionamento se sobrevivessem àquela noite. Estava pensando em como se desculpar da senhora do almoço, quando Silva disse:

– Sky. Uma palavra.

Sky foi até onde Silva estava reforçando uma porta, e silenciosamente o ajudou. Sempre pareceu reconfortante para ele apenas estar na presença de Silva, realizando tarefas juntos. Tudo era entendido entre eles quando tinham que cumprir seu dever.

– Você acha que vai aguentar? – perguntou Sky.

– Por um tempo – disse Silva severamente, em uma voz tão suave que parecia estranha vindo dele –, mas não sei como esta noite vai acabar, Sky. Então... Preciso que você conheça a verdade sobre o Aster Dell.

– Bloom me contou tudo – Sky assegurou-lhe.

– Aster Dell é onde Andreas morreu – disse Silva.

Ok, Bloom não tinha dito isso a ele. Na verdade, Bloom nunca mencionou o nome de seu pai para ele. Todo mundo disse isso uma vez ou outra. Andreas de Eraklyon, o grande herói.

Mas como seu pai poderia ter morrido em Aster Dell? Eles já tinham emboscado seus inimigos em Aster Dell. Ninguém teria tido uma chance de atacar Andreas.

– Como isso é possível? Você disse que meu pai morreu em batalha. Lutando.

– Ele fez isso – disse Silva –, eu só não te disse quem ele estava combatendo.

Silva disse a ele agora, nessa noite de caos e de luzes estranhas. Com uma voz lenta e hesitante, Silva contou como percebeu o que Rosalind estava fazendo em Aster Dell. Que as pessoas de lá teriam de ser evacuadas. Ele precisava contar à senhorita Dowling e ao professor Harvey. Andreas, leal a Rosalind, tinha ficado no caminho de Silva com uma espada nas mãos. Então Silva o cortou. Silva acreditava que seria capaz de avisar os outros a tempo. Ele pensou errado.

Sky tentou não deixar sua voz tremer ao dizer:

– Você me falou que meu pai era um herói – de repente, ele entendeu melhor como Bloom havia se sentido, com todos os adultos ao seu redor mentindo.

Silva respondeu, hesitante:

– Ele salvou inúmeras vidas antes desse dia. Matou mais Queimados do que qualquer um de nós. Mas ele estava... enganado, Sky. Todos nós estávamos.

– Enganados? – Sky rosnou. – Isso é o melhor que você tem a dizer? Ele matou centenas de pessoas e você o matou. E tudo que consigo é que vocês dois estavam enganados?

– Sky...

– Que diabos devo fazer com isso?

Todo o mundo de Sky estava desabando ao seu redor. Quem ele deveria ser, se não pudesse ser seu pai, e não pudesse ser Silva? Não havia nada de que se orgulhar e nenhum lugar sólido para ficar. Foi por isso que Silva sempre o orientou de maneira tão severa. Nunca tinha sido amor, nem por Sky nem por seu pai. Silva o havia criado apenas por dever e culpa. Ele nunca teve nada perto de um pai.

A voz de Silva estava afiada:

– Você cresce e aceita isso. E você se concentra no que importa.

Como se respondesse a Silva, ouviu-se outro grito alto como escamas enormes de crocodilo raspando nas paredes de granito do castelo. Então veio uma batida na porta, com tamanha força destruidora que Sky se perguntou se iria aguentar.

– Eles estão aqui – Silva disse.

Terra

Musa estava sentada sozinha em um canto do pátio, com seus fones de ouvido. De costas para a carnificina. Conforme Terra se aproximava, ela se lembrou de como Musa costumava ignorá-la em seu próprio quarto, e ficou ainda mais furiosa.

– Que diabos? – Terra exigiu atrás de Musa. Mas Musa não se virou, então Terra tirou seus fones de ouvido.

– Você não pode fugir. Ele está se contorcendo de dor. E meu pai está tentando, mas...

Quando Musa se virou, Terra viu o pânico abjeto em seu rosto.

– Por favor, me deixe em paz – Musa implorou.

Ver o pânico de Musa foi como um tapa na cara, lembrando Terra de que havia pessoas e dor no mundo além de Sam. Mas ela realmente estaria ajudando Musa, se apenas a deixasse sentar ali em um canto, ignorando o mundo? Terra hesitou.

– Sei que você se preocupa com ele – ela começou, gentilmente. Musa estava tremendo.

– Esse é o problema! Não consigo sentir isso. Eu não consigo sentir que alguém de quem gosto está morrendo. De novo não.

– O quê? Musa...

– Minha mãe morreu no ano passado, Terra. E eu estava com ela. Senti o momento em que aconteceu. Senti tudo o que ela sentia.

Musa estava lutando contra as lágrimas enquanto falava:

– É por isso que não posso falar sobre minha família. E porque não posso ficar com Sam agora. Não posso sentir isso de novo. Por favor, não me faça sentir isso de novo.

Musa parecia à beira de um ataque de pânico total. Terra percebeu que esse era um beco sem saída. Tudo que ela podia fazer era ser gentil com Musa, ou não.

– Ok. Está tudo bem – Terra prometeu.

Terra trouxe a menina menor para um abraço e sentiu Musa puxar uma respiração instável e, em seguida, uma respiração mais calma. No cabelo de Musa, Terra fez outra promessa.

– E não vou deixá-lo morrer.

Seu pai não estava conseguindo. Musa não poderia tentar. Então Terra teve que fazer seu próprio movimento: deu um tapinha gentil em Musa, devolveu seus fones de ouvido e então girou e se dirigiu para as barricadas onde Silva e Sky estavam.

As portas do castelo estavam ecoando com o impacto dos golpes. As fadas do outro lado do pátio estavam segurando suas armas. Houve o som de vidros quebrados em algum lugar, muito longe.

De pé diante das portas, Silva disse:

– Elas não vão segurar muito tempo.

"Ótimo", pensou Terra. Ela tinha que chegar ao Queimado que machucou seu irmão, e matá-lo para que Sam ficasse bem. Puxou a barricada, tentando derrubá-la.

– Terra! – Sky a agarrou pelo ombro.

Terra devolveu um olhar de aborrecimento.

– Estamos nos escondendo quando deveríamos estar lutando.

– Nós lutaremos quando for necessário – o diretor Silva disparou –, não podemos colocar vidas em risco.

Terra tinha ouvido o suficiente dos adultos hoje.

– Elas já estão. A única maneira de ajudá-los é matando aquelas coisas.

– Isso não é tão fácil quanto você poderia...

Silva não teve chance de terminar. Foi interrompido por uma parte da barricada caindo a centímetros do rosto de Terra. Terra deu um passo para trás e observou a barricada desmoronar diante de seus olhos.

Por todo o castelo havia braços de Queimados se embrenhando pelas rachaduras nas paredes. A madeira estava caindo no chão. O barulho terrível foi alto como um trovão. Através das barricadas quebradas havia vislumbres dos Queimados, rosnando, avançando, seus olhos horríveis brilhando.

O braço de um Queimado irrompeu pela madeira, tentando agarrá-los. Houve um estrondo quando o telhado de vidro caiu, um Queimado caindo do céu. Em outra direção, as chamas lançadas por uma Fada do Fogo varreram o chão em uma onda destrutiva. A mão queimada tentou agarrar Terra.

Em seguida, o braço do Queimado se retirou. Sombras deslizaram no limite de sua visão, e a noite seguiu quieta enquanto os gritos pararam. Terra olhou em volta, atordoada.

– O que acabou de acontecer?

Uma quietude tensa se estabeleceu no espaço. A senhorita Dowling caminhou para o centro do pátio. Os ruídos tinham quase inteiramente desaparecido. Silva foi em sua direção, movendo-se rápido

– Eles estão indo embora – disse a senhorita Dowling.

– Todos eles estão se movendo juntos, como se estivessem seguindo algo – relatou Silva, com a testa franzida.

O controle frio de sua diretora quebrou abruptamente com uma constatação

– Onde está Bloom? – a senhorita Dowling perguntou.

Luz

Stella, Aisha e Bloom emergiram da passagem secreta no ar frio da noite. Parecia que Stella estava fugindo de sua mãe, tremendo e sozinha.

Uma parte de Stella queria voltar para a senhorita Dowling, ou para esperar por sua mãe e o exército, ou agarrar-se em Sky, pedir a alguém, qualquer um, para protegê-la e resolver seus problemas. Só que não funcionou. Era dever de uma princesa proteger seu povo, e Stella queria ser alguém que ajudasse e não machucasse seus amigos.

Ela queria que Alfea e aqueles dentro dele estivessem seguros. Ela queria ser tão corajosa quanto Bloom, que estava tão determinada a proteger a todos da ameaça que ela podia representar.

Bloom olhou para trás em direção às luzes da escola, e Stella se perguntou se a coragem de Bloom iria aguentar. Stella não a culparia se isso acontecesse.

– Vamos – Bloom disse a elas, valente como um cavaleiro –, nós temos que ter certeza de que os Queimados estão me seguindo.

Elas seguiram para a escuridão que Stella sempre temera, mas Stella não sentia tanto medo agora. Pela primeira vez ela não estava sozinha no escuro.

Terra

Se os Queimados estavam perseguindo Bloom, Terra tinha de ir atrás deles e caçá-los. Isso estava muito claro.

Kat, a Especialista, pegou uma arma e acenou com a cabeça para Terra. Elas avançaram juntas.

– Terra, não saia daqui – disse o pai dela.

Terra se preparou para resistir ao apelo do pai.

– Sei que você quer me proteger, pai, que você pensa que sou apenas uma criança, mas não sou. Tenho de fazer alguma coisa.

– Você está certa – disse o pai, e isso fez Terra voltar, assustada.

– Preciso da sua ajuda.

Quando Terra viu o medo nos olhos de seu pai, ela correu de volta para ele. Parecia apenas um punhado de segundos antes que Terra entrasse em uma luta, mas não a luta que ela esperava. Ela estava lutando pela vida de seu irmão.

Sam estava gritando de agonia. Pedaços de gaze ensanguentada cobriam a mesa. Seu pai os pegava e empunhava a pinça enquanto Terra se jogava em Sam, desesperada para estancar o sangramento.

– Encontrei uma lasca perto do coração dele. Um pedaço do Queimado. É por isso que ainda está se espalhando. Se ficar muito mais tempo...

O pai dela claramente não suportaria terminar a frase.

– Como vamos tirar isso? – Terra sussurrou. Seu pai disse:

– Estou tentando, mas se eu acidentalmente tocar nele...

A mão de seu pai tremia quando ele enfiou a pinça na ferida. Terra mordeu o lábio com força. Toda vez que Sam gritava, seu pai tremia. Sam choramingou:

– Isso dói.

– Pai – Terra insistiu –, preciso que você lute contra isso.

– Sam – seu pai implorou –, tente ficar imóvel para mim.

Sam cerrou os olhos, mas mesmo de olhos fechados parecia fazer a dor rasgá-lo.

– Não consigo! – Sam gritou.

Terra gritou sobre os gritos:

– Pai, nós vamos perdê-lo.

Ela não conseguia olhar para o rosto de Sam, então ela estava olhando para a mão de Sam, abrindo e fechando desesperadamente no ar. E ficou preocupada se a mão iria parar de se mover.

Em seguida, outra mão deslizou para a de Sam. De repente, a agonia parou. Os olhos de Sam se abriram e Terra viu que seu olhar tinha se tornado violeta puro com magia mental.

Musa estava de pé sobre ele, seus próprios olhos brilhando intensamente. Lágrimas estavam escorrendo por seu rosto. Sam disse fracamente:

– Musa...

– Acho que talvez seja a sua vez de conseguir um pouco de paz comigo – Musa murmurou para ele.

Então, apertou a mão dele e quase engasgou de dor. Eles estavam compartilhando, Terra percebeu, e compartilhada entre duas pessoas a dor poderia ser suportável. O suficiente para deixar o pai dela fazer o que deveria.

– Você está bem? – sussurrou Terra, quase tão apavorada quanto ela ficou aliviada. Musa, tão controlada e indiferente, chorava abertamente.

– Apenas façam o que tiverem de fazer.

Com isso, papai mergulhou de volta. Sam e Musa pareciam perdidos em seu próprio mundo particular de sofrimento compartilhado. Terra podia ver Musa lutando, mas ela não quebrou o contato visual. Não havia ninguém a quem seu pai pudesse recorrer, exceto Terra. Ele olhou para ela suplicante.

– Não consigo – disse o pai, impotente. Ele parecia tão jovem quanto Sam, tão jovem e incerto quanto ela mesma. Mas Terra sabia como ser prestativa para outras pessoas, quando elas precisavam dela.

– Sim, pai, você consegue – Terra disse a ele –, sei que consegue.

Seu pai respirou fundo. Suas mãos pararam. Com uma tentativa final, Sam e Musa se engasgaram. As veias pretas recuaram quando seu pai deslizou para fora uma enorme lasca.

Todos eles deram um suspiro de alívio, mas o alívio não poderia durar. Seu pai disse baixinho:

– Ele está bem por enquanto. Mas ainda é muito grave. Ele não estará fora de perigo até que o Queimado que o atacou seja morto.

Fogo

Aisha, Stella e eu defendemos a escola na área aberta do Bastião. Aisha olhou para a superfície cintilante das águas.

– Posso usar a água do lago – ofereceu Aisha. Stella estava olhando para mim com o que parecia ser preocupação.

– Minha mãe estará aqui em breve. Com um exército de verdade. Você não tem que fazer isso, Bloom.

– Foi minha culpa. Fizeram minha cabeça.

– Ela não vai chegar a tempo, Stella.

Eu olhei para a escuridão da floresta. Um som de raspagem ecoou sob as folhas, flutuando em direção a Sky.

– Os Queimados estão atrás de mim. Eles sempre estiveram atrás de mim.

Nas profundezas da floresta, pensei que poderia ver Queimados escorregando entre as árvores. Sombras movendo-se com terrível velocidade. Direcionados para seu alvo.

– E se eu puder me conectar com eles como Rosalind disse? Eu poderia detê-los.

Tentei manter minha voz firme. Mas por baixo disso eu sabia que as duas podiam sentir meu medo.

– Mas para fazer isso… tenho que concentrar mais magia do que nunca. Não sei o que vai acontecer quando fizer isso.

– Está tudo bem – Aisha me disse firmemente –, vou garantir que estejamos seguras. E que você também esteja.

– Você não vai nos ver, mas estaremos bem aqui – murmurou Stella.

Aisha pegou uma das minhas mãos. Stella pegou a outra. Aisha, água para o meu fogo. E Stella, que poderia esconder Aisha de nossos inimigos. Olhei de um rosto para o outro e encontrei forças.

– Rosalind quer que eu acredite que ela é a pessoa de que preciso para passar por isso. Ela não é.

Então, respirei fundo e me virei para a clareira. Aisha e Stella se afastaram de mim. Quando voltei, por todas as aparências, elas tinham sumido.

Dei alguns passos na clareira. Deixe vir, então. Tudo que eu temia. Deixe-me ser tudo que sempre temi ou desejei. A água rodopiou do lago, a magia de Aisha puxando-a em um riacho prateado que se movia no ar como um vento forte. Ele me envolveu em uma cortina de água, um casulo em forma de diamante brilhante ao meu redor, me isolando do mundo.

Suspensa ali, me senti leve, como se pudesse voar. Água e fogo. Estranhamente, lá no final da minha jornada, não pensei nas palavras de Rosalind ou mesmo nas da senhorita Dowling. Pensei na minha mãe, como costumávamos brincar de princesas de mentira em um castelo, e como ela iria cantar para mim canções de animadoras de torcida.

"Feche os olhos e abra o coração! Ok, mãe."

Fechei meus olhos. Senti que as chamas começaram a dançar na ponta dos meus dedos, envolvendo minhas mãos. Senti faíscas subindo ao longo das minhas pernas enquanto meus pés se levantavam do chão. E, nas minhas costas, tentáculos como escadas de incêndio, desenrolando como uma flor feita de fogo.

Finalmente, abri os olhos. A cortina de água evaporou à minha frente, gotas de chuva derretendo no ar. Eu queimava brilhantemente e senti o ar noturno agitar minhas asas brilhantes.

Meus pés tocaram o chão e virei meu olhar flamejante para a floresta. Os Queimados estavam vindo atrás de mim. Levantei um dedo para atraí-los e vi uma fonte de luz magenta surgir da ponta do dedo. O fogo parecia invocar um eco de fogo no peito dos Queimados.

Pude ver uma luz em cada um deles, uma luz estranha e terrível. Isso devia ser o que o professor Harvey chamou de Cinder. Mas por que eu podia vê-los? Por que os Queimados de repente pareciam tão estranhos para mim?

– O que é você? – sussurrei, enquanto eles saltavam através das árvores em minha direção.

Corri para encontrá-los. O mais próximo me atingiu e levantei a mão. O fogo escorregou de seu peito para mim, e quando o Cinder o deixou a forma carbonizada do Queimado oscilou e mudou. Ele estava morto no chão, e os outros Queimados estavam atacando.

Eles pareciam quase lentos para mim, como se estivessem fora de seu elemento e eu estivesse no meu. Levantei minha mão e a luz chamou a luz, os Cinders abriram uma trilha de tochas enquanto sua magia chegava até mim. Os Queimados caíram ao meu redor, como folhas na floresta. Corpos humanos caíam ao chão e, finalmente, fiquei em um círculo de mortos. Os Queimados se foram.

Minha escola estava segura. Eu tinha feito isso. Eu me virei e vi a senhorita Dowling na beira da clareira. Ela estava olhando para mim do jeito que eu sempre quis: com orgulho.

– Muito bem, Bloom – disse ela.

Concordei. Mas então, mais rápido do que minha magia havia subido, as chamas retrocederam. A escuridão começou a piscar nas bordas da minha visão, e senti meus joelhos cederem quando tombei.

A senhorita Dowling correu pela clareira e me pegou nos braços. Aisha e Stella saíram correndo da escuridão.

– O que houve? – Aisha perguntou. A voz de Stella estava com medo.

– Ela?...

– Ela está bem. Apenas fraca.

A senhorita Dowling olhou do rosto de Aisha para o de Stella.

– Talvez vocês, meninas, queiram ajudar a trazê-la de volta para seu quarto...

Quando elas colocaram meus braços sobre seus ombros, consegui olhar para cada uma delas. Stella, linda e arrogante. Aisha, tranquila e constante. Ambas aqui, determinadas, e temendo por mim. Me segurando firme, como elas tinham feito a noite toda.

– Conseguimos – sussurrei.

– Sim.

– Nós conseguimos. – A voz de Aisha soou tão forte quanto o ombro que me apoiava.

Mente

Musa estava sentada enrolada em torno de Sam, sentindo a agonia batendo em ambos como ondas negras tentando rasgá-los, carregando-os e afogando-os. Então, de repente, a maré baixou. Musa piscou, tentando limpar sua visão.

– Sua dor.... está cedendo – ela começou a sorrir –, acho que eles conseguiram.

Sam apertou a mão de Musa, olhando para ela. Eles se encaravam. Não havia brincadeiras entre os dois naquele instante. Sem piadas. Apenas gratidão nos olhos de Sam, profunda e doce como o começo de algo verdadeiro.

– Obrigado – ele murmurou. Musa acenou com a cabeça, então olhou para a família Harvey, sentindo as ondas de gratidão vindo de todos os lados. Lágrimas brotaram em seus olhos.

Musa piscou rapidamente para escondê-las. Ela não era do tipo emotiva. Nunca foi. Não era seguro.

O professor Harvey se virou para Terra, seu rosto brilhando com orgulho. Ele disse:

– Sim. Obrigado a ambas.

Terra brilhava, mas era demais para Musa. Ela sentiu como se outro mar a engolisse, sentimentos borbulhando. Começou a se virar, até Terra colocar o braço em torno da colega de quarto, para impedi-la. Terra segurou Musa no lugar, apenas o tempo suficiente.

O mar de emoções não afogou Musa, como ela temia. O alívio e a alegria em torno delas não pareciam mais lutar nas águas escuras, mas era como sair para a luz.

– Não – disse Terra no ouvido dela –, você tem que sentir as coisas boas também. E, para a própria surpresa de Musa, ela relaxou nos braços da melhor amiga e sentiu.

Especialista

Nestes tempos de problemas e assassinatos, Riven encontrou consolo em uma de suas poucas constantes: brincar com a cabeça de Dane era legal.

– Mas espere: "Lutando como uma garota?". "Jogando como uma garota?" "Correndo como uma garota?"

– Tudo problemático – Dane o informou.

"E que tal soltar assassinos enquanto guardam rancor contra uma garota inocente que realmente gostava de você, Dane?", Riven pensou. "Isso é problemático?" Mas foi meio fofo pensar quão seriamente idiota Dane poderia ter-se tornado.

De sua posição perto da janela da estufa, Beatrix falou, sua voz preguiçosamente divertida.

– Ele está brincando com você, Dane. Riven entende linguagem contemporânea de gênero muito melhor do que deixa transparecer. Um ato fofo, no entanto.

Riven lançou um sorriso a Beatrix. Ela o pegou, ele pensou: "Ninguém mais conseguia, mas ela o pegou". Ela achava que ele era inteligente, mas que era fofo. Parecia que gostava dele. Então ele transferiu o sorriso para Dane. Sim, eles eram meio horríveis, mas Riven também era. Sua gangue esquisita estava reunida, e em meio ao horror o sentimento era muito bom.

Quando Beatrix falou, seu tom era mais caloroso do que o normal.

– Esse termo... não foi uma merda, meninos. Obrigada por isso.

As luzes piscaram e a conversa silenciou. Riven olhou para Dane.

– Devemos voltar – disse ele.

– Nós deveríamos – disse Dane. Ninguém se mexeu. Se eles partissem, estaria acabado. Riven estaria sozinho, com todo o seu medo e todos os seus arrependimentos. Só então Beatrix disse:

– Rosalind estará aqui em breve. Ouçam-na. Ela e meu pai têm um plano. Vocês dois podem ser uma parte dele. Isso... não tem que acabar.

Isso. Então Beatrix pensou que realmente havia um "isso". Isso não tinha sido tudo uma encenação. Havia algo entre eles. E isso significava que havia algo a perder. Dane disse, em tom de revelação:

– Espere aí. Seu pai foi quem te mandou aqui?

– Tecnicamente, ele não é meu pai, mas ele saberá o que...

Então a porta se abriu. Uma mulher loira mais velha estava na entrada principal da estufa. Exibia um sorriso inquietante. Riven era um Especialista por tempo suficiente para reconhecer um ar de comando.

– Rosalind – Beatrix sussurrou.

– Sim.

O cérebro por trás do indubitável plano de que Beatrix estava falando.

– Você se lembra de mim – disse Rosalind, a mentora –, bom.

Ela olhou para Riven e Dane com um ar arrogante, tipo "que diabos são eles?". Riven olhou para ela de volta, como "quem diabos é você, senhora?". Ele não disse isso. Essa senhora tinha vibrações intensamente desequilibradas. Tipo, se ela fosse cinquenta anos mais jovem, Sky tentaria namorá-la. Mas então Beatrix disse:

– Eles são amigos. Ambos.

Isso soou bem. Parecia real. Os olhos de Rosalind brilharam, e Riven sentiu sua magia como uma tocha brilhando em todos os cantos mais escuros de sua alma. Por fim Rosalind acenou com a cabeça, como se eles tivessem passado na prova. Acho que isso significava que a alma de Riven era muito sombria.

– É sempre bom ter amigos – disse Rosalind –, aposto que eles querem saber o que acontece a seguir.

Rosalind sorriu, um sorriso lento que parecia de alguma forma quente como o sol e frio como uma cobra. Riven não estava certo de que ele queria saber o que viria a seguir.

Fogo

Enquanto Stella me ajudava a entrar em meu quarto, Aisha puxou meus cobertores e apontou imperiosamente. Eu me arrastei para a cama apenas a tempo de Terra entrar com um chá reconfortante. Musa estava seguindo logo atrás. Ela não tomou um chá calmante. Tive que verificar novamente.

– E você tem certeza de que Sam está bem?

Terra sorriu para mim por cima da xícara de chá.

– Sim. Graças a você e Musa.

Musa olhava afetuosamente.

– Por favor. Você deveria ter visto Terra. Ela vai operar todas nós em uma semana. Como prática. Mesmo se não precisarmos de nada.

– Direi, estou um pouco desapontada por ter perdido as asas.

– Elas eram tipo totalmente demais, estilo Fada Sininho? – Terra perguntou.

– Muito mais legal do que isso. Elogios vindos de Stella.

– Mais legais? Gosto da Sininho – Terra admitiu melancolicamente.

– Claro que sim – murmurou Stella.

Meu telefone vibrou na mesa de cabeceira. Mamãe e papai.

– Você descanse – disse Aisha –, vou atender para você. Vou gastar a minha mentira do mês para salvar a sua barra.

Quando Aisha pegou o telefone e saiu do quarto, ouvi sua voz ficar animada. Mamãe gostava disso.

– Senhor e senhora Peters, oi! O quê? Não, Bloom está bem. Sim, foi uma semana difícil. Esses exames são matadores.

Olhei para minhas amigas ao meu redor. Seus rostos sorriam. Elas estavam felizes e seguras. Elas estavam comigo. Eu não estava sozinha. Deixei meus olhos se fecharem.

Especialista

Bloom tinha feito isso. Sky sabia que ela era capaz. Ele só queria saber o que fazer de si mesmo. Ele se sentou do lado de fora da escola, na grama diante da entrada principal. As estrelas se moviam. O céu se iluminou. O sol nasceu. O castelo tocado em ouro contra o céu azul era o mesmo, ele sabia disso, mas não parecia o mesmo.

Alfea era a única casa que ele conhecia, mas agora estava contaminada. Seu torpor de horas foi interrompido pela voz de Bloom.

– Aí está você.

Ela se sentou na grama ao lado dele e se inclinou um pouco, deixando seu ombro tocar o dele. Teria sido bom se ele não se sentisse a um milhão de quilômetros de distância.

– Ouvi um boato de que você virou totalmente fada na noite passada – disse ele.

– Foi um boato bom ou ruim? – Bloom perguntou. – Na verdade, não me importo. O que quer que as pessoas pensem, foi a primeira vez que me senti como eu mesma. Totalmente eu. – E ela acrescentou suavemente: – Pertenço a este lugar.

Sky olhou para ela. Ao contrário de sua escola, ao contrário do mundo, Bloom fazia sentido para ele. Ela não parecia mais perdida. Ela tinha se encontrado, como ele sempre teve certeza de que ela faria.

– Você pertence, sim – Sky murmurou. Ele só não tinha certeza se poderia dizer a mesma coisa sobre si mesmo. A voz de Bloom ficou repentinamente aguda.

– Você está vestindo as mesmas roupas da noite passada?

Seu olhar deixou de ser sonhador. Ela se concentrou em seu rosto.

– Sky! O que aconteceu?

Ela ficou tão feliz quando saiu para encontrá-lo, brilhando como o nascer do sol, sentindo que pertencia ao lugar. Ele não queria ser a nuvem escura em seu horizonte.

– Estou bem. Juro.

Então ele acenou para a calçada, onde a senhorita Dowling estava. Fornecendo a desculpa perfeita.

– Parece que alguém quer bater um papo pessoalmente.

Sky parou de falar.

Fogo

Outra entrevista no escritório da senhorita Dowling. Bati nessa porta exigindo a verdade tantas vezes, era um pouco estranho agora que estávamos tentando ser educadas uma com a outra.

– Como você está se sentindo? – perguntou a senhorita Dowling.

– Um pouco desgastada. Mas vou sobreviver.

A senhorita Dowling assentiu.

– Você utilizou uma grande quantidade de poderes de magia. Tenho certeza de que ficará esgotada por alguns dias, e...

Isso já era fingimento suficiente. Talvez a alma meticulosa da senhorita Dowling ficasse horrorizada, mas eu tinha que tirar isso de mim.

– Eu era uma pirralha. Fico pensando no que disse para você na noite passada.

Sem a senhorita Dowling, eu não teria Aisha ou Sky ou Terra ou Musa ou Stella. Não teria Alfea ou a magia. Lutei com a minha culpa pela forma como a tratei. Eu sabia agora que ela estava fazendo o seu melhor. E sabia agora quão difícil era fazer o seu melhor.

– Você tem sido incrível para mim. Você me encontrou quando estava perdida. Trouxe-me para um lugar onde estava segura. Deu-me orientação. Cercou-me de gente boa. E tenho sido... fui tão ingrata.

A senhorita Dowling parecia um pouco com Rosalind, como se talvez tivesse se inspirado em Rosalind havia muito tempo. Pode ser que foi por isso que confiei em Rosalind muito rápido, querendo ser tudo que decidi que a senhorita Dowling não poderia ser para mim.

O cabelo loiro da senhorita Dowling tinha um tom mais escuro do que o de Rosalind, seus olhos escuros em vez dos intensos azuis de Rosalind. Ela não era Rosalind, que brilhava como as joias de uma fantasia. A senhorita Dowling era ouro de verdade.

Ela sorriu, repentina, brilhante e verdadeira. Como se de agora em diante seríamos verdadeiras uma com a outra.

– Está perdoada.

Eu acreditei nela.

– Você... nós podemos... nos abraçar?

Saiu sem pensar, foi um pedido estranho e provavelmente ridículo. A diretora fria e indiferente, a senhorita Dowling estava apavorada por mim, como ela normalmente ficava.

Mal a senhorita Dowling assentiu, deu um passo à frente, me pegou e acolheu em seus braços. A primeira vez que a vi, ela estava cercada por luz. Ela parecia uma revelação, mas a luz estava fria.

Esse abraço foi caloroso. Coloquei meus braços ao redor dela e a segurei com força. Nós nos entenderíamos mais e nos daríamos bem dali em diante. Ela seria minha mentora, e Alfea seria o meu lugar de pertencimento de agora em diante. Exceto que havia uma coisa que precisava fazer primeiro.

Fogo

Minha casa na Califórnia estava em melhor estado do que da última vez que a vira. Tudo se consertou com o tempo.

Meu pai ficou muito surpreso em me ver. Tudo o que ele conseguia pensar em fazer era gritar pela minha mãe.

– Bloom – mamãe disse assim que me viu –, por que você está aqui em casa? Você está em apuros?

Minha mãe não tinha ideia do problema em que eu estava, ou dos problemas que eu suspeitava em que estaria no futuro.

– Vou explicar tudo – declarei –, só preciso fazer uma pergunta rápida. Fiz um gesto para as minhas amigas.

– Oi – murmurou Aisha.

– Olá – Stella respondeu, descontraída.

– Tão bom conhecê-los! – Terra disse.

– E aí? – falou Musa.

Os olhos dos meus pais se arregalaram.

– Minhas amigas podem ficar aqui no fim de semana? – perguntei.

O rosto de mamãe mostrava perplexidade.

Pude ver a preocupação minha-filha-enlouquecida em conflito com minha-filha-tem-uma-vida-social! Alegria.

– Hum. É claro!

E então pedi às minhas amigas que esperassem no meu quarto, enquanto eu me sentava com meus pais e contasse a eles a verdade. Sobre o que eu era e o que havia feito com eles. Sobre sua primeira filha, a quem perderam sem saber. Ela teria sido humana, aquela primeira filha. Ela nunca teria causado incêndios, ou partido para terras estranhas. Mas ela não poderia tê-los amado mais do que eu.

Eu estava com muito medo de olhar para minha mãe. Quando finalmente consegui fazer isso, ela estava olhando para as cicatrizes de queimadura em seus braços.

– Sinto muito – sussurrei, enquanto as lágrimas escorriam pelo meu rosto. Senti como se estivesse esperando havia meses para dizer isso. Chorar. E, assim como todas as vezes em toda a minha infância, quando chorei, mamãe estava bem ali.

Ela colocou os braços em volta de mim e me abraçou com força, eu sabia que era dela e sabia que estava em casa.

Conversamos por muito mais tempo. E minhas amigas e eu conversamos até mais tarde, no meu quarto. Na manhã seguinte, desci as escadas e meus pais acolheram minhas amigas corretamente.

Mamãe deixou papai pedir pizza naquela noite, e até comeu ela mesma, já que era um dia especial. Mamãe sempre quis que eu tivesse amigos suficientes para dar uma festa de pizza.

Eu lia nos poemas, na minha antiga escola, que fadas concediam desejos, e o reino das fadas foi chamado de Terra dos Desejos do Coração. Todos os meus desejos se tornaram realidade, embora nenhum tivesse acontecido da maneira que eu esperava.

Ainda assim, tenho que ir para casa, com minhas novas amigas. Agora eu tinha abraçado a verdade de mim mesma, poderia ter tudo que sempre quis. Talvez o país das fadas fosse a Terra do Desejo do Coração, afinal.

Especialista

Sky ajudou Silva a carregar o armamento através dos destroços espalhados de sua escola. As janelas foram quebradas, os portões derrubados, mas pelo menos o arsenal estava em ordem.

– Onde está Riven? – perguntou Silva.

– Provavelmente ficando chapado em algum lugar com Dane.

Isso era tudo que Riven fazia atualmente. Parece que era isso que ele estava fazendo na noite em que os Queimados atacaram.

Bloom e suas amigas tinham virado heroínas, e o que o amigo de Sky estava fazendo?

De outro lado, Riven tinha visto como Alfea seria destruída muito antes de Sky. Talvez Riven fosse o mais inteligente.

Silva lançou um olhar direto para Sky. Ele sempre pensou que aquele olhar de Silva era tão honesto.

– Um dia espero que você entenda que tudo o que fiz foi para seu benefício. O mundo não é perfeito, Sky. Não é preto e branco, heróis e vilões. O bem e o mal.

– Então por que você passou minha vida inteira me convencendo do contrário? – Sky perguntou, desesperado:

Ele queria perguntar, você alguma vez me amou?, mas nunca disse nada parecido para Silva em sua vida. E não teria a chance de perguntar naquele momento. Na entrada da garagem apareceu um séquito de SUVs e o Rolls-Royce da rainha Luna.

Silva se aproximou dos veículos com a testa franzida.

– Eles não deveriam estar aqui. Dissemos a eles que o ataque havia acabado.

Ele caminhou em direção à comitiva da rainha Luna, confiante e destemido como sempre. Silva parou quando os guardas da rainha apontaram seus arcos diretamente para ele.

– Que diabos está acontecendo? – Sky perguntou.

A rainha Luna emergiu do Rolls-Royce:

– Saul Silva, é com o coração pesado que devo colocá-lo na prisão.

Seu coração podia estar pesado, mas sua voz estava leve como sinos.

– Por quê? – Silva perguntou asperamente.

– Pela tentativa de assassinato de Andreas de Eraklyon – Luna respondeu.

Uma palavra, e foi como uma pedra atirada em toda a vida de Sky. Virando tudo.

– Tentativa? – Sky repetiu.

A porta de um caminhão se abriu e um homem saltou. Sky conhecia seu rosto de centenas de fotos, conhecia-o de centenas de histórias que Silva havia contado.

– Olá, Sky – disse seu pai.

Não havia muita chance para uma reunião de família emocional. Luna ordenou que seus soldados entrassem em Alfea e colocassem as coisas em ordem. Um desses assuntos era Silva. O diretor Especialista de Sky parecia ainda atordoado quando eles colocaram as algemas em seus pulsos, e Sky foi ordenado a se afastar com o resto dos especialistas.

Sky teve de assistir enquanto os soldados invadiam sua casa, reorganizando tudo ali. Ele teve de assistir enquanto eles levavam Silva embora algemado. E o tempo todo seu pai ficou ali.

O pai dele estava vivo, e nunca se preocupara em contatar Sky uma vez sequer. Ao lado de Andreas, inclinando-se em direção a ele como se ele fosse o seu pai, estava Beatrix.

A garota que tinha matado alguém e liderado um motim na escola. Agora Beatrix estava sorrindo para Riven e Dane, exibindo sua presunção. Embora o choque tivesse feito tudo parecer muito distante e irreal, Sky conseguiu pensar: “Bloom. Estou tão feliz que você não esteja aqui. Não volte. Alfea não está segura. Nunca mais”.

Talvez nunca tenha realmente sido.

O coração envelhece

Quando Rosalind veio procurá-la, Farah estava enterrando os corpos que uma vez foram os Queimados. Quão nobre. Mas isso era típico de Farah. Tão nobre que a tornava ineficaz.

– A história por trás dos Queimados é incrível – Rosalind disse à sua ex-pupila –, confie em mim.

Parecia que Farah não confiava. Que triste. Rosalind deu um tapinha no banco ao lado dela, convidando Farah a se sentar, mas Farah não daria nenhum passo em sua direção. Farah nunca foi pessoal. Era uma questão muito séria.

Rosalind achava sua própria habilidade para tornar as pessoas calorosas consigo extremamente útil. Só para provocar, ela disse a Farah que os Queimados já tinham sido soldados em uma guerra antiga, soldados que foram transformados pela magia conhecida como Chama do Dragão. Essa mesma chama queimava dentro da pequena Trocada, Bloom.

Farah disse com raiva:

– Você deixou os Queimados entrarem na escola para testá-la. Arriscou a vida de inúmeros alunos...

– Sim, sim – e qual era o ponto de Farah? –, há uma guerra no horizonte. Os Queimados não são nada em comparação com o que está por vir – Rosalind chegou ao seu ponto. – Temo que você não tenha compostura para liderar a próxima geração contra isso.

Um sorriso irônico brotou nos lábios de Farah.

– E aí está.

– Não me entenda mal, você fez um ótimo trabalho – Rosalind lhe disse, condescendente.

Farah, diretora senhorita Dowling, que piada, observou:

– Eu tive uma escolha. Continuar com seus métodos ou aprender com as suas deficiências.

Ela realmente parecia acreditar nisso. Ela parecia certa. Rosalind não se lembrava de Farah senhorita Dowling como segura de si mesma. Uma vez, ela só tinha certeza de Rosalind.

– Olhe para você – Rosalind murmurou –, toda crescida.

Farah baixou os olhos para Rosalind.

– Uma vez que saí da sua sombra, vi um mundo cheio de luz. Acontece que este lugar não era infeliz. Foi somente por sua causa.

– Se ao menos a rainha Luna concordasse contigo... – Rosalind disse docemente.

Ela nem mesmo teve que chantagear Luna para pensar que Alfea precisava de um novo gerenciamento. Aparentemente, Luna estava questionando Farah sobre algo a ver com a sua filha. Aquilo era Farah, tão boba, sempre fazendo inimigos. Luna estava ansiosa para que Rosalind mudasse a escola. Ben Harvey entraria na linha, por seu precioso filho e filha. E Rosalind ficou bastante satisfeita em informar Farah que seu parceiro Silva estava sendo levado para a prisão. Pela tentativa de assassinato de Andreas de Eraklyon. Andreas estava assumindo seu filho de volta. E Rosalind iria tomar conta de tudo. De seu castelo e de Bloom.

Farah virou-se, tentando esconder como estava abalada com a ruína repentina que caiu sobre ela. Mas com certeza Rosalind conhecia Farah muito bem. Nem precisava ver. Ela sabia o desespero que Farah devia estar sentindo. E amou aquilo.

– Então, agora nós só temos que falar sobre você. Pensei que seria melhor se você tirasse um ano sabático. Vá para as montanhas. Dê uma pausa. Você trabalhou tanto, Farah.

A voz de Farah soou como aço:

– Sou a diretora de Alfea agora. E de jeito nenhum vou deixar a escola em suas mãos.

– Já imaginava isso – murmurou Rosalind –, mas o resto do mundo pode acreditar que não.

Querida Farah, sempre muito honrada. Ela pensou que elas estavam tendo uma discussão civilizada. Farah se virou agora, concentrando sua magia para si, mas a magia de Rosalind já estava pronta. Bastou um aceno de sua mão para quebrar o pescoço de Farah.

Quase fácil demais, na verdade. O último pensamento de Farah senhorita Dowling foi que ela deveria ter avisado Bloom, protegido, ensinado mais. Ensinado melhor.

Mas era tarde demais. Todos os pensamentos cessaram para Farah senhorita Dowling. A luz morreu atrás de seus olhos, e a terra se ergueu para recolhê-la. Sete novas sepulturas, em vez de seis para os Queimados perdidos.

Rosalind garantiu que as flores crescessem em profusão vívida sobre a terra revolvida. As novas flores eram lindas. Parecia que aquele estava se preparando para ser um lindo dia.

"Ah, tudo poderia ter terminado de forma muito diferente", Rosalind imaginou. Mas não aconteceu. Só havia espaço na vida de sua querida Bloom para uma mentora.

Fogo

Enquanto minhas amigas e eu caminhávamos pela garagem de Alfea, conversando e rindo, a luz do sol refletia nas torres e janelas e fez com que parecesse mais do que nunca a ilustração de um livro de contos de fadas com bordas douradas. A visão era tão familiar agora que me fez sorrir.

O castelo parecia minha casa, e estava um lindo dia. Passamos pelos portões, Aisha, Stella, Musa, Terra e eu.

Então toda conversa e risada cessaram, em meio à poeira e às ruínas de Alfea. A respiração de Stella sibilou entre os dentes quando ela encarou sua mãe.

Ao lado da rainha Luna havia um homem que eu só tinha visto em fotos, um homem com o rosto de Sky. Um homem que deveria estar morto.

E de pé, no centro de Alfea, como se ela fosse a dona do lugar, sorrindo seu doce sorriso diabólico, estava a mulher que eu tinha libertado.

– Bem-vindas de volta, senhoras – disse Rosalind.